PATRICIA HIGHSMITH

Ce mal étrange

ROMAN TRADUIT DE L'AMÉRICAIN
PAR YVES BRAINVILLE

CALMANN-LÉVY

Titre original :

THIS SWEET SICKNESS

ISBN 2253-055476

A MA MÈRE

C'ÉTAIT la jalousie qui empêchait David de dormir ; elle le sortait de son lit aux couvertures et aux draps défaits, de sa pension de famille sombre et silencieuse, et l'envoyait courir les rues.

Cependant sa jalousie et lui avaient déjà vécu si longtemps ensemble, que les images et les mots qui, d'habitude, viennent frapper le cœur avec une évidence brutale ne parvenaient plus jusqu'à son esprit. Ne comptait maintenant que la « situation ». La situation était ce qu'elle était, ce qu'elle avait été depuis bientôt deux ans ; inutile de se perdre dans des détails. Elle était comme une pierre, une lourde pierre qu'il transportait avec lui jour et nuit, dans sa poitrine. Quand il ne travaillait pas, le soir, la nuit, c'était pire que le jour, voilà tout.

Dans ce quartier, qui se voulait résidentiel mais qui avait piètre apparence, les rues étaient, à cette heure, obscures et désertes. Il était un peu plus de minuit. David en prit une qui descendait vers l'Hudson. Il entendit derrière lui un vague bruit de moteurs qu'on mettait en route ; le cinéma de la grand-rue se vidait. Il marcha au bord du trottoir pour éviter un tronc d'arbre qui poussait dans le mauvais sens et penchait au-dessus du chemin. En haut d'une maison préfabriquée de deux étages, une lumière jaune brillait à une fenêtre : On lisait tard dans la nuit, ou bien se rendait-on tout simplement à la salle de bain ? se demanda-t-il. Quelqu'un le croisa, dessinant les lents zigzags d'homme soûl. David arriva devant un panneau « sans issue ». Il franchit une barrière blanche, basse, et se trouva sur un terrain caillouteux ; les bras croisés, il resta ainsi, le regard perdu dans la masse noire devant lui : c'était le fleuve. Il lui était impossible de le voir, mais il le sentait, il le savait là, roulant ses eaux grises, vertes, profondes, et plus ou moins sales. Il était sorti de la maison sans sa veste, et le vent d'automne était perçant. Il résista environ cinq minutes, puis se retourna et repassa la petite barrière.

En revenant vers la pension, il vint à hauteur d'un wagon d'aluminium, en diagonale sur un terrain vague : Chez-Andy. Sans aucune envie de manger ni de se chauffer, il entra. Il n'y avait là que deux clients, deux hommes, très loin l'un de l'autre, perdus dans la longue rangée de tabourets ; David s'assit à égale distance des deux. Il flottait dans l'air des relents de viande grillée et, plus vaguement, de ce café trop léger qu'il détestait. Un homme à gros bras et à mouvements particulièrement lents, répondant au nom de Sam, s'occupait des repas, avec sa femme ; David avait appris qu'Andy était mort deux ans plus tôt.

« Comment ça va, ce soir ? » lui dit Sam d'un ton fatigué.

Et, sans même le regarder, il essuya le comptoir, pour la forme, d'un coup de torchon.

« Très bien. Je prendrai un café, s'il vous plaît.

— Un vrai ?

— Oui, s'il vous plaît. »

Avec lait et sucre, ce café ressemblait davantage à du thé et ne pouvait en aucune façon empêcher qui que ce soit de dormir. David mit les coudes sur le comptoir, ferma le poing droit, qui était froid, et le serra fortement dans sa main gauche. Ses yeux fixaient, sans la voir, la photographie aux couleurs brillantes d'un plat cuisiné. Quelqu'un entra et s'assit à côté de lui. Une jeune fille. David ne fit pas attention à elle.

« Bonsoir, Sam ! dit-elle, et la figure du type à gros bras s'anima.

— Ah ! bonsoir... et comment va, ma toute belle ? Qu'est-ce que ce sera ? Comme d'habitude ?

— Oui, avec beaucoup de crème fouettée.

— Ça va vous faire grossir.

— Pas moi, je n'ai rien à craindre. »

Elle tourna la tête vers David.

« Bonsoir, monsieur Kelsey ! »

David sursauta et la regarda ; il ne la connaissait pas.

« Bonsoir », répondit-il avec un petit sourire d'automate.

Puis il reprit sa position. Après un moment, elle ajouta :

« Vous êtes toujours aussi peu loquace ? »

Il la regarda de nouveau. Elle n'était pas vulgaire, pensa-t-il, simplement d'un type courant.

« Peut-être bien, dit-il en approchant sa tasse de café, pour boire.

— Vous ne vous souvenez pas de moi, dit-elle en riant. N'est-ce pas ?

— Non.

— J'habite, moi aussi, chez Mme Mac Cartney, dit-elle avec un grand sourire. Elle nous a présentés l'un à l'autre, lundi, et, depuis, je vous ai vu dans la salle à manger, tous les soirs. Oui, à dîner seulement, car le petit déjeuner, je le prends plus tôt que vous. Je m'appelle Effie Brennan. Enchantée de vous rencontrer... pour la seconde fois. »

Elle eut un petit mouvement de tête qui fit sauter ses cheveux châtain clair comme s'ils étaient montés sur ressorts.

« Enchanté, dit David. Désolé d'avoir si mauvaise mémoire.

— Mauvaise, peut-être en ce qui concerne les

gens, mais Mme Mac Cartney dit que vous êtes un génie ès sciences... Merci, Sam. »

Elle se pencha au-dessus de sa tasse pour humer le chocolat. David ne la regardait plus, mais il devina qu'elle essuyait subrepticement sa cuiller avec sa serviette de papier avant de la mettre dans sa tasse ; ensuite elle joua avec sa boule de crème fouettée, la tournant et retournant dans le chocolat.

« A tout hasard, vous n'êtes pas allé au cinéma, ce soir, monsieur Kelsey ?

— Non. Je n'y suis pas allé.

— Vous n'avez pas manqué grand-chose. Moi, je dois dire que je prends plaisir à n'importe quel film. Peut-être parce que je n'ai plus la télévision. Les amies avec qui je vivais avant avaient un poste ; mais il appartenait à celle qui a déménagé. Il y en avait un aussi à la maison, mais je n'y suis pas retournée depuis six mois ; je veux dire... pas pour y rester. Je suis d'Ellenville. Vous n'êtes pas d'ici, vous, n'est-ce pas ?

— Non. De Californie.

— Oh ! la Californie, dit-elle, impressionnée. En tout cas, Froudsburg n'est peut-être pas grand, mais c'est toujours plus grand que ce à quoi j'étais habituée... ce qui n'est évidemment pas beaucoup dire. »

Elle eut de nouveau son grand sourire. Ses dents de devant étaient larges et carrées, son visage assez mince.

« J'ai une bonne situation ici, continua-t-elle. Je suis secrétaire dans un chantier de bois. Chez Depew. Vous devez le connaître. Je partageais un appartement agréable, mais une de mes compagnes s'est mariée ; alors on a dû le quitter. Maintenant, je suis en quête d'un autre logement qui soit dans mes prix. Je ne peux pas dire que l'idée d'être à demeure chez Mme Cartney m'enthousiasme. »

Elle rit. David ne savait pas quoi dire.

« Et vous ? demanda-t-elle.
— Oh ! ça peut aller. »
Elle se pencha de nouveau sur sa tasse et but à petites gorgées.
« Eh bien, ça va peut-être pour un homme, mais moi, je ne suis pas d'accord pour les salles de bain communes... Cela fait longtemps que vous habitez là ?
— Un peu plus d'un an, dit David, qui, sans tourner les yeux, sentait que la jeune fille le regardait.
— Mince alors ! Je suppose que cela doit vous plaire. »
D'autres gens lui avaient dit la même chose. Tout le monde, même cette jeune personne qui venait d'arriver chez Mme Mac Cartney, savait qu'il touchait un bon salaire. Tôt ou tard un des pensionnaires lui apprendrait, à elle aussi, ce qu'il faisait de son argent.
« Mais Mme Mac Cartney m'a dit que vous aviez votre mère malade à votre charge. »
Et voilà ; elle le savait déjà.
« C'est exact, dit-il.
— Elle pense que c'est merveilleux de votre part ; moi aussi. Vous n'auriez pas un peu de feu, monsieur Kelsey ?
— Je regrette, je ne fume pas. Sam, dit-il avec un geste de la main, auriez-vous une allumette ?
— Bien sûr », dit Sam, et il tendit une boîte en passant.
La jeune fille tenait sa cigarette à la bouche, entre deux doigts aux ongles peints, s'attendant à ce qu'il l'allume, mais il lui offrit la boîte en souriant. Puis il posa une pièce de dix cents sur le comptoir et glissa de son tabouret.
« Eh bien, bonne nuit.
— Une toute petite seconde, dit-elle, et je pars avec vous. Si toutefois vous rentrez à la pension. »
David, pris au piège, ne dit rien. Il se retrouva en train de lui ouvrir la porte à glissière. Elle s'était

remise à parler, lui racontant qu'elle venait chez Andy pour ses pauses café parce que le chantier n'était pas loin. Elle bavardait et David faisait semblant d'écouter. Elle lui demanda quel genre de travail il faisait en tant qu'ingénieur conseil aux établissements Cheswick ; il répondit que cela signifiait s'occuper des divers concurrents qui venaient mettre leur nez dans l'usine pour découvrir, par exemple, la formule de rinçage utilisée pour les plastiques.

« Oh ! ça, je parie que ce sont des histoires ! Mme Mac Cartney m'a dit que vous étiez le cerveau de Cheswick ; ce n'est pas vous qui allez voir les autres, ce sont les autres qui viennent vous voir : votre compagnie ne peut se passer de vous une journée durant. »

Sa voix sonnait claire et forte dans la rue silencieuse.

« Je ne sais pas où elle a été chercher ça, dit David. Un certain Lewissohn dirige la maison. Je ne suis que l'ingénieur en chef. Un chimiste, c'est tout.

— A propos de chimie, il y a dans la salle de bain du dernier étage un échantillon d'un corps tout nouveau, dit-elle en riant. Avez-vous vu cette matière vaguement orangée, dans la baignoire, sous le robinet ? »

David, qui avait en effet remarqué le dépôt de couleur orange, se mit à rire lui aussi et jeta un coup d'œil vers la jeune fille, alors qu'ils passaient sous un lampadaire. Elle mesurait environ un mètre soixante, devait avoir vingt-quatre ans, n'était pas jolie, mais non plus dépourvue d'attrait. Elle le regarda ; ses yeux marron clair étaient francs, ingénus et malicieux à la fois.

« Nous sommes arrivés. N'est-ce pas celle-là ? dit-elle en désignant une maison sombre dans une rangée d'autres maisons sombres.

— Oui », dit-il.

Il aurait été capable de rentrer, les yeux fermés, en ne se guidant qu'aux irrégularités du trottoir. Au milieu de la petite allée qui menait à la porte, elle s'arrêta brusquement et, avec un temps de retard, il comprit pourquoi. C'était Wes qui l'attendait, assis sur les marches.

« Eh bien, eh bien..., dit doucement Wes en regardant la jeune fille.

— Tu n'as pas réveillé Mme Mac Cartney, j'espère, dit David.

— Non. Seulement un des vieux du rez-de-chaussée. »

Et il s'inclina légèrement devant Effie.

« Il est préférable que je vous dise bonsoir, dit tranquillement David, en se tournant vers sa compagne.

— Tu ne fais pas les présentations ?

— Excusez-moi... Wes Carmichaël... Mademoiselle...

— Effie Brennan, dit-elle.

— Effie, répéta Wes, avec un sourire. Très heureux de vous rencontrer.

— Moi de même, monsieur Carmichaël... Eh bien, je vais rentrer. Bonne nuit, monsieur Kelsey !

— Bonne nuit ! »

Avant même qu'elle ait ouvert la porte, Wes disait à David sur un ton pressant et sourd :

« Je veux que tu viennes à la maison avec moi, David. Ne discute pas. Je ne suis même plus capable de discuter. J'ai eu mon compte, ce soir.

— Il est tard, Wes, il est tard, dit David en se dégageant de son étreinte.

— Non, tu viens avec moi. Ton apparition dans cette maison fera plus que tout ce que je pourrais dire... des mots... des discours entiers, avec Laura, à quoi ça sert ?

— Encore une mauvaise soirée ? »

Wes se balançait sur place, les mains sur le visage.

« Des gens sont venus prendre un verre. Des amis à moi. Ils ne sont pas partis assez tôt. Elle a commencé à se mettre dans une de ses rages, avant même qu'ils aient quitté la maison !... Viens avec moi, David, s'il te plaît. Je t'emmène dans ma voiture.

— Je n'y vais pas.

— Il le faut. Tu ne l'as seulement jamais rencontrée, et, bon Dieu ! ce soir, c'est l'occasion rêvée.

— Je ne veux pas la rencontrer. Excuse-moi, Wes, mais je n'en ai aucune envie. De plus, n'oublie pas qu'à neuf heures on est au travail, tous les deux.

— Oh ! il n'est pas si tard. Combien ? Vingt-trois heures environ... »

Il essaya de deviner ce que marquait sa montre, puis y renonça.

« Je te reconduis chez toi, dit David, avec ta voiture, et je rentrerai à pied. Ça te va ?

— Tu me reconduis et tu entres. Tu entres, bon Dieu ! Elle doit avoir cassé toutes les assiettes, à l'heure qu'il est.

— Chut... Viens. »

David entraîna Wes jusqu'à sa voiture, une Oldsmobile verte qui bloquait la moitié de l'entrée de la pension. Il poussa Wes sur la banquette et prit le volant. Au cours du trajet — une dizaine de pâtés de maisons — David eut droit à de multiples précisions sur la soirée ; celle-ci avait été en tout point semblable aux autres, que Wes lui avait déjà décrites ; mais, ayant dans l'idée qu'elles étaient toujours différentes, Wes était persuadé que cela allait de mal en pis entre Laura et lui.

« Et après ça, elle s'attend à ce que je lui fasse l'amour ! dit-il, indigné. Mais comment ? Qui le pourrait ? Il y en a peut-être ; pas moi. »

La violence qui faisait vibrer sa voix paraissait à David si lointaine qu'il ne se sentait pas concerné. En arrivant, il examina attentivement la maison de Carmichaël, ne désirant pas tomber sur une Laura déchaînée qui les attendrait sur le trottoir ou sur la pelouse. A l'arrière, sur le côté, une fenêtre était éclairée : ce devait être la cuisine où avait eu lieu toute la casse ; il y avait aussi de la lumière dans une chambre, à l'étage. Tout était parfaitement silencieux. David émit l'idée que Laura était probablement allée se coucher et qu'il était tout à fait inutile qu'il entre à cette heure. Wes protesta faiblement puis se tut. David trouva attristant de voir le courage et le propos de Wes annihilés par la simple proximité de Laura.

« Garde la voiture, David, et prends-moi au passage demain matin. Ne rentre pas à pied.

— Non, non, Wes. Allez. ressaisis-toi. Moi, je vais très bien. »

Wes se redressa, paraissant soudain très grand. Il donna une claque sur l'épaule de David, mais avec une expression légèrement apeurée et les yeux humides d'une tristesse un peu ivre.

« Tu es bien le meilleur des potes, David. Tu es le plus chic type que j'aie jamais connu.

— Prends de l'aspirine et bois beaucoup d'eau avant de t'endormir, murmura David.

— Dormir ?... Ha... »

David lui fit un signe de la main et s'éloigna dans la nuit.

Il se sentait fort et libre ; il n'était pas tragiquement pris au filet comme Wes. Il en sourit même et hocha la tête avec pitié. C'était juste après le voyage de noces de Carmichaël que David l'avait rencontré. Il se rappelait avoir envié son bonheur. Avec même un peu d'amertume. Il avait presque été jaloux. A l'usine, il avait entendu parler de la tourbillonnante aisance avec laquelle Wes avait fait sa cour, de la beauté de Laura, etc. Pendant trois mois environ, Wes avait littéralement rayonné de bonheur — petit mortel effleuré un bref instant par les dieux —, mais cette époque avait été si courte : David s'en souvenait à peine. Il y avait eu une brutale descente aux enfers, et, depuis lors, c'était là que vivait Wes. Souvent, le soir, il venait rendre visite à David pour échapper aux méchancetés de Laura et à sa manie maladive de faire le ménage. C'était surtout pendant les week-ends que David avait pitié de lui : le nettoyage battait alors son plein ; Laura ne travaillait pas à l'extérieur, mais, selon Wes, elle l'accusait de mettre du désordre dans une pièce rien qu'en y pénétrant. David hocha de nouveau la tête : laisser pourrir, là, devant ses yeux, un bien d'un aussi grand prix que le mariage !... Voilà certes ce qui ne leur arriverait jamais, à Annabelle et à lui ; il se le jura de nouveau comme souvent déjà par le passé. Rien qu'à penser à elle, il sentit dans tout le corps une vibration tendre et chaude, comme une pulsation plus forte du cœur.

Il se retrouva dans l'allée de la pension. Le téléphone sonna avant qu'il eût atteint les marches de l'entrée. Il ouvrit la porte, traversa sans bruit le vestibule et, dans le noir, avec précision, saisit l'appareil.

« Allô ! murmura-t-il.

— David, c'est Wes... Dieu merci, elle était endormie... Qu'est-ce que tu en dis ?

— Que c'est bien ainsi.

— Ecoute. J'aimerais te voir demain soir. Je t'invite à dîner n'importe où. On pourra d'abord s'asseoir quelque part, on boira quelques bières, et puis ensuite, peut-être que...

— Demain, c'est vendredi, Wes...

— Ah !... Bon Dieu ! tu as raison...

— Je regrette, mon vieux ; autrement ç'aurait été...

— Je sais, je sais, dit Wes sur un ton de détresse. Tant pis, mon pote... A demain matin ! »

Et il raccrocha comme s'il s'effondrait en larmes à l'idée du long week-end qui l'attendait. Silencieusement, David reposa l'appareil et monta sur la pointe des pieds jusqu'à sa chambre, située au deuxième étage, du côté ouest. Un rai de lumière passait sous une porte, à l'arrière de la maison, près de la salle de bain ; il supposa qu'il devait venir de la chambre de la jeune fille. Il ouvrit sa propre porte... « Effie... Est-ce que ce n'est pas affreux ? avait-elle dit comme en s'excusant. Mon père m'a donné le nom d'une de ses anciennes amours... » David se demanda si ce père était toujours amoureux de cette Effie de ses premières années et s'il avait en fin de compte épousé une mégère...

La vie était bizarre, très bizarre. Mais David Kelsey avait une conviction invincible : sa vie à lui allait s'arranger très bien.

CHAQUE vendredi après-midi, vers dix-sept heures trente environ, David passait par la pension prendre son sac de voyage bleu dans lequel il était supposé emporter chemise propre, pyjama, brosse à dents, rasoir. En fait, il n'aurait jamais songé à prendre en week-end des affaires personnelles dont il se servait chez Mme Mac Cartney. Son petit sac pouvait transporter quelques livres, une bouteille de gin ou de vin, ou quelque objet pour la maison, mais rien de ce qu'il utilisait du lundi au vendredi. Et, en toute vérité, ce n'était pas pour prendre son sac qu'il passait par la pension dans l'après-midi du vendredi, car il aurait fort bien pu l'emporter avec lui, le matin, en partant au travail. Il revenait voir si une lettre d'Annabelle n'était pas arrivée au courrier de dix heures ; il fallait qu'il s'en assure, bien qu'il n'ait reçu, au cours des deux années passées dans cette ville, que deux lettres d'elle. Lui, d'ailleurs, ne lui avait écrit que quatre fois : Ce serait une grossière erreur, pensait-il, de la submerger sous la correspondance.

Sa chambre était toujours impeccable, comme lui-même ; elle évoquait assez curieusement quelque passé, depuis longtemps oublié, qu'on aurait pu avoir vécu si l'on avait un âge certain, ou qu'on aurait connu par des lectures ou des photographies. Quand des personnes comme M. Harris, le bedonnant accordeur de pianos qui habitait au rez-de-chaussée, ou M. Muldaven, le veuf qui habitait aussi au rez-de-chaussée, mais sur le devant, ou Mme Mac Cartney elle-même, se trouvaient pour une raison quelconque sur le pas de sa porte, David les voyait regarder d'abord sa chambre avec un air ahuri, avant même de pouvoir annoncer l'objet de leur visite. (Il décourageait les intrusions ; il avait son propre balai, ses chiffons, et nettoyait si bien sa chambre qu'il était inutile pour Sarah, la femme de ménage, d'y mettre les pieds ; elle entrait néanmoins chez lui de temps en temps et il le savait.) La pièce était dans son ensemble d'un jaune passé ; l'ameublement, comme celui des autres chambres, était un mélange sans goût de vieux et de neuf, et ne se composait que du strict nécessaire : lit, chaise, fauteuil, commode et table. Chez David, la commode avait été remplacée par une armoire haute et sombre avec deux tiroirs en bas. Le tapis était grand et usé, frotté jusqu'à la trame par les balais et les aspirateurs ; ses deux trous étaient plutôt mal dissimulés, l'un sous le double lit d'un affreux marron, recouvert d'une courtepointe trop petite, faite au crochet mécanique, l'autre sous le petit bureau très ordinaire où David avait installé une rangée de livres. Le fauteuil rouge foncé était ce qu'il y avait de plus récent dans la pièce, et il datait d'au moins vingt ans. C'était peut-être à la fois la sobriété — pas la moindre gravure ne mettait de fantaisie aux murs — et l'ordonnance invariable de sa chambre qui forçaient les gens à la regarder avec une sorte de stupeur ; mais venait ensuite un sentiment de « déjà vu », l'impression de contempler un tableau curieusement ancien, en particulier lorsque David y inscrivait sa haute et tranquille silhouette. Mme Mac Cartney savait aussi apprécier ce tableau, mais sans y accorder trop de temps. Elle considérait simplement David Kelsey comme son locataire idéal, un bon jeune homme, la perle rare. Il ne fumait pas, ne buvait pas, ne recevait pas de jeunes filles chez lui, même avant vingt-deux heures (heure à laquelle elle aimait les savoir parties, et elle n'hésitait pas à le dire à ses locataires, avant même qu'ils emménagent), et il passait ses fins de semaines, du vendredi soir au lundi matin, avec sa mère, malade dans une maison de repos. Le seul souci de Mme Mac Cartney, concernant David, était qu'il ne trouve jamais femme à sa mesure.

A dix-sept heures trente, on frappa à sa porte ; il ouvrit et vit une fois de plus sur le visage de Mme Mac Cartney, alors qu'elle regardait derrière lui, dans la chambre, l'expression d'un étonnement un peu émoussé, mêlé à une certaine curiosité. Elle était maigre, grise, raide, efficace ; elle irritait David et lui répugnait. Il savait parfaitement que, derrière son sourire en éclair, aussi faux que ses dents, elle se rassurait une fois de plus : la chambre dont « elle » était propriétaire était toujours intacte, dans toute sa laideur, jusqu'au moindre bout de fil, au moindre picot de bois. Et ce qui affligeait le plus David, c'était de penser que deux garçons, qui vivaient à Saint-Louis, devaient, par force, considérer Mme Mac Cartney comme leur mère.

« Excusez-moi de vous déranger, dit-elle, mais Mme Beecham m'a dit qu'elle aimerait que vous montiez la voir avant de partir. Je crois, ajouta-t-elle dans un murmure et en se penchant vers lui, que ce cher vieil ange a un petit quelque chose pour votre mère.

— Bien ; merci, madame.

— Et merci à vous pour le loyer », dit-elle en reculant.

Elle s'arrêta soudain.

« Vous n'avez pas remarqué de fuite à cette grande fenêtre, n'est-ce pas ? Lundi dernier, avec ces trombes d'eau...

— Non, pas du tout, pas du tout », dit David, après avoir jeté un coup d'œil derrière lui à la fenêtre centrale, encadrée de deux autres, hautes et plus étroites, en encorbellement.

Il est probable qu'il y avait eu une fuite, mais il ne tenait pas à ce que Mme Mac Cartney ou Georges, son bricoleur factotum, viennent rôder dans sa chambre en son absence.

« Bon... Eh bien, ayez un agréable week-end, David, et nos amitiés à votre mère.

— Je n'y manquerai pas. Merci. »

David attendit derrière sa porte fermée que les pas dans l'escalier aient fait place au silence, puis sortit et referma à clef derrière lui. Mme Beecham logeait au troisième et à l'arrière de la maison. Cet étage était plus étroit que les autres ; ne s'y trouvaient que la chambre de Mme Beecham, une salle de bain à l'arrière et au centre et, de l'autre côté, une autre chambre, celle de Mme Mac Cartney. David frappa discrètement à la porte et entendit aussitôt une voix douce et claire.

« Entrez, David. J'ai reconnu votre pas. »

Elle était installée dans son fauteuil roulant, un ouvrage de tricot et un livre sur les genoux ; sur le livre, une loupe qu'elle descendait le long de la page, lisant et tricotant en même temps. Elle avait quatre-vingt-sept ans ; sa jambe gauche était paralysée, son bras gauche à moitié, et cela depuis vingt ans, à la suite d'une attaque. Sa fille lui envoyait régulièrement de Californie un peu d'argent, mais, à ce qu'on disait, ne venait jamais la voir.

« Asseyez-vous, David, lui dit-elle en lui montrant une vieille chaise droite et cassée, au siège de paille. J'espérais bien vous attraper avant votre départ. Ne m'avez-vous pas dit que votre mère était à peu près de la même taille que moi ? »

Elle avait habilement roulé son fauteuil vers le bureau et l'avait arrêté de côté.

« A peu près, lui dit David, comme il le lui avait déjà dit précédemment un bon nombre de fois. Vous ne lui avez pas encore tricoté quelque chose ?... »

Il s'était assis en souriant, en jeune homme bien élevé, mais se releva, inquiet, la voyant sortir du tiroir un vêtement rose.

« Ce n'est qu'une autre liseuse. Ça ne prend pas longtemps à tricoter, et à qui d'autre pourrais-je en faire cadeau ? »

David l'examina d'un air appréciateur et s'efforça d'imaginer ce qu'il pourrait trouver comme cadeau en retour. Il lui en avait déjà fait plusieurs, et il lui était de plus en plus difficile d'en trouver de nouveaux.

« Elle est vraiment très belle, madame, mais, vous savez, elle porte encore l'autre... celle que vous lui avez donnée l'année dernière.

— Ça ne la gênera pas d'en avoir deux. Quant à vous, David, deux paires de chaussettes, c'est à peine suffisant. N'oubliez pas de me les apporter, dès qu'elles sont trouées. Pour le moment, je fais un petit manteau et un bonnet pour mon arrière-petit-enfant, mais immédiatement après, ce seront des chaussettes pour vous. »

Elle jouait avec ses aiguilles à tricoter, trop âgée et trop pâle pour se permettre de rougir au plaisir de voir David apprécier la liseuse.

Il avait le regard fixé sur cette chose toute rose qu'il tenait entre les mains ; il abandonnait l'idée de l'interroger sur l'enfant, dont il avait oublié le sexe, car il n'était pas sûr qu'on avait eu la décence d'en faire parvenir une photo à l'arrière-grand-mère.

« J'ai demandé à cette gentille jeune fille qui habite au-dessous de me rapporter une boîte pour la liseuse, et je suis certaine qu'elle le fera, mais elle n'est pas encore rentrée. Je peux déjà reconnaître son pas. »

Mme Beecham le regarda gaiement ; ses lunettes grossissaient et rendaient visible la cataracte dans ses deux pupilles.

« Quelle jeune fille ? demanda David.

— Effie Brennan. Vous ne voulez pas dire que vous ne l'avez pas rencontrée ?

— Oh ! si, bien sûr..., murmura David avec un sourire. Alors, madame, que puis-je vous rapporter cette fois-ci ? Encore un peu de ce fromage que vous aimez ? Une de vos plantes préférées ? »

Sur les fenêtres qui donnaient plein est, Mme Beecham avait amoncelé des plantes de toutes sortes, bien en pots et florissantes.

« Il n'y a plus guère de place, dit-elle en riant. Voici Effie, ajouta-t-elle, levant un doigt en signe d'avertissement.

— Je ferais bien de partir. »

David ouvrit son sac de voyage et le cacha un peu de Mme Beecham, bien qu'à cette distance il était peu probable qu'elle pût voir ce qu'il y avait dedans ; il y glissa soigneusement la liseuse bien pliée.

« Je suis sûr qu'elle en sera folle, dit-il. Eh bien, à lundi matin ! Et prenez bien soin de vous-même, madame. »

La vieille dame paraissait être dans une sorte de transe, au bruit des pas qui approchaient ; elle ne répondit pas à David qui attendait gauchement un mot lui permettant de prendre congé. Puis vint le coup à la porte, et Mme Beecham, d'une voix chantante, dit à la jeune fille d'entrer.

En fait, on ne peut dire qu'elle entra ; elle explosa dans la chambre, des fleurs aux couleurs d'or plein les bras ; s'il avait été plus rapide, David aurait pu s'échapper par la porte sans être vu.

« Et voici votre boîte, dit Mme Beecham, tout excitée, prenant sous le bras de la jeune fille une boîte rayée blanc et argent. Mettez la liseuse dedans, ç'aura l'air mieux.

— Bonjour, vous ! dit Effie, avec son large sourire. Alors c'était pour vous, la boîte ?

— Pour ma mère, dit David. Je vous remercie d'avoir pris toute cette peine. »

Il ouvrit son sac et en sortit la liseuse d'un geste rapide. Effie l'aida, bien inutilement, à l'envelopper dans un morceau de papier de soie qui était dans la boîte. Leurs mains s'effleurèrent, et David retira brusquement la sienne. La jeune fille le regarda. Il glissa la boîte sous son bras.

« Eh bien, je m'en vais, madame Beecham, et merci encore. »

Il fit un petit signe de tête à Effie.

« Au revoir ! »

Puis il referma la porte sur ces mots de Mme Beecham : « Conduisez prudemment, David », et sur le regard vif et à la fois ébahi de la jeune fille. En descendant, il entendit leurs voix un peu dolentes, leurs voix de femmes. Il supposa que Mme Beecham devait être en train de dire quel jeune homme « bien » il était. Il savait que plusieurs locataires l'appelaient, hors de sa présence, « le Saint ». C'était agaçant, et David s'efforça de ne plus y penser.

Il prit la grand-route vers le nord. La nuit tombait rapidement ; cela signalait le début de l'hiver et David en était heureux. Il préférait la nuit au jour, en dépit de ses moments de mélancolie nocturne, et il préférait l'hiver à l'été. Maintenant, en voiture, en route pour la maison, il se permettait de rêvasser aux soirées à venir ; il se voyait assis près de la cheminée, avec des livres, ou réparant un meuble, dans la cave, ou allongé par terre devant le feu, écoutant de la musique, dans le noir. Au diable les fleurs d'été, les roses coupées qui ne durent même pas une semaine ! Quand il regardait par les fenêtres de son salon, il pouvait voir le lierre vert sombre et solide, accroché aux pierres rugueuses des fondations de la maison. Il en avait déjà vu un, pris dans de la glace, qui restait vert et parfaitement vivant. Le lierre n'exigeait aucun soin, bien qu'il lui en donnât tout de même, et cela durait hiver comme été.

David s'arrêta à un croisement, dans une petite bourgade appelée Ballard, à un mille environ avant la maison ; chez un boucher, il acheta un steak et de la viande hachée ; dans un autre magasin, il prit des petits pains frais, une salade, quelques poires et de la moutarde d'importation qu'il n'avait pas encore goûtée ; de chez le marchand de vin, à côté, il emporta deux bouteilles de Pouilly Fuissé et une caisse de frascati. Puis il repartit, tourna sur une petite route goudronnée et prit enfin un chemin de terre. Il y avait des bois de pins de part et d'autre. La voiture fit trembler les planches d'un petit pont qui enjambait un ruisseau, et, après une dernière courbe légère, ses phares firent briller, le temps d'un éclair, les chambranles peints en blanc de ses fenêtres ; c'était comme un salut de bienvenue. Il n'y avait pas d'autres maisons dans les alentours. Celle de David était en pierre et en brique ; à une extrémité s'élevait une cheminée d'une taille disproportionnée, comme si elle avait été construite pour une maison qui aurait eu un étage de plus. Elle était d'une couleur marron terne, avec, ici et là, quelques nuances de gris, de ce gris de pierre naturelle. Quelqu'un avait, un jour, ensemencé la pelouse, et l'on apercevait maintenant des traces d'herbe, mais elle se perdait vite dans les bois qui l'entouraient de trois côtés. Et même du quatrième côté, là où les phares avaient éclairé les chambranles de fenêtres, poussaient quelques pins, plus hauts que la cheminée.

David, son sac de ravitaillement sous le bras, ouvrit la porte principale et, machinalement, s'essuya les pieds sur le tapis-brosse marron, avant d'entrer. Il tourna l'interrupteur et, respirant profondément, il jeta un coup d'œil circulaire sur le salon confortable : un canapé profond, des tapis marron et blancs, en peaux de vache, la cheminée avec ses deux photos d'Annabelle, les rayons de livres et de disques. Puis il alla dans la cuisine déposer ses provisions. Une demi-heure après, il avait pris une douche, enfilé ses blue-jeans, mis une chemise propre, dans sa chambre, à l'étage, ouvert le chauffage, descendu la caisse de vin à la cave, rangé ses provisions et préparé le feu dans la cheminée. Il l'alluma et, pour la seconde fois de la soirée, prit entre ses mains une des photographies de la jeune fille ; elle laissait planer sur son visage un sourire discret, elle avait des cheveux bruns qui lui descendaient jusqu'aux épaules ; il embrassa doucement ses lèvres. Puis il prépara un petit pichet de Martini et en versa dans deux grands verres à pied, placés à côté d'une assiette d'anchois et d'olives noires ; il prit une petite gorgée dans un des verres, et se mit à installer une applique qu'il avait apportée dans son sac. C'était une lampe d'un genre un peu spécial, qu'il avait commandée par correspondance à un grand magasin de New York et qu'il s'était fait livrer chez Mme Mac Cartney. Il l'accrocha au mur, au-dessus du canapé, entre des rayons de livres. Quand il eut terminé, son verre de Martini était vide. Il emporta le second avec lui dans la cuisine, pour le boire peu à peu pendant qu'il préparerait son dîner. Il se souvint qu'il avait eu l'habitude de lever son premier verre à une Annabelle imaginaire, en disant : « A vous ! » avant de boire, et de le redire en levant le deuxième verre ; mais il était heureux de constater qu'il ne le faisait plus depuis plusieurs mois. Inutile d'être ridicule à ce point. A ce régime-là, on risquait de perdre la tête, si cela durait trop longtemps.

Pendant que cuisait sa pomme de terre, il fit passer une symphonie de Brahms à la stéréo et dressa la table, la reluisante table d'acajou : argenterie, verre pour le vin, serviette de lin, le tout pour une personne. Puis il plaça un livre de géologie à portée de sa main, au cas où il voudrait lire en mangeant. Il fredonnait doucement le premier mouvement si beau de la symphonie ; il ne chantait pas assez bruyamment pour gêner qui que ce fût, à supposer qu'il y ait eu quelqu'un ; n'ayant pas de voisins, il faisait marcher la musique très fort, et elle noyait son fredonnement. Il faisait tout avec douceur et avec bonheur ; il était beaucoup plus calme et heureux que chez Mme Mac Cartney ou à l'usine. De temps en temps, il s'arrêtait, levait son deuxième verre, pas encore vide, et jetait un regard dans le salon, les sourcils levés, comme en attente, comme si Annabelle, assise là, quelque part, lui avait dit quelque chose ou posé une question. Parfois il l'imaginait avec lui, dans la cuisine.

Et parfois aussi, après deux Martini et une demi-bouteille de vin au cours du dîner, il entendait Annabelle l'appeler Bill ; il en souriait, car, lorsque cela arrivait, c'était qu'il s'embrouillait lui-même. Dans cette maison, *sa* maison, il aimait s'imaginer comme étant William Neumeister, quelqu'un qui avait tout ce qu'il désirait, qui savait vivre, rire et être heureux. David avait acheté la maison sous le nom de William Neumeister, et c'est sous ce nom que le connaissaient les quelques commerçants des environs, les boueurs et son agent immobilier. Il l'avait choisi un jour, comme ça, s'était immédiatement aperçu qu'il signifiait « nouveau maître » en allemand, et avait compris la raison un peu bête et évidente de ce choix ; mais comme ce nom lui avait paru bon et agréable à prononcer, il l'avait gardé. Tout d'abord, presque deux ans auparavant, quand il avait appris qu'Annabelle avait épousé Gérald Delaney, David avait voulu échapper, à quelque prix que ce fût, à la douloureuse oppression due à son abattement. Il n'était pas homme à lâcher son travail ou à s'enivrer pendant des semaines ou quoi que ce soit de ce genre ; au contraire, il s'était efforcé de travailler plus dur, afin de chasser toute pensée jusqu'à ce qu'il ait suffisamment récupéré pour voir ce qu'il y avait à faire. Il avait désiré trouver une sorte de retraite, changer de décor ; à cause de son travail, le décor n'avait pu changer. Mais à en rêver, son imagination fantasque s'était enrichie. Pourquoi ne pas se mettre dans l'idée, pendant un certain temps, que cette affreuse erreur d'Annabelle, que ce mariage n'avait jamais eu lieu ? Pourquoi, si ce n'était que pour un temps, refuser la soulageante pensée qu'Annabelle l'avait épousé, lui ? Quelle serait leur vie à eux deux ? Il aurait certainement déménagé de son petit logement de Froudsburg pour s'installer quelque part dans une jolie maison. Sans une ombre d'hésitation, il avait divisé sa vie telle qu'elle l'était encore aujourd'hui : l'horrible pension de famille de la ville où il travaillait, et la maison de campagne où il engouffrait 90 p. 100 de ce qu'il gagnait et tout le temps qu'il pouvait prendre. Il n'avait pas voulu qu'on puisse établir une relation entre la maison et David Kelsey ; alors il avait inventé l'autre nom, et, avec ce nouveau nom, lui était venue, toutes proportions gardées, une nouvelle personnalité : William Neumeister n'avait échoué en rien, du moins en rien d'important, d'où sa conquête d'Annabelle. Elle vivait ici, avec lui ; c'était ce qu'il se plaisait à imaginer pendant qu'il feuilletait ses livres, ou se rasait les samedis et dimanches matins, ou flânait dans sa propriété.

Il n'avait pas acquis cette maison en un jour ; il lui avait fallu des semaines pour préparer toutes les références de William Neumeister : l'une d'un certain « Richard Patterson », qui avait pris un abonnement aux services du courrier et du téléphone, à New York, et qui répondit à la demande de renseignements de M. Willis, l'agent immobilier, en recommandant très chaudement W. Neumeister ; une autre lettre, de « John Atherley », nom sous lequel David avait occupé une chambre pendant plus d'une semaine dans un hôtel de Poughkeepsie, où il s'était fait délivrer la lettre de M. Willis. Une dernière petite précaution : il s'était fait inscrire à la bibliothèque municipale de Beck's Brook, petite ville à quelque distance au nord de Ballard, inscription qui n'avait demandé aucune référence. En outre, il avait emprunté quelques milliers de dollars (maintenant remboursés) à son oncle Bert, de manière que son premier versement sur la maison soit important. Les agents immobiliers n'ont pas tendance à se méfier des clients qui peuvent payer en liquide le tiers du prix d'achat. Il avait dit à son oncle qu'il avait besoin de cet argent parce qu'il envisageait l'acquisition d'une maison, et, quelques mois plus tard, il lui avait raconté qu'il avait changé d'avis et qu'il continuerait à vivre à la pension de famille. A l'agence de la Banque nationale de Beck's Brook, il avait ouvert à la fois un compte de petits chèques et un compte d'épargne, se servant encore de « Patterson » et d'« Atherley » comme références pour W. Neumeister ; apparemment aucune enquête n'avait été menée, car David n'avait jamais reçu de lettre de la banque.

Une des qualités les plus appréciables de cette maison était que David ne s'y trouvait jamais seul. La présence d'Annabelle était envahissante dans toutes les pièces. Il se conduisait comme s'il était avec elle, même lorsqu'il restait songeur au cours des repas. C'était tout différent de la pension où, perdu dans ce grouillement, il se sentait aussi seul qu'un atome dans l'espace. Dans sa jolie villa, Annabelle lui tenait compagnie, lui prenait la main pendant qu'ils écoutaient Bach, Brahms, ou Bartok, le plaisantait lorsqu'il était distrait. A marcher, à respirer dans cette maison, il était aux anges. Quand il y avait du soleil, c'était le paradis, et un week-end pluvieux avait son charme particulier.

La nuit, il dormait avec elle, dans leur chambre, à l'étage ; il lui glissait son bras sous la tête, et, plus d'une fois, se tournant vers elle et la serrant contre lui, son désir, au contact pressant et imaginaire de son corps, lui avait fait atteindre les sommets, et avait même débordé, cependant qu'ensuite sa main, à plat sur le drap, ne lui transmettait que vide et solitude. Un dimanche matin, il avait jeté le flacon de « Kashmir » qu'il avait acheté parce qu'Annabelle s'en était mis souvent ; il n'avait pas besoin de ce genre d'accessoire pour l'évoquer ; même le parfum était de trop.

Dimanche soir, après un dîner dont le steak grillé dans la cheminée avait toute l'apparence d'un morceau de charbon, David monta s'asseoir au bureau de bois clair, style japonais, qui se trouvait dans l'autre chambre, à l'étage. Il prépara son stylo, puis resta une dizaine de minutes à réfléchir. Une fois qu'il eut composé sa lettre dans sa tête, il prit dans une petite case, qui ne contenait rien d'autre, les deux lettres d'Annabelle. Les enveloppes étaient timbrées de Hartford (Connecticut), une ville qu'il connaissait vaguement et trouvait à peu près aussi laide que Froudsburg. Les rangées de maisons en briques rouges, séparées les unes des autres par des passages d'environ trois mètres cinquante de large, encombrés de boîtes à ordures et de chariots d'enfants ; le linge claquant sur les cordes et le fouillis d'antennes de télévision sur les toits... Il connaissait tout cela, et même la rue qu'habitait Annabelle ; lorsqu'il y était passé, cependant, il s'était refusé, dans cet alignement de maisons rouges, à repérer la sienne ; ç'aurait été non pas voir une blessure douloureuse, mais appuyer le doigt dessus.

Bien que la connaissant par cœur, il relut sa dernière lettre avec concentration. Son écriture était plutôt large, ses lignes bien horizontales.

3 juillet 1958.

Très cher David,

J'ai été si heureuse d'avoir de vos nouvelles — mais s'il arrive que Gérald tombe sur l'enveloppe, il faudra que je lui redonne toutes mes vieilles explications et que je le rassure de nouveau. Je suis contente que votre travail marche bien. La famille m'écrit souvent et me dit votre succès. Toutes mes félicitations. Moi aussi, je me souviens des heureuses journées passées ensemble. Ici, ma vie n'a rien de sensationnel ou de passionnant, mais... c'est la vie, je suppose. Le magasin de Gérald marche bien, mais nous avons des frais en perspective. Puisque vous me le demandez, bien sûr je pense à vous et j'aimerais vous revoir ; mais ce ne serait pas facile sans soulever un tas d'ennuis. J'espère que vous vous êtes fait quelques amis là-bas, et que vous ne passez pas trop de temps tout seul. Je sais que vous êtes nettement au-dessus de beaucoup de gens, mais, comme disait souvent M. Soloff (un de mes professeurs de musique), il y a toujours quelque chose à grappiller à tout le monde, même aux plus modestes. Non, je ne conserve pas vos lettres, Gérald pourrait les trouver. Je lui dis que vous m'écrivez de temps en temps pour me dire ce que vous devenez. Je sais que tout se passe très bien pour vous. Après tout, David, vous avez votre travail qui vous absorbe. Cette lettre est déjà très longue, et j'ai des monceaux de sandwiches à préparer pour le picnic *de demain. Avec tous mes vœux, comme toujours, bien affectueusement.*

ANNABELLE.

Ces phrases tragiques — « Il faudra que je lui redonne toutes mes vieilles explications... » « Ici, ma vie n'a rien de sensationnel ou de passionnant... » — l'avaient inquiété tous les jours depuis réception de la lettre ; mais aujourd'hui, elles lui restaient douloureusement sur le cœur comme s'il les lisait pour la première fois. Elle n'aimait pas Gérald, elle ne l'avait jamais aimé. C'était un mariage qui devait être défait ; David avait essayé de la persuader de le défaire, dès qu'il en avait entendu parler, alors qu'il ne datait encore que d'un mois. Il secoua la tête et grinça des dents à la pensée qu'il avait tout gâché, commis une erreur énorme en restant à Froudsburg ce mois fatal ; et cela, simplement parce qu'à Cheswick on lui avait dit qu'on voulait le voir rester, et parce que le travail lui était nouveau, et parce qu'il pensait que, pour ses 25 000 dollars de salaire, il lui serait préférable de connaître la marche de l'usine dans ses moindres détails. Il aurait pu être au courant de ce travail en quinze jours, et, en fait, c'est ce qui s'était passé.

Il s'efforça de calmer sa colère et prit une feuille de papier. Inutile de lire l'autre lettre, la première ; elle était encore plus courte et il la connaissait aussi par cœur... malheureusement, car elle ne le réjouissait en aucune façon. Il n'avait pas répondu à celle de juillet. Il avait voulu avoir quelque chose de précis à lui proposer avant de lui causer, peut-être, de nouveaux ennuis en lui écrivant encore. L'idée des histoires que lui ferait cet animal, ce baveux de mari, le mettait davantage hors de lui que tous les autres aspects du problème... Ce mari qui avait tout l'air d'un eunuque !... Et David se berçait du vague espoir qu'il en était vraiment un.

Il écrivit la date, commença par « Mon Annabelle chérie », puis, avant de continuer, prit une enveloppe et inscrivit l'adresse ; mais il n'indiqua pas la sienne.

« Vos lettres sont, à elles deux, la seule source de mon bonheur, ces jours-ci, et à la fois de ma peine la plus profonde. Vous m'avez dit un jour que vous ne l'aimiez pas ; je me demande si vous l'avez oublié ou bien — n'ayant personne à vos côtés pour vous soutenir — si vous avez cédé à ce que vous considérez comme votre destin.

« Ma chérie, votre actuelle expérience de Hartford, ce n'est pas « ça », la vie. Loin de là !... Vous n'éprouvez aucun amour pour lui, et, en outre, il n'a pas d'argent. Je ne lui en ferais aucun reproche si simplement l'argent ne l'intéressait pas ou s'il n'était pas en son pouvoir d'en gagner beaucoup. Mais, pour vous, cela implique esclavage et laideur, voilà ce qui m'exaspère — outre le fait que l'absence d'amour rend cet état encore plus insupportable. Un peu d'objectivité vous est-elle impossible un instant ? Ne pouvez-vous envisager les choses comme moi ou comme n'importe qui venant de l'extéricur ?

« Serait-ce que vous auriez peur de me revoir ? (Il biffa cette phrase ; il serait obligé de recopier sa lettre, c'est ce qui arrivait le plus souvent.) Je veux vous voir, ma chérie, et je crois avoir une meilleure idée que Hartford comme lieu de rencontre. Ce n'est pas pour demain ; ainsi vous aurez tout le temps d'y penser. J'aimerais vous donner rendez-vous à New York. N'importe quand entre le 21 et le 24 décembre (je sais qu'il vous faut être de retour pour Noël). Donnez-moi une réponse très vite afin que je pense à ce jour. Dites à Gérald que vous avez des courses à faire et donnez-lui un tas de précisions. Si ce projet est réalisable, je m'arrangerai pour descendre à l'Algonquin ; c'est donc là que je vous donne rendez-vous, le jour où vous pourrez venir. Si vous préférez, j'irai vous attendre au train, à condition que vous me disiez lequel. N'oubliez pas que vous pouvez m'écrire autant que vous voudrez : 137 1/2 Ash Lane. Froudsburg. N. Y.

« Si vous disposez d'une demi-heure, bien !... de trois heures, merveilleux ! On prendra le thé ou on ira déjeuner ou dîner, comme il vous plaira. Ou bien nous resterons à bavarder, assis dans le hall, sans prendre quoi que ce soit. Je serai gai, drôle, sérieux, ce que vous voudrez que je sois. »

Il revit tout à coup la liseuse rose de Mme Beecham ; ça c'était drôle ; mais il ne pouvait pas en parler à Annabelle. Il ne voulait pas encore la mettre au courant de la maison où il passait ses week-ends, des livres et des disques qu'il collectionnait, avec elle toujours présente à l'esprit. Et, par le Christ ! il ne pouvait même pas lui demander de passer un week-end avec lui dans cette maison : Annabelle ne se permettrait jamais une chose pareille. Sa fidélité avait été achetée par un porc... Même pas achetée ; elle avait été tout simplement offerte et enlevée. Pendant un instant, il rêva de lui proposer un rendez-vous dans la maison, de lui en parler dans la lettre ; il rêva qu'elle acceptait, qu'ils passaient un week-end ensemble, du genre de ceux qu'il imaginait chaque fois qu'il venait... Annabelle ici, en chair et en os, mangeant vraiment et buvant, avec lui. Mais c'était impensable ; il abandonna l'idée. Il l'assura de son amour, signa, puis ajouta, en post-scriptum :

« Gentil à vous de dire que j'ai mon travail. Mais, sans vous, je suis inachevé. »

PRESQUE deux semaines passèrent, et toujours pas de lettre d'Annabelle. David essaya de lui trouver des excuses, mais, à vrai dire, elle aurait si facilement pu lui écrire, ne fût-ce qu'une carte postale, qu'elle aurait glissée dans la boîte en allant faire son marché !... Elle ne se rendait tout simplement pas compte de ce que cela signifiait pour lui, pensait-il : ne recevoir aucune réponse, pas même un mot, lui disant qu'elle réfléchissait à son projet de rencontre à New York. Il imagina qu'elle pesait le pour et le contre et ne voulait pas lui écrire avant d'avoir pris une décision.

Les journées se traînaient à la fois tristes et surchargées. Il lui arrivait souvent de ne plus savoir où donner de la tête pendant ses heures de travail. En tant qu'ingénieur en chef, il était supposé être au courant de tout ce qui se passait et avoir l'œil sur le travail de dix ou douze services différents. L'ingénieur électronicien était incapable de prendre lui-même la moindre décision et faisait appel à David au moins quatre fois par jour. Est-ce que 375 dollars était le prix correct d'un tube ? Quel était son avis sur le degré d'usure de cette plaque ? Le jeune nouveau avait changé quelque chose à un rouleau, et celui-ci débitait maintenant des bobines de 15 livres au lieu des 13 demandées... L'usine fabriquait des matières plastiques pour banquettes de voitures, canapés bon marché, chaises, ainsi que couvertures pour bébés, doublures de valises, et en général, tout ce que des gens comme Dexter Lewissohn pouvaient imaginer en être recouvert. Une vingtaine de machines, semblables à des presses d'imprimerie, faisaient couler des rouleaux de matière plastique blanche, en remplissage, entre des plaques de matière plastique rose ou bleue ou verte ; à intervalles réguliers, des tampons marquaient tout cela de dessins en losanges ou en carrés, de points ou Dieu sait quoi... Les résultats étaient horribles. Cela se répandait dans la nation entière et c'était même exporté. Vous pouviez renverser des boissons sur du Cheswick ou les bébés pouvaient vomir dessus ; un peu d'eau et de savon, tout était de nouveau net. Le seul aspect esthétique de cette fabrication était à la rigueur dans les rouleaux de remplissage ; ils étaient de matière plastique blanche comme neige ; ils avaient un mètre soixante de long, un mètre de diamètre et ne pesaient presque rien. Ceux-là du moins paraissaient propres. Mais avant que ce matériau soit blanc et mis en rouleaux, il fallait qu'il soit traité, lavé et soumis à un certain nombre de rinçages (dont Lewissohn protégeait les formules, inutilement d'ailleurs mais avec un certain romantisme, de la curiosité des concurrents) ; et ensuite cette matière laineuse et blanche s'échappait des cales de cardage, flottait dans l'air, vous entrait dans le nez, se collait à vos vêtements et à vos cheveux. Au « service expérimental », au deuxième étage, Wes Carmichaël et une demi-douzaine d'autres chimistes travaillaient, plaisantaient, « expérimentaient » et touchaient d'assez gros salaires à ne pas faire grand-chose. Ils s'amusaient à fabriquer un revêtement de plastique pour fil de fer, dans le genre de ceux dont on fait les égouttoirs à vaisselle, à inventer des liquides pour dissoudre les taches de graisse des fourneaux, des émollients bons pour la peau, de la mort aux rats, de la pâte à faire reluire l'argenterie. C'était surtout à qui serait le plus fort en caricatures et en devises, nuisibles au moral et au travail de l'usine. A cet étage, les toilettes des hommes étaient indiquées par « Taureaux » et celles des femmes par « Génisses ». Le jour où David avait signé son contrat, M. Lewissohn lui avait déclaré, en tapant joyeusement des mains : « Tout ce que nous produisons se transforme en dollars et en *cents* ; c'est une question de jours. » Ce n'était pas tout à fait vrai en ce qui concernait les produits du « service expérimental », mais celui-ci était son unique extravagance et avait pour objectif principal de satisfaire sa vanité. Ou peut-être bien David était-il aussi une extravagance ; M. Lewissohn se sentait flatté de pouvoir dire : « J'ai un chimiste authentique qui œuvre pour moi, un jeune garçon qui a obtenu trois bourses. »

David n'aimait pas son travail et — c'était là toute l'ironie de la situation — il ne l'avait accepté que pour Annabelle ; ensuite, afin d'apprendre son métier, il était resté à Froudsburg ce mois critique, et c'était Annabelle qu'il avait perdue. Il aurait préféré être employé dans la recherche, mais voulant se marier bientôt, il avait cru préférable d'avoir un peu d'argent et d'en voir venir. A Oakley, l'année précédente, il avait occupé un poste de chercheur et n'avait pas touché suffisamment pour mettre de l'argent en banque. En tant que chimiste, ses débuts à l'usine avaient été très prometteurs, et M. Lewissohn, devant sa vivacité d'esprit, avait eu l'idée de lui confier tout le rez-de-chaussée, en profitant pour renvoyer deux ou trois contremaîtres pas très compétents. Cela s'était passé au moment précis où David comptait retourner à *La Jolla* pour demander la main d'Annabelle. Il lui avait écrit chaque jour, et soudain il lui annonçait que son retour était retardé d'un mois. Il ne lui demandait pas de l'attendre et ne disait pas dans sa lettre qu'il voulait l'épouser, il préférait le lui dire de vive voix. Après tout, à peine deux mois plus tôt, ne lui avait-elle pas déclaré : « Je vous aime,

David » ? Et, à la manière dont elle avait parlé, c'était grave et sincère.

Aussi n'avait-il pas cru sa tante Edie quand elle lui avait écrit qu'Annabelle avait épousé quelqu'un d'autre. David n'avait jamais entendu parler de Gérald Delaney, qui était de Tucson. Le jour du mariage, d'après tante Edie, cela ne faisait pas un mois qu'Annabelle avait fait sa connaissance ; c'était peut-être un peu trop rapide, ajoutait-elle, mais elle en rendait responsable la vie difficile qu'avait récemment connue Annabelle dans sa famille. David était au courant : la mère malade, geignante, le père coléreux, les deux frères, deux bons à rien, qui se faisaient servir par elle, comme si elle était une esclave, la Cendrillon de la maison. Mais de là à épouser quelqu'un qu'elle connaissait depuis moins d'un mois !... « En amour, c'est toujours l'inconnu, tombé du ciel, qui remporte la victoire », lui avait écrit sa cousine Louise, qui avait seize ans et aspirait à devenir femme de lettres. Dès lors, il avait jugé inutile pour lui de se précipiter à *La Jolla* : Annabelle et son mari étaient partis en voyage de noces au Canada, selon ce qu'écrivait Louise, pour un mois, mais elle ne savait pas où exactement. « Sa mère a dit qu'elle repasserait ensuite par *La Jolla*, pour prendre ses affaires. Je te tiendrai au courant. Mais ne sois pas trop triste, car, à vrai dire, elle n'est pas digne de toi, si tu veux mon opinion. L'eau reste toujours à son propre niveau, comme dit maman. »

David s'était arrangé pour être à *La Jolla* à la fin du mois. Il avait pris l'avion et traversé le continent pour un week-end. Il avait vu Annabelle chez elle ; elle était en effet revenue prendre quelques affaires personnelles, car elle allait vivre dans l'Est, disait-elle. Gérald était ingénieur électronicien — appellation sublime, pensait David, pour quelqu'un qui devait savoir réparer un grille-pain ou changer les résistances d'un fer à repasser. En réalité, c'était exactement ce qu'allait faire Gérald : monter un petit atelier de réparation quelque part dans l'est du pays. David en était resté littéralement consterné.

« Vous ne saviez pas, demanda-t-il ingénument, que je voulais vous épouser, Annabelle ? »

Elle avait paru gênée intérieurement, comme une petite fille qui aurait eu un tout petit péché sur la conscience.

« Eh bien,... je n'étais pas sûre, David... Qu'est-ce qui m'autorisait à en être sûre ? »

Elle était plutôt grande, avait une ossature solide, mais elle était gracieuse et adorait danser. Elle avait vingt-deux ans, mais son visage montrait encore des rondeurs d'adolescente. Ses lèvres étaient fraîches, douces et aussi pures que son regard gris-bleu. Elle était sérieuse, plaisantait rarement, ne connaissait pas la liberté d'esprit qui permet la plaisanterie.

« Je regrette, David.

— Il n'est pas trop tard, Annabelle. Est-ce que... Vous n'êtes pas amoureuse de lui, n'est-ce pas ?

— Je ne sais pas... Avec moi, il a beaucoup de délicatesse...

— Mais vous n'êtes pas amoureuse de lui, non ? avait demandé David, désespéré.

— Je ne crois pas... pas encore. »

C'est alors que s'était élevée la discussion dont le ton avait monté, jusqu'à ce que l'un des frères, réveillé de sa sieste, hurlât des protestations de l'étage au-dessus. David l'avait prise dans ses bras — et ç'avait été la dernière fois — la suppliant d'annuler son mariage avec Gérald. Il lui avait dit que, en ce qui le concernait, sa vie ne valait pas la peine d'être vécue si elle n'était pas sa compagne, et jamais il n'avait dit plus vrai. Sans savoir comment, il avait perdu l'équilibre, tous deux avaient basculé par-dessus une malle et s'étaient retrouvés par terre ; un de ses plus tendres souvenirs d'Annabelle était la façon dont elle avait ri, et ri, et ri encore pendant qu'il l'aidait à se relever. Puis elle lui avait dit qu'il devait s'en aller parce que Gérald pouvait arriver d'une minute à l'autre.

« Il ne me fait pas peur », avait dit David.

A ce moment, il avait vu une voiture s'arrêter devant la maison ; un des frères d'Annabelle en était descendu avec un homme plus petit.

« Mais je ne tiens pas particulièrement à le rencontrer, avait-il ajouté, très calme. Je vous aime, Annabelle ; je vous aimerai toute ma vie. »

Ce fut sur ces mots d'une valeur très grande ou nulle, selon la manière dont on les reçoit, qu'il franchit la porte, sans même embrasser Annabelle, ce qu'il aurait certainement pu faire. Il se souvenait encore maintenant de l'expression de surprise et de perplexité qui planait sur son visage, et il se demandait si (à supposer qu'il fût resté une minute de plus) elle ne se serait pas écriée : « Oui, David, d'accord ! Je vais divorcer d'avec Gérald. »

Sur le trottoir, il ne s'écarta pas assez pour que Gérald puisse passer sans frotter son épaule contre la sienne — ou plus exactement contre son bras, juste au-dessus du coude. David avait jeté un coup d'œil sur son visage et se souvenait surtout de la lèvre inférieure, épaisse et large, qui indiquait moins la sensualité que la paresse, des yeux de singe, petits et noirs, et de la mâchoire grassouillette qui semblait imberbe. (Après quelques mois d'ailleurs, la lèvre inférieure, dans son souvenir, avait encore épaissi et atteint les proportions burlesques d'un cul d'âne...)

« Mais pourquoi diable ? » avait pensé David. Il en avait été tellement secoué qu'il n'avait pas eu le courage de rentrer chez sa tante avant l'heure du coucher.

Le lendemain, à déjeuner, il avait téléphoné à Annabelle ; sa mère lui avait répondu qu'elle était partie avec Gérald. David avait pris un avion l'après-midi même pour rentrer à Froudsburg.

Sa famille — c'est-à-dire son oncle, sa tante et

sa cousine, car son père était mort quand il avait dix ans et sa mère quatre ans plus tard — savait à présent qu'il aimait Annabelle. Il regrettait qu'elle le sache ; cela lui aurait fait plaisir si cela avait marché ; en l'occurrence, cela ne lui procurait aucune joie. Son oncle Bert, timide mais réaliste, parlant sans le regarder, lui avait dit qu'à son avis « il s'était une fois de plus trompé de fille, comme avec cette Joan Wagoner ». David n'avait rien répondu, mais il avait été furieux que Bert puisse mettre Annabelle au niveau de Joan Wagoner, une fille dont il arrivait difficilement à se souvenir, qu'il avait connue lorsqu'il avait dix-sept ou dix-huit ans. Elle aussi avait épousé un idiot. C'était leur seul point commun. Quand son oncle, sa tante et sa cousine l'avaient accompagné à l'avion, ils l'avaient regardé avec étonnement et tristesse, comme s'ils avaient appris soudain qu'il était atteint de quelque terrible maladie et qu'ils ne pouvaient l'aider en aucune manière. A cette époque, il y avait cinq mois qu'il connaissait Annabelle. Mais qu'importait le temps ? Une seconde, une année, un mois — le temps ne faisait rien à l'affaire.

Quand Annabelle lui avait souri et lui avait dit « Bonjour », par cette journée de printemps, à la vente de charité de la paroisse, il aurait tout aussi bien pu lui répondre : « Je veux passer le restant de ma vie avec vous. Je m'appelle David. Et vous ? » Il était en train d'aider sa tante à dresser son stand. Il se rappelait s'être relevé, avoir laissé tomber la scie et marché dans la direction de la musique. Elle venait de derrière une grande feuille de carton. Le carton était appuyé contre le piano. La jeune fille était moitié au soleil, moitié à l'ombre ; mais le soleil donnait sur les touches du piano et sur ses mains merveilleuses. Au bas de ses manches courtes pendaient de petits rubans de velours noir. Ses cheveux châtain clair étaient séparés au milieu par une raie et tombaient en cascade derrière la tête, dans une douce opulence. Il resta figé, cinq secondes peut-être — c'était là un point sur lequel il ne serait jamais fixé — et elle le vit ; elle lui jeta un coup d'œil, puis un second et s'arrêta de jouer ; elle lui dit « Bonjour » en souriant, comme s'ils étaient de vieilles connaissances. Ce jour-là, il l'avait accompagnée jusqu'à son domicile (dix-huit pâtés de maisons), particulièrement heureux, lui avait proposé une limonade ou un Coca-Cola ; elle avait refusé mais lui avait promis une promenade d'après dîner, pour le lendemain ; elle ne pouvait pas dîner avec lui, disait-elle, car il lui fallait préparer le repas de la famille. Elle avait deux frères. Sa mère connaissait la tante de David, et il s'était demandé pourquoi Annabelle et lui ne s'étaient jamais encore rencontrés ; il était le plus souvent à l'école, bien sûr, mais il revenait toujours aux vacances. « Pas de chance, je suppose », avait dit Annabelle sur un ton traînant et avec un petit sourire timide qui l'avait fait paraître encore plus jeune qu'elle n'était. Elle lui dit que le morceau de musique qu'elle jouait à son arrivée était une *Etude* de Chopin. En revenant chez lui, ce jour-là, David avait essayé de s'en souvenir, sans résultat, mais il en était resté imprégné jusqu'à la moelle.

A leur troisième rencontre, alors qu'ils marchaient lentement sous les arbres, non loin de la maison d'Annabelle, il avait pris sa main, leurs bras s'étaient touchés, séparés, touchés encore, c'était devenu insupportable ; ils s'étaient arrêtés et tournés l'un vers l'autre. Sa tante avait bien aimé Annabelle lorsque David la lui avait présentée, à la maison, mais son attitude avait été (du moins était-ce son impression) d'une indifférence incompréhensible. Bien sûr, il n'avait pas révélé de but en blanc son amour pour Annabelle Stanton, peut-être parce qu'il ne l'avait pas jugé nécessaire et aussi parce qu'il tenait à le conserver secret pendant quelque temps. Mais Annabelle... une fille comme elle ne se rencontrait pas tous les jours, ni tous les ans ni peut-être dans toute une vie ! David s'apercevait, en marchant avec elle dans la rue, que quelques personnes s'en rendaient compte. Tous ceux qui la connaissaient le savaient et la plaignaient à cause de l'incompréhension des siens. Ses frères avaient toujours fait la loi. Annabelle était là pour nettoyer, cuisiner, laver les chemises, les repasser, et, si elle pouvait jouer du piano, très bien, on la laisser faire, mais il ne fallait pas que cela dérange ses occupations ménagères. Elle avait fait deux années de collège, puis elle dut s'arrêter faute d'argent ; elle avait gagné une bourse pour étudier le piano ; ces études-là, à leur tour, durent être interrompues, car son père avait eu une attaque, et il fallut qu'elle aidât sa mère. David s'était senti si sûr de lui, avait été si indigné au spectacle de la vie malheureuse d'Annabelle qu'il ne lui en avait presque pas parlé, sauf pour lui dire une ou deux fois, les mots les plus violents lui restant dans la gorge : « Je m'en vais vous sortir de tout ça, et vite, très vite. » Il avait alors vingt-six ans. Il avait travaillé jusque-là dans un laboratoire de recherches à Oakley, pour un salaire très modeste, avec l'intention d'y retourner ; mais l'apparition d'Annabelle dans sa vie modifia ses plans. Il décida de chercher à travailler pour une entreprise commerciale et répondit à la petite annonce des établissements Cheswick, à Froudsburg, dans l'Etat de New York. Sans fixer la date de son retour à *La Jolla,* il avait dit, cependant, qu'il reviendrait, au moins pour un week-end, dans les deux ou trois mois, peut-être même avant. Quand il était parti en direction de l'est, ils se connaissaient depuis six semaines ; ce n'était peut-être pas se connaître depuis très longtemps, si l'on envisage de se marier, mais cela avait suffi à David pour savoir qu'Annabelle serait sa femme. C'était inévitable, c'était bien, et il avait pensé qu'elle le savait, elle aussi.

Peut-être à son oncle et à sa tante avait-il fait quelques allusions voilées à ses projets, il ne s'en souvenait pas très bien ; mais il s'était rendu compte qu'ils regardaient les Stanton de très haut. C'était peut-être vrai, pensait David, que les Stanton étaient moins fortunés que les Kelsey, mais l'argent était-il un critère de la valeur des familles ? Si ses frères buvaient et fainéantaient à la maison, Annabelle en était-elle responsable ? Le père de David, le frère de Bert, avait laissé un héritage suffisant pour que son fils soit élevé et éduqué ; d'ailleurs, dans la famille Kelsey, l'argent n'avait jamais été un sujet d'inquiétude ; mais c'était là un avantage auquel tout le monde ne pouvait prétendre. Bert avait une situation confortable dans une compagnie d'assurances et il l'occupait depuis une trentaine d'années. De temps en temps, il reparlait de l'insouciance en affaires qu'avait montrée son frère Arthur, mais le père de David n'était pas mort dans la misère, et sa mère avait, de son côté, apporté l'argent de sa propre famille. Quand David avait eu dix ans, son père avait succombé à une pneumonie, et, quatre ans plus tard, sa mère était morte dans un accident de voiture. Son oncle et sa tante l'avaient élevé comme un fils, du moins en tout ce qui concernait les soins physiques ; ils avaient été fiers de ses succès scolaires aussi et l'avaient couvert d'éloges. Bert avait bien éprouvé quelque gêne à jouer totalement son rôle de père, trop de gêne même ; mais David ne s'en était guère inquiété, car son oncle avait été un tuteur bienveillant et bonhomme. Sa femme était moins intelligente, plus superficielle, et, à quarante-deux ans, elle s'accrochait encore, avec succès d'ailleurs, à sa jeunesse. Seules, ses lettres paraissaient vieilles ; elles débordaient d'un snobisme vieux jeu, de conseils pratiques et de questions concernant ses finances.

David s'était demandé ce que sa mère aurait pensé d'Annabelle, si son caractère obstiné l'aurait incitée à dire : « Vas-y, prends-la », ou bien si des considérations d'ordre financier ou social l'auraient dressée contre ce mariage. Il avait toujours eu un peu peur de sa mère ; dans tous les souvenirs qui le liaient à elle, il n'avait jamais plus de quatorze ans ; il était plus petit qu'elle, plus réservé, empêtré dans ses histoires d'école, infiniment moins libre. Sa mère avait été une femme capable de louer un avion pour aller en Minnesota ou en Floride, de téléphoner à longue distance pour régler une affaire de son mari ; et, venant d'une autre pièce où ils étaient à bavarder, David avait souvent pu entendre le rire satisfait de son père, son rire d'adoration aussi, alors qu'elle lui racontait ses exploits. De temps à autre seulement, pas plus d'une fois par mois, c'est certain, sa mère venait s'asseoir au bord de son lit et l'embrasser pour la nuit. David n'arrivait même pas à imaginer ce qu'aurait pensé sa mère si elle avait su qu'il deviendrait un scientifique. « Et en avant pour les sciences ! » se serait-elle peut-être écriée, et peut-être même cela l'aurait-il excitée au premier abord, mais elle n'aurait sans doute pas tardé à décider que c'était une carrière trop calme pour un homme. Cependant, David préférait imaginer sa mère approuvant son choix d'Annabelle Stanton.

Dans le premier doux embrasement de son amour, il s'était arrêté de fumer et de boire, bien qu'il n'eût jamais péché par excès de ce côté. Ces pâles petits plaisirs ne lui étaient plus nécessaires. Un jour, à Cheswick, il avait pris une cigarette pendant sa pause café du matin ; cela lui était apparu soudain comme un sacrilège, une rupture de promesse, et il l'avait éteinte. Il n'avait plus maintenant d'attirance pour le tabac et très peu pour l'alcool, sauf pendant ses week-ends, au cours desquels il imaginait qu'Annabelle étant avec lui, ils auraient peut-être bien bu un cocktail avant dîner. Il ne prenait de vin aux repas que pour le goût. Il avait écrit un jour à Annabelle : « Est-ce que vous aimez la crème de menthe ? Le cognac ? La chartreuse ? » Elle avait oublié de lui répondre. Mais, après tout, il lui avait posé cette question après qu'elle eût épousé Gérald. Annabelle devait avoir maintenant, selon David, fort peu de temps à accorder aux réjouissances, et Gérald, certainement pas d'argent pour du cognac.

Les feuilles se mirent à tomber ; elles étaient de couleur jaune et marron ; d'autres tournaient au rouge et resteraient encore accrochées pendant des semaines. On était le 1er novembre, et Annabelle n'avait toujours pas répondu à sa lettre. Devait-il lui en écrire une autre ou avait-elle déjà eu des ennuis avec la dernière et Gérald se précipitait-il désormais sur tout le courrier qui pouvait arriver ? Il songea à lui téléphoner, mais il ne voulait pas la prendre par surprise et risquer une réponse négative qu'elle ne voudrait pas changer par la suite. D'ailleurs c'était au fond pour cette raison qu'il n'avait jamais essayé de lui téléphoner. Il n'aurait pas pu supporter qu'elle lui dise : « Je suis toujours contente d'avoir de vos nouvelles, David, mais vraiment vous ne devez plus me téléphoner. Promettez-moi que vous ne m'appellerez plus. » Evidemment, il le lui promettrait si elle le lui demandait. S'il ne l'appelait pas, le téléphone restait toujours une possibilité, un dernier recours.

A la pension de Mme Mac Cartney, la jeune Effie le regardait avec insistance, lui souriait souvent et parlait toujours par phrases complètes et bien balancées. Par exemple, si elle le rencontrait, alors qu'il revenait à la pension à dix-sept heures trente : « Bonjour ! Vous êtes aussi ponctuel qu'une horloge. » Elle s'asseyait désormais à la même table que lui, au petit déjeuner et au dîner, une table pour quatre ; à chaque fois, elle s'efforçait de lancer la conversation avant qu'il ait ouvert son livre (du moins au petit déjeuner, car il ne lisait pas pendant le dîner ; cela lui semblait plus impoli de lire au grand repas qu'au petit). Les efforts d'Effie faisaient sourire d'un air entendu MM. Harris et Muldaven, qui partageaient aussi cette table. Son bavardage n'était pas pire que les grognements qui leur servaient de commentaires aux matches de base-ball ou pour la nourriture. Dans la bonne humeur d'Effie, il y avait au moins une chaleur qui lui conférait, aux yeux de David, une valeur d'authenticité. Ce qui le gênait plutôt, et même l'irritait, c'était de surprendre sur les visages de ces deux hommes d'âge mûr le petit air amusé des imbéciles qui croient assister aux escarmouches de jeunes amoureux. Et il ne pouvait non plus s'empêcher d'imaginer Mme Mac Cartney les surveillant, Effie et lui, d'un œil lubrique.

Wes Carmichaël, qui, au moins deux fois par semaine, venait voir David, le soir, lui avait posé un tas de questions sur Effie Brennan, car il n'avait pas oublié l'avoir rencontrée avec lui quand il avait attendu, sur les marches de la pension, le retour de son camarade : ç'avait bien été la première fois qu'il l'avait vu en compagnie d'une jeune fille.

« Je ne sais rien à son sujet, lui dit David.

— Elle ne t'a même pas dit où elle travaille ?

— Si, mais je l'ai oublié. »

Wes eut un petit rire moqueur. David le regarda fixement.

« En tout cas, elle en sait des choses sur toi !... Elle sait tout », ajouta Wes d'un air entendu.

Il tournait sa boîte de bière entre ses mains. David eut peur soudain, il en eut la chair de poule. Effie l'aurait-elle suivi jusqu'à sa maison ? Elle n'avait pas de voiture, pourtant.

« Qu'est-ce que tu veux dire ? demanda-t-il.

— Ce que je veux dire ? C'est qu'elle me pose toutes sortes de questions à ton sujet, et bon Dieu ! elle n'oublie rien de ce que je lui dis.

— Vous avez bavardé ensemble ?

— J'ai pris une tasse de café en sa compagnie, c'est tout », dit Wes, comme pour le calmer ; puis il but un peu de bière et se mit à inspecter le tapis jaune... « En fait, j'ai bavardé deux fois avec elle. Je l'ai rencontrée près de Chez-Andy, et, une autre fois, Chez-Andy. »

David ne crut pas que ce fût tout : Wes avait l'air tout penaud.

« Drôle. Chaque fois que j'essayais de brancher la conversation sur elle, elle la ramenait aussitôt sur toi. Je lui ai dit que nous travaillions dans la même boîte... et alors... oh ! bon Dieu !... Que de questions, et encore des questions !... Ça, tu peux te flatter d'avoir fait une conquête.

— Tu me fais rire. »

David ferma les yeux, joignit ses mains derrière la nuque et s'appuya la tête en arrière.

« Je ne plaisante pas ; elle est très triste que tu doives partir toutes les fins de semaines. Elle me l'a dit. En tout cas, avec elle, je n'aurais aucune chance de gagner, même la première manche, à supposer que j'en aie envie.

— Et tu en as envie ? » demanda David en ouvrant les yeux.

Wes pencha la tête de côté et le regarda.

« Non, mon cher, absolument pas. Mais, tu sais, il arrive aussi qu'on apprécie une compagnie féminine, qu'on aime bien prendre une bière ensemble, le soir, papoter, raconter quelques blagues avant de rentrer chez soi, de retourner au trou, en enfer. Mais toi, tout cela ne t'intéresse sans doute pas. »

David ne dit rien.

« Et justement, une drôle d'idée m'est passée par la tête, pendant que je bavardais avec elle... Et si ce vieux David..., pensais-je. »

Il s'arrêta, le regard braqué sur le visage de David.

« Continue, dit celui-ci, d'un air détaché.

— Je ne devrais pas le dire, par égard pour ta mère... »

Comme David ne disait rien, il continua d'un trait.

« Je pensais, ce serait drôle que tu aies une petite amie quelque part, que tu irais voir en week-end et, pendant ce temps-là, on serait tous convaincus que la gente féminine ne t'intéresse pas... ou que tu ne peux même pas regarder les autres filles, à cause de celle dont tu m'as parlé... »

Il sourit, mais d'un sourire un peu confus.

« Ce n'est pas drôle », ajouta-t-il.

Au mot « drôle », David eut un petit rire de complaisance.

« Si, ce serait amusant », dit-il.

Wes déposa sa boîte de bière, vide, dans la corbeille à papiers et en prit une autre dans le sac qu'il avait apporté. Il la tendit poliment à David, qui en avait déjà bu une et la refusa.

A l'usine, Wes buvait de la bière plus ou moins en cachette. Cela ne le faisait pas grossir. Il n'était haut que de cinq pieds neuf pouces, mais si svelte et d'ossature si fine qu'il paraissait plus grand. Ses cheveux châtains étaient légers et avaient tendance à se dresser au-dessus de son front. Son aspect général était celui d'un joyeux intellectuel de dix-sept ans qui avait toujours dû porter des lunettes.

« A propos de fugues, dit Wes, j'aimerais bien, moi, avoir un endroit où passer mes fins de semaines. »

Il porta la boîte de bière à sa bouche et se pencha en arrière, regardant par la même occasion le plafonnier — un affreux morceau de métal aplati, tordu, avec deux ampoules et deux douilles vides.

« Il y a des moments où je t'envie ce modeste logement, même avec l'inconvénient d'avoir à partager les cabinets. Dans cette chambre, en tout cas, tu es chez toi : personne ne va faire irruption et te demander de la partager... à moins que ce ne soit Effie !... »

Et il se mit à rire.

« Pas question, dit David, tant que Mme Mac Cartney patrouillera dans le coin.

— Bah ! toutes les logeuses patrouillent, dit Wes. Et il se passe quand même des choses », ajouta-t-il en repoussant ses lunettes de l'index, du geste de quelqu'un qui en sait incroyablement long.

Trois jours plus tard, Wes loua une petite chambre au rez-de-chaussée de la pension. Une femme maigre, d'environ cinquante ans, venait de la quitter. Elle ne l'avait pas occupée longtemps, et David n'avait jamais eu l'occasion de connaître son nom. C'est par Effie qu'il avait appris la location de Wes. Il l'avait rencontrée un soir, sur le trottoir, devant la maison, alors qu'il sortait faire un tour.

« Bonsoir, monsieur Kelsey ! dit-elle sur un petit ton chantant. Savez-vous que votre ami, M. Carmichaël, va venir habiter avec nous ? »

Tout d'abord David pensa que Wes et Laura avaient vraiment décidé de se séparer. Puis il se souvint de certains bouts de phrases de Wes.

« Ah ! vraiment ? Quand cela ?

— Demain soir, à ce qu'il dit, si Mme Mac est d'accord. Je viens d'en parler avec M. Carmichaël. Il était... Enfin, je l'ai rencontré dans la grand-rue, et, comme il m'avait demandé de l'avertir dès qu'il y aurait un départ, n'est-ce pas ?... Il va téléphoner à Mme Mac dès demain matin.

— Oui... je vois... »

David pouvait sentir le parfum qu'elle portait, un parfum agréable ; il n'aurait même pas cru qu'il puisse être aussi subtil.

Elle s'attardait, lui souriait, le visage levé vers lui.

« Il dit qu'il ne va pas apporter beaucoup d'affaires ! ce sera seulement comme une annexe de sa maison, une sorte de « tanière ». Il dit de drôles de choses parfois. »

David approuva et laissa glisser un léger sourire.

« Ce sera bien de l'avoir avec nous », dit-il, en faisant un signe de la main et en s'éloignant.

Quand il était sorti, il n'avait eu aucun but précis. Mais maintenant c'était différent : il prit la direction de la grand-rue.

« Cela ne te regarde pas », se dit-il avant même que ses pensées en désordre se clarifient. Peut-être s'imaginait-il un tas de choses. Mais, au fond, il savait bien que non. Il avait souvent remarqué la manière qu'avait Wes de regarder les femmes dans la rue ou à la brasserie Chez-Michel où parfois ils allaient tous deux boire une bière, ou même à l'usine. Wes se vantait de ses succès féminins, et, insistait-il, quel que soit le genre de femme. « Sois détendu, comme si rien ne t'inquiétait. Mais, à l'abordage, sois direct. C'est une erreur de croire que les femmes, à ce moment-là, apprécient la subtilité. Il faut les désarçonner par une proposition choquante. » Cette nuit-là, David avait ri ; il l'avait trouvé amusant. Mais maintenant, il se rendait compte que ce qui le gênait chez Wes, ce qui l'attristait, c'était qu'il ne soit pas « mieux » qu'il n'était, qu'il soit toujours pendu aux jupes d'autres femmes, qu'il trompe la sienne, comme tous ces médiocres qui forment la grande masse des humains.

David se souvint des origines de son respect pour Wes : celui-ci lui avait montré un papier qu'il avait écrit sur les gaz inertes, au sortir du collège. Il serait encore capable de faire un brillant chimiste si seulement il ne gaspillait pas ses prochaines années à Cheswick. Mais il y aurait toujours cette souillure, peut-être avec Effie Brennan, peut-être une autre femme, ou même plusieurs autres. Il semblait impossible à David que Wes ne perde pas son amour-propre ; cela aurait une répercussion sur son travail ; un sentiment de culpabilité viendrait entraver son imagination. Ou est-ce que tout cela était absurde ?... Est-ce que tout n'était pas absurde ?

« Cela ne te regarde pas », répéta la voix intérieure.

David s'arrêta ; il était à courte distance des lumières roses et jaunes de la brasserie Chez-Michel. Il fit demi-tour et reprit la direction de sa chambre. Ce soir, il prendrait un livre de géologie, se dit-il, et il oublierait tous ces gens.

Wes entra chez Mme Mac Cartney le lendemain soir, avec une valise, deux paquets de livres ficelés ensemble, et sa machine à écrire. Il dit à David qu'il avait laissé sa voiture à Laura, présumant qu'il pourrait aller au travail et en revenir avec lui. David lui répondit que c'était évident. Pour éviter de déranger M. Harris et M. Muldaven pendant leur dîner, David avait demandé à Mme Mac Cartney de bien vouloir prier ces deux messieurs de se placer à une autre table, car il savait que M. Carmichaël préférerait venir à la sienne. Mme Mac Cartney lui avait répondu qu'elle serait enchantée, car elle était déja toute prête à apprécier M. Carmichaël, pour la seule raison qu'il était un ami de David Kelsey, son meilleur locataire.

Effie Brennan fut un peu nerveuse, ce soir-là, à table, entourée de David et de Wes, mais elle parut heureuse. Elle portait un corsage satiné, à rayures bleues et noires, dont David lui avait entendu dire qu'il était ce qu'elle avait de mieux. Et elle portait aussi ses boucles d'oreilles de corail rose.

« Je trouve que tout ceci n'est pas désagréable du tout, dit Wes en versant de la sauce piquante sur sa viande.

— Ce n'est pas ici que vous grossirez, je pense, dit Effie, sauf peut-être grâce au petit déjeuner : il y a beaucoup de farine d'avoine. Le dimanche matin, on a droit aussi à du lard fumé, mais les portions ne sont pas très généreuses. »

Malgré ses efforts, David ne trouvait rien à dire. Il s'aperçut qu'il n'était même pas curieux de savoir ce qui s'était passé entre Wes et Laura, s'ils avaient l'intention de divorcer, si Laura savait seulement où se trouvait son mari. Et il n'était pas intéressé non plus par le sort d'Effie Brennan, bien que, la veille au soir, quelque absurde mouvement de galanterie lui ait remué le cœur et l'ait poussé à vouloir protéger son innocence. Elle semblait être vierge. Mais, à vrai dire, qui pouvait savoir ?

Son regard se fixa d'abord sur un tableau assez lamentable pendu au mur en face de lui, représentant un paysage des forêts du Nord, puis sur l'armoire de coin, avec son affreux étalage de pots blancs et épais et de quelques assiettes ordinaires de bazar à quatre sous. Le papier mural était d'un bleu léger mais non uniforme ; des endroits plus pâles laissaient deviner les formes des tableaux et des meubles qui les avaient protégés de la lumière pendant des années.

« Qu'est-ce que tu racontes, David, hein ? demanda Wes d'un ton farceur, et qu'est-ce qui te fait sourire ? Qu'est-ce que tu trouves de drôle à ma pendaison de crémaillère ?

— Rien », dit David, se rendant compte que quelque chose de la conversation lui avait échappé.

Effie riait derrière sa serviette.

« Oh ! celui-là !... Il est tellement distrait !... »

Elle tourna les yeux vers David, ses yeux à longs cils. Il prit quelques bouchées de son gâteau de Savoie, sur lequel trônait une boule lilliputienne de glace à la vanille. Il mit la boule dans son café et la laissa flotter. Effie s'en amusa beaucoup ; elle fit du moins semblant, et elle aussi mit sa boule de glace dans son café.

« Vous mettez longtemps pour arriver chez votre mère ? demanda-t-elle.

— Oh ! environ une heure.

— Ils vous laissent dormir dans la maison ? »

David était certain que Mme Beecham lui avait dit que oui ; ou bien Wes le lui avait dit, puisque c'était ce qu'il leur avait raconté.

« Oui, ils sont très compréhensifs. J'ai une chambre avec bain. Et ils me laissent aussi prendre mes repas avec elle, bien sûr.

— Comment cela s'appelle, cet endroit ? »

David se croisa les jambes avec soin sous la table basse.

« Eh bien..., ma mère m'a demandé, il y a de nombreuses années déjà, de ne pas le dire ; je préfère m'abstenir. Elle regrette d'être obligée de vivre là ; elle a évidemment quelques amis qui viennent la voir, mais elle m'a fait promettre de ne donner son adresse à personne d'autre. »

Effie le regarda.

« Je suis vraiment navrée pour elle, dit-elle sincèrement, mais elle peut se féliciter d'avoir un fils aussi bien que vous. »

Sans une ombre de respect, Wes se mit à chantonner le *God save the Queen.* David savait qu'il avait déjà bu deux scotchs avant dîner, peut-être plus ; il devait maintenant être en pleine forme pour sa soirée avec Effie.

« Il y a une lettre qu'il faudrait absolument que j'écrive, était en train de dire Effie à Wes.

— Ecrivez-la maintenant. J'en ai aussi pour quelques minutes. »

Il lui fit un clin d'œil, non en finesse, mais de cette manière directe dont il prétendait qu'elle réussissait toujours.

« Je vous reverrai tous les deux vers vingt heures ? demanda-t-il en se levant. Je vous prie de m'excuser, ajouta-t-il. Je crois que vous savez où j'habite. »

Il s'inclina et sortit, adressant au passage un charmant petit salut à M. Harris, à Mme Starkie, l'infirmière indépendante, à Sarah qui, fatiguée, s'appuyait au chambranle de la porte, attendant que les pensionnaires aient fini et qu'elle puisse débarrasser, enfin à Mme Mac Cartney qui entrait à ce moment-là.

Mme Mac Cartney avait une annonce à faire. David pensa qu'il devait s'agir de chauffage ou d'eau chaude. Elle déploya ses longs bras maigres, comme pour obtenir le silence d'une joyeuse bande de festoyeurs.

« On devait vous offrir ce soir de la purée de pommes de terre, dit-elle. Mais, je ne sais comment... je ne sais vraiment pas comment, elles ont brûlé. On aurait pu en sortir quelques-unes, ajouta-t-elle en riant, mais il n'y en aurait pas eu assez. »

Elle laissa tomber sa tête complètement en avant sur ces derniers mots.

« Alors j'espère que vous voudrez bien me pardonner ainsi qu'au chef, et que vous ne mourrez tout de même pas de faim. Des pommes de terre brûlées... c'est vraiment irrécupérable. »

Elle agita les mains, baissa de nouveau la tête et traversa la salle à manger en direction de l'office qui conduisait à la cuisine.

« Madame Mac Cartney ! appela Effie, j'ai entendu dire qu'un peu de beurre de cacao dans les pommes de terre brûlées enlève le mauvais goût. »

M. Harris gloussa d'un air appréciateur.

« Ah ! oui ? Merci, Effie, merci, je vais le dire au chef, dit Mme Mac Cartney, dont Effie venait de gâcher la sortie.

— Ayez toujours du beurre de cacao près de la cuisinière », dit M. Harris, qui se mit à rire très fort.

David repoussa sa chaise, prêt à se lever.

« Est-ce que vous pouvez m'accorder une minute ? demanda Effie. Je voudrais vous dire un mot.

— Mais certainement.

— Il s'agit de votre ami, M. Carmichaël... Wes... Il est marié, n'est-ce pas ?

— Oui, dit David.

— Eh bien..., c'est un peu délicat... Je veux dire... je ne suis pas d'accord pour les rendez-vous avec les hommes mariés. Je pense que je n'ai pas à les rejoindre dans leur chambre et prendre un verre avec eux. Je ne tiens pas à être impolie avec lui... mais ce n'est tout simplement pas le genre de choses que je fais, dit-elle gravement et en marquant les mots d'une inclinaison de la tête... Ce n'est pas que j'aie l'intention d'en faire toute une histoire, ajouta-t-elle avec un petit rire. Mais je pensais que vous pourriez peut-être lui en toucher un mot... Seulement, qu'il ne sache pas que je vous en ai parlé, n'est-ce pas ?

— Non », dit David sur un ton très différent de celui qu'il employait d'habitude avec la jeune fille.

Il se sentit soudain très amical ; il éprouva même un mouvement de sympathie pour elle.

« C'est-à-dire... J'avais l'impression que vous ne comptiez pas venir ce soir, dit-elle, semblant presque timide,

— Venir où ?

— Chez lui. Il nous a invités tous les deux. »

Elle sourit de son large sourire, mais un peu nerveusement.

« Vous ne l'avez pas entendu ? demanda-t-elle. Il a dit qu'il allait chercher du champagne et de la glace. C'est ce qu'il est en train de faire en ce moment. »

David secoua la tête.

« Je regrette, je n'ai rien entendu concernant le champagne. »

Un peu de son sourire amusé flottait encore sur les lèvres d'Effie.

« Mais vous viendrez ? demanda-t-elle avec espoir. N'est-ce pas ? »

David comprit qu'il ne pourrait pas y échapper, bien que Wes eût certainement préféré recevoir la jeune fille seule ; mais il le prendrait de travers s'il refusait l'invitation de ce soir.

« Ce soir, j'irai, dit-il, mais pas les autres soirs.

— Quels autres soirs ? demanda Effie en se raidissant sur sa chaise et en clignant des yeux nerveusement. Dites, j'espère que vous n'essayez pas de m'insulter, monsieur Kelsey ! En ce qui me concerne, il n'y a pas d'obligation qui tienne. »

David se mordit l'intérieur de la joue. Il n'avait pas voulu être insultant, seulement honnête.

« Après tout, si je ne m'abuse, ajouta-t-elle, il est votre ami, non le mien. »

Elle se leva et quitta la salle à manger.

Un peu avant vingt heures, Wes frappa à la porte de David, qui lisait dans sa chambre.

« Effie veut savoir si tu viens... Allez, mon vieux ! tu as toutes les soirées de l'année pour lire. »

David lança le livre sur son lit en souriant. Il se donna un coup de peigne devant la glace accrochée à l'intérieur de l'armoire.

En sortant de chez David, Wes frappa à la porte d'Effie.

« Vous êtes prête ? David est avec moi.

— Je suis prête. Une seconde. »

Wes regarda David avec son sourire assuré. Un instant après, elle ouvrit la porte. Elle tenait à la main un minuscule porte-billets. David sentit un peu plus intensément son parfum agréable, à peine sucré.

Wes avait rempli une bassine de cubes de glace et y avait immergé deux bouteilles de champagne. Il fit asseoir ses hôtes, tourna les bouteilles, en sortit une pour savoir si elle était assez froide et la remit à sa place. Effie s'assit, d'une manière légèrement affectée, dans le fauteuil ; David s'installa sur le lit de Wes. Celui-ci versa le champagne avec dextérité ; il avait emprunté à la cuisine des coupes à dessert aux pieds solides. On trinqua à sa chambre et à son séjour sous le toit de Mme Mac Cartney. Wes servit une seconde tournée.

Les joues d'Effie commencèrent à se colorer, aussi délicatement qu'une rose. Ils se mirent à dire des balivernes, et finalement David ne participa plus, n'écouta même plus. Wes avait ouvert la seconde bouteille et parlait d'en prendre une troisième. « Le magasin la livrerait », disait-il. Il ouvrit la fenêtre pour laisser partir la fumée. Il s'assit par terre à côté du fauteuil d'Effie ; de temps en temps, il lui caressait la main ou le bras, tout en parlant. Alors Effie se reculait et se tournait vers David, avec son charmant sourire.

« J'aimerais que vous me parliez de votre travail.

— Demandez-lui, dit David.

— Pas de travail. On ne parle pas de travail ce soir », dit Wes.

Les yeux de la jeune fille s'embuèrent.

« Je ne serai plus là quand vous serez d'humeur à en parler, dit-elle à Wes. J'ai trouvé un appartement, et je déménage le 1er décembre. Encore dix jours ! »

Wes émit une sorte de grognement.

« Mais vous restez dans le coin, je pourrai vous voir par-ici, par-là, non ?

— J'espère bien vous revoir tous les deux », dit-elle.

Appuyé contre le mur, David la regardait, très détaché. Il s'aperçut pour la première fois que ses cheveux étaient presque de la même nuance de châtain que ceux d'Annabelle. A son expression, il comprit qu'elle ne posait plus. Le regard d'Effie allait de la figure aux bottines de David, des bottines marron et confortables, puis il glissait sur Wes, sur le plafond, et recommençait le parcours. Le bras de Wes était maintenant sur l'accoudoir du fauteuil, et la jeune fille jouait avec son paquet de cigarettes dans le creux de sa jupe. David s'ennuyait ; il eût voulu être occupé à lire, dans sa chambre. Effie avait même fait des commentaires sur ses bottines, les avait trouvées tellement élégantes, lui avait demandé s'il portait toujours des pantalons de toile. Qu'est-ce que cela pouvait lui faire ? Il lui dit oui. En fait, pour aller au laboratoire, il portait presque toujours ce genre de pantalon, des chemises de couleur, des vestes excentriques et des bottines, parce que cela lui avait été très désagréable de s'entendre dire par M. Lewissohn qu'il préférerait le voir en complet veston, étant donné qu'il était « souvent appelé à discuter avec des clients ». mot sacré pour Lewissohn. A cause de tous les jets d'acides qu'il risquait de recevoir partout, il était la plupart du temps en blouse blanche et longue ; par conséquent, personne ne pouvait rien voir de ce qu'il portait en dessous. Ses beaux habits, il les gardait à sa maison de Ballard. Il supposait bien que les gens de la pension devaient imaginer qu'il économisait même sur son habillement pour supporter la charge de sa mère.

David s'aperçut que Wes avait obtenu d'Effie la promesse d'une promenade en voiture à la campagne, quelque jour prochain.

« Je l'aurai, ma voiture, ne t'en fais pas », dit Wes à David, par-dessus son épaule, d'un air résolu.

Tout cela était tellement sordide, pensait David. S'il avait envie d'une fille, pourquoi n'allait-il pas s'en acheter une ? Qu'est-ce qu'il aimait en Effie, hormis son corps ? Qu'est-ce qu'elle pouvait lui apporter d'autre ? Elle ne jouait pas du piano, comme Annabelle ; elle n'avait que ce semblant de dignité que peuvent afficher ces jeunes personnes foncièrement vulgaires, qui s'imprègnent de magazines féminins et lisent dans les journaux à bon marché les articles concernant l'étiquette, où l'on apprend aux demoiselles comment se bien tenir lorsqu'elles sortent avec les messieurs. A force de leur dire jusqu'où une honnête fille pouvait se permettre d'aller, on finissait par les obséder avec le sexe. On partait du principe que tous les hommes sont des débauchés. Mais, d'autre part, que trouvait-on de plus, chez la plupart des jeunes filles, que des impulsions d'ordre biologique ? Leur seul objectif était de se marier avant d'avoir atteint vingt-cinq ans et d'entamer le cycle de leurs grossesses. A vingt-deux ans, Annabelle avait eu une idée lumineuse pour un livre sur Schubert et Mozart, deux compositeurs qui avaient eu les plus beaux dons lyriques dans l'histoire de la musique, disait-elle. Souvent David se demandait ce qu'il était advenu de cette idée et des notes qu'elle lui avait montrées. Son inspiration était-elle partie aux égouts avec l'eau de vaisselle ? Ou bien y pensait-elle toujours, avait-elle toujours l'intention d'écrire, et est-ce que l'idée mûrissait avec le temps ?

Il fut interrompu dans sa rêverie par ses amis qui se moquaient de lui. Effie était déjà debout, prête à partir, et s'élevait contre l'intention de Wes de téléphoner pour une autre bouteille de champagne. Wes supplia David de rester encore un peu, mais avec une fermeté qu'il montrait rarement avec lui, David lui répondit qu'il avait quelque chose à lire absolument ce soir. Il était vingt-trois heures. David et la jeune fille remercièrent Wes pour son hospitalité et refermèrent la porte sur son visage souriant mais solitaire.

« J'ai entendu dire que si l'on boit de l'eau, le lendemain matin, on a l'impression de boire de nouveau du champagne », dit Effie en pouffant.

Elle resta avec David, devant sa porte, pour lui annoncer dans un torrent verbal qu'un film intéressant allait passer samedi à l'Odéon.

« J'ai peur de ne pas être là.

— Oh ! c'est vrai. Mais on le jouera encore lundi. Pensez-y. »

Elle se tourna brusquement, comme gênée, et marcha jusqu'à sa propre porte.

« Bonne nuit, David !

— Bonne nuit ! »

Dans les dix jours qui suivirent, les prévisions pessimistes de David parurent justifiées. Effie alla au cinéma avec Wes, le samedi soir ; c'est par Wes lui-même qu'il l'apprit. Elle lui avait permis de l'embrasser, juste une fois. Laura appela souvent Wes à l'usine, mais il refusa de lui répondre. Un jour elle téléphona et demanda à parler à David Kelsey. Elle voulait savoir où habitait son mari, mais comme Wes avait demandé à David de ne pas le lui dire, celui-ci répondit qu'il ne le savait pas. Laura insista, d'une voix aussi impersonnelle que celle d'un officier donnant des ordres. « Dans ce cas, j'aimerais que vous vous renseigniez pour moi, dit-elle ; c'est important. »

David demanda à Wes s'il n'y avait pas à craindre

une crise quelconque, s'il ne devrait pas essayer de la joindre.

« Elle n'a personne à harceler en ce moment, répondit-il ; c'est tout ce dont elle a besoin : vitupérer quelqu'un. »

Tout cela attrista David, et il pensa le moins possible à Wes et à Effie, bien que la jeune fille essayât toujours, au petit déjeuner et au dîner, de l'entraîner dans la conversation ; elle lui avait même demandé à deux reprises de se joindre à eux pour regarder la télévision, Wes ayant apporté de chez lui son appareil portatif. Ce n'était pas tellement contre les mœurs de Wes que David s'élevait, il s'en rendait compte ; ce n'était pas ses mœurs qui le déprimaient ; il était tout simplement triste que son ami eût perdu les dimensions dont il l'avait gratifié ; il était triste que Wes n'eût jamais eu vraiment ces dimensions.

AYANT tenu jusqu'au 12 décembre, David se sentit incapable d'attendre plus longtemps. Le samedi 13, dans sa maison de Ballard, il écrivit une autre lettre à Annabelle ; il espérait dissimuler son insistance et sa peine derrière la crainte que la lettre dans laquelle il lui avait proposé le rendez-vous de Noël ne lui fût jamais parvenue. Il était sûr qu'elle était arrivée ; mais peut-être aussi Gérald l'avait-il ouverte et gardée sans la montrer à Annabelle. Ou bien il l'avait vue et avait interdit à Annabelle d'y répondre. Puis, pendant un moment, David imagina Gérald en train de lire une certaine autre lettre, une des quatre qu'il avait envoyées à Annabelle, celle dans laquelle il lui avait écrit qu'il ne serait jamais heureux sans elle, qu'il remuerait ciel et terre pour vivre avec elle et qu'il n'avait pas encore commencé à... David ne se souvenait pas exactement des mots qu'il avait employés, mais le sens général était qu'il avait en son pouvoir des forces illimitées dont il ne s'était pas encore servi. Il avait fait allusion, bien sûr, aux forces psychiques et émotives. David croyait très fort au pouvoir qu'avaient les lettres d'influencer, d'affermir, de convaincre, et, inversement, si c'était là leur but, de détruire. C'était Annabelle elle-même qui lui avait prêté le livre des *Lettres d'Héloïse et Abélard.* Elle aussi connaissait ce pouvoir. Mais que ce porc ait lu cette lettre, et il se serait instinctivement protégé en interdisant à Annabelle de répondre, peut-être même d'ouvrir aucun de ses messages, s'il en arrivait d'autres. Gérald avait l'air d'un eunuque, mais c'était lui qui faisait la loi à la maison, à en croire la tante de David, qui le tenait de la famille même d'Annabelle, à *La Jolla*.

David ne tenait plus à ce que Wes vienne lui rendre visite dans sa chambre, le soir. Wes s'en aperçut et en fut blessé.

« Je savais que tu étais chaste, dit-il en riant pour faire passer sa réflexion, mais je ne croyais pas que tu posais à la vertu. Tout ce que j'ai fait avec Effie, c'est l'inviter deux fois au cinéma.

— J'espère ne pas poser à la vertu, dit calmement David, mais je trouve tout cela très triste ; cela ne peut mener nulle part.

— Et cette fille dont tu disais que tu étais amoureux ? Voilà deux ans que tu ne l'as pas vue. Où est-ce que cela peut te mener ? Tu ne crois pas qu'elle pourrait faire la connaissance d'un autre garçon, qui se révélera un peu plus attentionné ?

— J'en doute. »

David conduisait. Ils étaient au nord de la ville, en route pour l'usine.

« En attendant, tu t'efforces d'exclure tout le reste de la vie. »

David ne dit rien. Un an plus tôt, Wes l'avait présenté à deux de ses anciennes amies, mais David n'avait jamais essayé de les revoir, ni l'une ni l'autre ; Wes en avait été surpris et déçu. « Comment ? Mais c'est tout juste si je n'ai pas épousé moi-même la petite une telle », lui avait-il dit. Cela s'était passé au moment où David venait d'apprendre le mariage d'Annabelle, et c'était un miracle que Wes ait réussi à le faire seulement rencontrer les filles. David se rappelait avoir refusé que cette rencontre eût lieu chez Wes et Laura, alors nouvellement mariés et heureux. Wes s'était arrangé pour que lui, David et les filles se retrouvent pour dîner à l'auberge de la Goélette-Rouge. Il s'agissait de deux amies, et l'une d'elles vivait à Froudsburg.

Wes était si souvent revenu sur la nécessité pour

David d'avoir « un minimum de vie sociale » que, finalement, David lui avait dit qu'il y avait en Californie une jeune personne qu'il aimait et qu'il avait l'intention d'épouser ; il avait ajouté qu'elle était en dernière année de collège et qu'elle tenait à travailler pendant un an avant de se marier. Un voile de doute était descendu sur le visage de Wes, et il n'avait pu s'empêcher de déclarer que ce devait être une personne exceptionnelle ou qu'il devait être un garçon particulièrement froid avec les filles. « Ce n'est pas que je sois froid, avait dit David, c'est à cause de l'intensité de mon sentiment pour l'une d'elles, pour celle-ci. Comment ne peux-tu concevoir quelque chose d'aussi simple ? » Mais comprendre cela était plus difficile pour Wes que de saisir une équation chimique compliquée. Wes avait même été jusqu'à lui dire que cette jeune fille — David ne lui avait jamais dit son nom — l'avait rendu inhumain, alors que, justement, elle avait fait tout le contraire. Mais qu'est-ce qui était humain pour Wes ? Aimer l'ivresse et la promiscuité ?

Par ailleurs, David ne pouvait ni ne voulait oublier les longues heures qu'ils avaient passées ensemble, pendant lesquelles Wes parlait de tout sauf de femmes, les soirées au cours desquelles, légèrement grisé par de grands verres de scotch absorbés avec lenteur, il monologuait dans une sorte d'extase. Il n'était pas fermé aux problèmes du cœur humain, loin de là ; mais il fallait que l'alcool paralyse ou, du moins, freine sa pensée consciente pour qu'apparaissent ses sentiments.

Un soir, Wes avait inventé une histoire, celle d'une vieille femme en haillons, caressant avec vénération le cadavre mutilé de son fils prodigue qui, même à la fin, n'était pas revenu à la maison. Elle avait dû se traîner à pied sur une très grande distance, pour finalement le revoir, et dans un état horrible. Le rhétoricien en Wes était reparu pour demander pourquoi. Puis, de nouveau, il s'était lancé dans des divagations. Le fils prodigue n'avait pas d'enfant, n'avait jamais rien fait dans sa vie qui soit à son honneur, et on avait dit à la mère de ne pas se lancer à sa recherche à cause de la peine qu'elle éprouverait en le retrouvant. Et cependant la voilà, rampant vers lui, sur les mains et les genoux, pleurant à chaudes larmes, afin d'effleurer sa peau dégoûtante, du bout des doigts. Wes avait parlé des relations humaines, disant combien elles sont futiles et illogiques. Il savait, aussi bien que David, qu'elles sont insondables autant qu'est compréhensible, et même prévisible, l'univers physique. Cette histoire symbolique de la mère et de son fils prodigue, il l'avait imaginée au moment où s'étaient déclarées les premières tensions entre Laura et lui, où leur bonheur avait commencé à pâlir, et David s'était demandé si, d'une manière allégorique, cette histoire ne signifiait pas que Wes aimerait toujours Laura, quoi qu'elle fasse.

Effie avait emménagé le 1er décembre dans son nouvel appartement ; Wes prétendait y avoir été une ou deux fois, mais la plupart de ses soirées, il les passait à la pension, et quand il sortait, David savait qu'il était seul, car il lui demandait de sortir avec lui. Laura connaissait maintenant l'adresse de son mari, et Wes ne l'avait empêchée de venir le relancer qu'en lui promettant de rentrer à la maison le 20 de ce mois. Voilà bien encore un autre mystère, pensa David ; Laura ne désirait si ardemment son retour, selon Wes, que pour tonitruer et lui crier après... et lui, il obéissait comme un toutou.

« Cette maison sera tellement propre, je n'oserai même pas respirer », dit Wes ; un ange hésiterait à en frôler le tapis. Et elle me lancera : « Tu vois, il est tout de même possible que cette maison ait un minimum d'apparence, quand tu n'y es pas ! » Voilà toute la chaleur de l'accueil auquel j'aurai droit.

Et David pensa au bureau de Wes, toujours impeccablement en ordre, au deuxième étage de Cheswick.

Il fit passer sa voiture par l'ouverture dans le

grillage qui entourait le parking de l'usine, et, comme tous les matins depuis qu'il avait écrit à Annabelle pour lui proposer le rendez-vous de New York, il se jura que, si elle ne pouvait y venir, il démissionnerait et irait à Hartford attaquer plus directement la situation. Il demanderait à voir Annabelle et, si nécessaire, parlerait aussi à Gérald. Oui, mais s'il se présentait à elle en chômeur ? En travaillant simplement dans un laboratoire de recherches, il pourrait gagner plus d'argent que Gérald ; il pourrait aussi vendre sa maison et en acheter une aussi belle, quelque part, près de son prochain lieu de travail. Et dans cette maison, il y aurait Annabelle. Il avait été beaucoup trop patient jusqu'à présent, beaucoup trop passif.

« Eh bien..., qu'est-ce que tu as à grincer des dents comme ça ? » demanda Wes.

David trouva une place pour la voiture dans son coin habituel, près de la porte du bâtiment. On était en train de décharger un plein camion de bidons de produits chimiques ; David et Wes durent contourner des caisses et se glisser entre le camion et la plate-forme de décharge pour entrer. Wes dit à David qu'il le verrait à déjeuner et s'engouffra dans un escalier. David prit un couloir en forme de L jusqu'à son bureau, au coin nord-ouest du bâtiment. Sa secrétaire, une certaine Hélène Phimster, n'était pas encore arrivée. Il parcourut un paquet de lettres, pour voir à combien il lui faudrait répondre. Son temps de dictée épistolaire se situait vers onze heures. Hélène se partageait entre lui et deux autres garçons. Il prit un manuel de mécanique et sortit du bureau. M. Lewissohn, boudiné dans un costume gris croisé, la figure rose, souriant, lui envoya un chaleureux « 'jour, David ! » en passant, accompagné d'un salut de la main. David fit seulement un petit signe de tête et esquissa un vague sourire. Puis il s'aperçut qu'il avait oublié d'endosser sa blouse blanche, cet uniforme pseudo-scientifique correspondant à sa situation. Mais il continua son chemin, ses bottines bien brillantes se posant légèrement et presque sans bruit sur le parquet de liège.

Il bouquina trop longtemps dans la bibliothèque, ayant quelque chose à vérifier pour l'ingénieur électronicien ; il était treize heures quinze quand il se rendit compte qu'il était temps de déjeuner. Il prit une assiette de soupe de légumes, une tasse de café et retourna au bureau pour vérifier avec Hélène le travail qu'elle aurait à faire dans l'après-midi. Puis il perdit conscience du temps jusqu'au coup de sirène de dix-sept heures. Il serait bien resté encore un peu, peut-être jusqu'à dix-huit heures, quand il n'y aurait plus en bas, à la porte principale, que le gardien, Charles Engels, mais maintenant il lui fallait ramener Wes. Et puis, bien sûr, il pouvait y avoir une lettre d'Annabelle l'attendant à la pension. Cette éventualité toucha son cœur, légèrement mais à coup sûr, et lui permit de sourire à Hélène Phimster en lui disant bonsoir. Elle lui sourit largement en retour.

« Bonne nuit, monsieur Kelsey ! Vous avez l'air très en forme aujourd'hui. »

C'était une bonne fille, blonde et jolie, d'environ vingt-deux ou vingt-trois ans.

« Merci. Vous aussi », répondit gauchement David en enfilant son pardessus.

Une bouteille faisait une grosse bosse dans une de ses poches ; c'était un demi-litre d'un liquide blanc, sans nom, mais excellent pour la peau, produit par le service où travaillait Wes. Il allait l'offrir à Mme Beecham. C'était la troisième bouteille de ce genre qu'il lui donnerait depuis son arrivée à la pension.

Comme ils rentraient en voiture, Wes s'efforça de persuader David de venir dîner chez Effie ce soir-là.

« Si seulement tu l'avais entendue me supplier de t'amener, dit Wes. C'est toi qu'elle veut voir, pas moi.

— Elle est sur la mauvaise piste », dit David avec un sourire.

Sa volonté et son imagination lui faisaient placer,

sur la table d'osier de l'entrée, au rez-de-chaussée de la pension, une lettre où se reconnaissait l'écriture d'Annabelle.

« Elle m'a appelé au laboratoire aujourd'hui, continua Wes. Elle voulait être sûre que tu viendrais. Il y a cinq jours qu'elle nous a invités, la moindre des choses serait que tu l'avertisses que tu ne viens pas.

— Je t'ai demandé de le faire pour moi.

— Eh bien, je ne l'ai pas fait !... Bon d'accord, espèce d'ermite !... De toute manière, ce soir, j'ai faim pour deux. »

David saisit la lettre dont il voyait qu'elle lui était adressée, avant même d'avoir remarqué que l'écriture n'était pas celle d'Annabelle.

« Ah !... *La* fille », dit Wes en lui souriant et en poursuivant son chemin vers sa chambre.

La lettre était d'Effie Brennan. Elle avait pris beaucoup de peine pour écrire sur un mode badin et amusant, et émettait l'idée — ce qui lui rappela les excuses qu'il inventait pour Annabelle — qu'il avait peut-être oublié son invitation ; elle terminait maladroitement par : « Venez, *je vous en prie ;* je reçois vraiment si peu de gens, et vous m'avez beaucoup manqué. »

Etait-ce le ton suppliant de la lettre, était-ce le désir de ne pas passer la soirée à ressasser le retard d'Annabelle à lui répondre, était-ce toutes les gentillesses que Mme Beecham, lorsqu'il lui apporta sa lotion, lui dit concernant Effie, toujours est-il que David prit un bain rapide, changea de chemise et descendit parler à Wes. Si celui-ci était parti, cela n'aurait pas d'importance ; s'il était encore là, eh bien, tant mieux ! Wes allait justement sortir. Il fut enchanté que David l'accompagnât, mais ne réussit pas, avant de quitter la chambre, à lui faire partager son scotch pour entamer la soirée.

L'appartement d'Effie Brennan donnait sur la grand-rue, entre un magasin de couture et une boutique de quincaillier. On entrait dans le bâtiment en briques rouges par une porte au-dessus de laquelle pendait une enseigne de dentiste : « Docteur Nagel, dentiste sans douleur. » David, qui, pour ses cours de science, avait étudié un peu d'allemand, montra à Wes le nom, qui signifiait « aiguille », et ils rirent tous deux. Effie avait ouvert sa porte avant même qu'ils fussent arrivés à son troisième étage. Une merveilleuse odeur de viande rôtie leur parvint de la chambre.

Elle offrit du scotch à Wes et, à David, scotch ou Martini. Mais David insista en souriant pour ne boire qu'un peu d'eau gazeuse avec de la glace. En réalité, il ne tenait même pas à la glace, car il n'aimait pas les boissons très froides ; mais cela représentait pour lui un trop grand effort que de demander à Effie de ne pas en mettre, et il avait aussi l'impression que cela l'aurait privée, elle, d'un petit plaisir.

« J'ai prévu ce menu, dit Effie, de la cuisine, exprès pour que vous mangiez des choses aussi différentes que possible de ce que vous offre Mme Mac. »

Ils dînèrent dans une sorte de niche, à une table semblable à celles réservées aux « picnics » dans les jardins publics. Celle-ci était recouverte d'une nappe fine, rose, propre et légèrement crêpée. Bientôt, Wes laissa tomber dessus un peu de sauce du rôti.

David goûta le vin avec plaisir et souhaita avoir lui-même apporté la bouteille à la place de Wes. C'était un excellent médoc, et il se demanda où Wes avait pu le découvrir dans Froudsburg ; mais il s'abstint de poser la question. Wes remarqua néanmoins qu'il en buvait avec satisfaction.

« C'est donc ça, ton point faible ? Le vin ? Sacré David !... Et pourquoi ne l'as-tu jamais avoué ?... Ah ! monsieur est un connaisseur, un homme distingué !... »

Et il fit un grand geste de la main au-dessus de la table, manquant de peu la bouteille de vin.

« Je trouve cela séduisant, d'apprécier le vin, dit Effie. Quand j'étais au Canada, il y a quatre ans... »

David décida qu'il lui enverrait des fleurs le lendemain. Il avait un vague souvenir d'avoir récemment vu des chrysanthèmes en paquets quelque part. Puis, comme elle gesticulait en parlant, il s'aperçut qu'elle avait des mains assez fines ; il s'aperçut aussi qu'elle avait les ongles vernis, d'une couleur certes discrète en comparaison des vernis à la mode, mais cela le détourna d'elle et même lui fit un peu peur. Annabelle ne portait pas de vernis, et elle lui avait dit un jour qu'elle aimait avoir les ongles assez courts à cause du piano. Ils étaient maintenant installés au salon, buvant leur café par petites gorgées. Wes désigna une peinture à l'huile dont il dit qu'Effie était l'auteur et qui représentait deux bateaux de pêche accrochés à un ponton. Ce n'était ni bon ni mauvais. David émit un commentaire approprié et demanda à Effie si elle peignait beaucoup.

« Je suis responsable de tout ça, dit-elle en montrant d'un geste large tout le mur du côté cuisine. C'est-à-dire, non, pas celui-là, ajouta-t-elle, le doigt tendu vers un portrait assez convenable d'un homme d'âge mûr. Un ami à moi en est responsable, c'est le portait de mon père. »

Wes se mit à examiner toutes les peintures et trouva quelque chose à dire sur chacune d'elles. David commença à se demander comment il pourrait s'arranger pour partir, comme il le désirait, avant Wes.

« Je vais vous montrer une extravagance, dit Effie, gaiement. J'en serais bien incapable, si je n'avais pas bu deux Martini. »

Du tiroir de son bureau, à tablette inclinée, elle tira une grande feuille de papier.

« Vous le connaissez ? » demanda-t-elle en la tendant à David.

Il fut surpris et gêné. C'était un portrait de lui.

« Mais c'est toi ! s'écria Wes, et il eclata de rire. J'ignorais que tu avais posé pour elle.

— Je n'ai pas posé.

— Je suis très flattée que vous le reconnaissiez. Je l'ai fait de mémoire... De mémoire, répéta-t-elle un peu nerveusement et les yeux au ciel. Ce n'est pas que j'avais beaucoup de souvenirs... Je veux dire... En tout cas, maintenant je vois ce qui ne va pas dans les yeux. »

Elle retourna à son bureau.

« Mais les cheveux et toute la forme du visage, c'est du tonnerre », dit Wes.

C'était assez vrai, pensa David. C'était bien sa chevelure épaisse et sombre — elle avait dessiné au fusain — les sourcils droits, la bouche...

« Je trouve que c'est incroyablement bon, pour avoir été fait de mémoire », dit-il en souriant.

Elle s'arrêta au milieu d'un mouvement. Le silence tomba brusquement dans la pièce et les mots de David furent comme encadrés, en suspension dans l'air. Effie semblait s'être arrêtée pour laisser ces paroles élogieuses s'imprégner en elle. Puis elle s'approcha de lui, un crayon à la main.

« Je suppose que vous n'accepteriez pas de poser vraiment pour moi, juste une seconde, le temps que je corrige les yeux.

— Bien sûr que si. »

Elle se mit au travail avec une petite gomme pointue et, de temps en temps, elle affinait son fusain en le grattant sur un morceau de papier de verre.

« Voilà, dit-elle enfin, j'ai même amélioré les sourcils. »

Elle appuya le portrait contre un rayon de livres pour qu'ils puissent l'admirer, bien qu'à chacune de leurs remarques elle ne pût s'empêcher de rire d'un air désapprobateur.

« Portrait du génie, jeune homme », dit-elle en les interrompant

Quelques instants plus tard, Wes sortit de la pièce ; David supposa qu'il allait aux toilettes. Effie et lui se trouvèrent seuls et soudain aussi muets que deux adolescents. Elle lui dit enfin que, s'il le désirait, il pourrait emporter son portrait, et il répondit que, bien sûr, il le désirait.

« Je ne sais pas ce que vous pensez de moi. Vous devez croire que je suis un peu sotte, dit-elle, incapable de le regarder et ses paupières battant avec nervosité. Mais je vous aime vraiment beaucoup et cela me ferait tellement plaisir que vous soyez moins timide avec moi. Je le suis assez comme ça. »

David, dans un embarras mortel, se tenait raide comme un piquet.

« Je veux dire, je ne vois vraiment pas pourquoi nous ne pourrions pas aller au cinéma de temps en temps,... ou bien, de temps en temps, vous viendriez dîner ici. Ce n'est pas vous que j'aurais l'intention de mettre au four ni de manger », dit-elle en riant péniblement.

David rassembla son courage, pensant que s'il en finissait une bonne fois, tout serait ensuite plus simple.

« Pour vous dire la vérité, Effie, je suis fiancé et, bien que le mariage ne soit pas pour tout de suite, je crois qu'il est préférable que je ne voie personne d'autre. »

C'était un peu comme s'il s'était mis tout nu un instant et serrait de nouveau ses habits contre lui. Mais Effie ne parut pas du tout surprise.

« C'est elle que vous voyez en week-end ? C'est là que vous allez ? demanda-t-elle presque comme dans un rêve.

— Je vais voir ma mère.

— Votre mère est morte. »

David ouvrit la bouche puis la referma.

« Et qui vous a dit cela ?

— Votre patron. Le mien, M. Depew, connaît M. Lewissohn. Il a eu affaire à lui, l'autre jour ;

alors nous avons parlé de vous, et j'ai dit à M. Lewissohn : « C'est dommage pour sa mère » ou quelque chose d'approchant. Il m'a dit : « Qu'est-ce qui se passe ? » Je lui ai répondu qu'il lui fallait vivre dans une maison de santé. Il m'a dit : « Mais non, elle est « morte. » C'était sur ses fiches et il s'en souvenait. Naturellement, je n'ai pas insisté ; je n'étais pas là pour mener une enquête. J'ai simplement dit à M. Lewissohn que j'avais dû confondre. »

David sentit qu'il devait être blême, car il était sur le point de s'évanouir.

« C'est M. Lewissohn qui se trompe. Elle est très malade et elle peut mourir en quelques mois. Mais elle n'est pas morte ; il a fait erreur au sujet de cette fiche. »

Mais maintenant, il s'en souvenait aussi, de ce simple « non » qu'il avait écrit dans une des cases du questionnaire, deux ans auparavant. Il n'y avait plus jamais pensé depuis le jour où il l'avait écrit. Et si Wes le découvrait ? Peut-être Effie lui en avait-elle déjà parlé ?

Wes reparut. Effie et lui prirent un dernier scotch, et David une tasse de café — de l'instantané, car la cafetière était vide. Puis ils se levèrent pour partir. Effie avait une expression étrange, pensa David ; et il l'attribua au fait que, peut-être, elle ne croyait pas ce qu'il lui avait dit au sujet de sa mère. Comme il allait la remercier pour le portrait qu'il avait déjà ramassé :

« Toute réflexion faite, dit-elle, il serait préférable que je le vaporise au fixatif avant que vous le preniez ; sinon, le fusain risque de s'étaler. »

Ses yeux restèrent plantés droit dans ceux de David, pendant qu'elle parlait, et il sut qu'il ne reverrait jamais le portrait.

UNE lettre d'Annabelle arriva le jour suivant, le 18 décembre. David, lorsqu'il la vit sur la table d'osier, ne la saisit pas d'un mouvement brusque, mais la prit calmement, ainsi qu'une carte postale en couleur d'un paysage californien, sans doute envoyée par sa cousine Louise. Il monta jusqu'à sa chambre, enleva son pardessus, le suspendit avec un peu de nervosité, l'accrochant d'un coup sec au portemanteau, referma la porte de l'armoire et s'assit à sa table pour être mieux à même de supporter le choc du contenu de la lettre, quel qu'il soit. Il y avait deux feuillets, écrits seulement d'un côté ; ses yeux embrassèrent l'ensemble avant de pouvoir enfin se fixer.

16 décembre 1958.

Cher David,

Je vous demande pardon d'avoir mis si longtemps à vous répondre, mais je crois que mon excuse est valable : je viens de mettre au monde un bébé, un garçon de huit livres et demie. Il y a eu quelques complications, ou du moins s'attendait-on à en avoir. Aussi n'ai-je voulu rien dire avant que « cela » ne soit vraiment arrivé. Mais maintenant tout va très bien. Vous comprendrez certainement, David, qu'ayant à m'occuper d'un bébé, il est hors de question que je puisse aller où que ce soit... Il est né le 2 décembre, à 4 h 10 du matin ; il a donc deux semaines aujourd'hui.

J'admettrais fort bien, David, que ceci vous soit une complète surprise, mais il ne devrait pas en être ainsi. Je suis heureuse — du moins pour le moment — et, bien que j'eusse peut-être été aussi heureuse ou plus heureuse avec vous, il se trouve simplement que la vie ne s'est pas agencée de cette manière. Penser à autre chose qu'à ce qui est, *c'est planer dans un monde imaginaire... ce qui est merveilleux dans certains domaines, mais pas dans la vie réelle. N'êtes-vous pas d'accord ?*

Il faudra que je trouve un travail aussitôt que j'aurai pris des dispositions au sujet du bébé, car Gérald, contre l'avis de tout le monde, a commis une grosse erreur avec son magasin ; il en est résulté d'énormes dépenses. Mais suffit sur ce chapitre.

Je dois terminer ce mot, car j'ai des millions de choses à faire. Je regrette de ne pouvoir vous rencontrer, surtout juste avant les fêtes. Allez-vous en Californie pour Noël ?... Je pense à vous, David, vraiment.

Avec beaucoup d'affection, comme toujours.

Annabelle.

David se leva et se planta face à ses trois fenêtres. Un bébé ! C'était incroyable, positivement incroyable... Son esprit, sous le choc, se mit à jouer avec l'idée que c'était une invention, qu'Annabelle avait voulu l'ébranler violemment, lui faire une peine immense afin qu'il cesse de lui écrire, son ultime objectif étant de mettre fin au mal qu'il se faisait à lui-même. Si elle avait attendu un enfant, ne le lui aurait-elle pas annoncé il y a déjà plusieurs mois ? Ne serait-ce pas la réaction de n'importe quelle femme ? Il resta longtemps sur son lit, assis, sourcils froncés, fixant le tapis d'un regard intense et perplexe à la fois, jusqu'à ce qu'un coup à la porte le sorte enfin de sa torpeur.

C'était Sarah, qui lui annonçait quelque chose à propos du dîner.

« Je ne me sens pas très bien ce soir, je ne descendrai pas », dit David.

La présence de Sarah lui rappela où il était, et quand il eut refermé la porte derrière elle, il écouta décroître ses pas, puis ramassa la lettre d'Annabelle ; bien qu'il la repliât très vite, certains mots lui sautèrent aux yeux. Il la remit dans son enveloppe et plaça brutalement la bouteille d'encre dessus. Il prit son manteau et tira la porte sans la fermer à clef. Il arrivait calmement en bas, quand Wes apparut dans l'entrée, venant de la salle à manger.

« Te voilà !... Tu ne te sens pas bien ? demanda-t-il, soucieux.

— Je vais très bien, je n'ai pas faim.

— Tu es blanc comme un linge. Qu'est-il arrivé ?

— Rien. Je vais prendre un peu l'air... Je te verrai tout à l'heure », ajouta-t-il faiblement.

Et il sortit.

Pour la première fois depuis des mois, peut-être même pour la toute première fois, lorsqu'il s'agissait d'une promenade, il se dirigea vers la grand-rue, où il pourrait trouver des lumières et du monde. Certains magasins étaient fermés, mais beaucoup restaient ouverts pour les achats de Noël. Et du monde, il y en avait, sur les trottoirs, de ces types à faces de paysans obtus, qui, dès ses premiers jours dans cette ville, l'avaient étonné par leur suffisance ostentatoire et lui avaient inspiré de la répulsion. S'apercevant soudain qu'il marchait sur le trottoir qui longeait la maison d'Effie, il traversa pour ne pas risquer de la rencontrer. Les devantures de chaussures et de robes à bon marché, d'autres où s'entassaient des jouets passèrent en clignotant dans le coin de son œil gauche. Il devait s'écarter sans cesse pour éviter les badauds, bouche bée devant les vitrines. Un énorme père Noël se balançait et riait tristement au son d'un disque trop lent ; David fit un saut de côté, mais quand il le regarda, il s'aperçut que les bottes en toile cirée étaient à plus d'un mètre au-dessus de sa tête. Un magasin de disques faisait du battage autour d'« Ecoutez, les anges précurseurs chantent ». A travers tout ce chaos, David promenait en lui, de manière précaire, le petit chaos bien concentré de la « situation », comme une balle qui reste en l'air, soutenue par les jets d'eau qui lui viennent d'en dessous. Quand le bruit et la lumière commencèrent à s'atténuer et qu'un terrain s'étendit sur sa gauche, vide, sombre et silencieux, une idée lui vint à l'esprit : Annabelle n'était plus elle-même maintenant ; toutes ses perspectives étaient faussées à cause de l'enfant. Il ne pensait pas qu'elle eût menti au sujet du bébé, elle ne s'abaisserait pas à une supercherie. Mais il n'était pas étonnant qu'elle soit à présent plongée, noyée dans ce qu'elle considérait comme la réalité. Evidemment, un bébé c'était du réel, et la douleur, et les couches sales ainsi que les notes d'hôpital, et aussi, bien sûr, le mari imbécile. Ce qu'Annabelle était actuellement incapable de voir, c'est qu'il restait encore une porte de sortie... Si elle ne pouvait venir à lui, il irait à elle. Il décida que ce serait pour ce dimanche, car c'était le dimanche qu'il avait le plus de chances de trouver Gérald Delaney aussi chez lui. Il partirait d'abord pour sa maison de Ballard, vendredi soir, comme d'habitude, et, le dimanche matin, vers neuf heures, il prendrait la route pour Hartford. Il ne téléphonerait pas à Annabelle avant, pensa-t-il ; il ne lui donnerait pas ainsi l'occasion de le supplier de ne pas venir. Il l'appellerait, arrivé à Hartford, et il insisterait pour les voir tous les deux, elle et Gérald. Puis, aussi méthodiquement que possible, il se mit à préparer la thèse qu'il aurait à soutenir devant eux.

David se connaissait le pouvoir de conserver une certaine maîtrise de soi et de la tenue, quels que soient ses sentiments. Bien que la lettre d'Annabelle l'eût secoué et empêché de dormir pendant la nuit suivante, ni Wes ni Mme Beecham — qui prit ses mesures pour des chaussettes — ni personne à l'usine ne fit de commentaires, le jeudi ou le vendredi, sur un changement qui se serait produit en lui. Il se souvint des fleurs pour Effie et les envoya avec un mot de remerciements. Vendredi, vers dix-sept heures trente, Wes s'apprêtait à quitter la pension, pour rentrer à la maison, rejoindre Laura ; il était d'humeur résignée et cynique. Avec une telle brusquerie que Wes en laissa tomber un paquet qu'il transportait, David lui fit faire un demi-tour sur place, l'attrapa par les épaules et le secoua.

« Par le Christ... essaie encore !... Tu les as eues, tes vacances !

— Grands dieux ! David... qu'est-ce qui te prend ? dit Wes en rajustant sa veste.

— Rien... Mais toi... si tu retournes là-bas avec toutes tes réserves d'amertume, où espères-tu aboutir avec elle ?

— Il est simplement possible que je n'aie envie d'aboutir nulle part avec elle.

— Tu m'as dit qu'il fut un temps, vous vous êtes aimés... »

David respira très fort. Il s'efforça de reprendre son souffle.

« Excuse-moi, Wes.

— Bon Dieu ! J'ai cru que tu allais me cogner dessus, dit Wes avec une expression encore rancunière sur le visage. A te dire la vérité, continua-t-il j'ai été invité par Effie, chez elle, pour quelques scotchs d'encouragement avant de retourner affronter mon... « foyer ».

— Vas-y... Vas-y... »

Puis David s'assit sur son lit et se mit les mains sur le visage, attendant que Wes soit parti, soit vraiment sorti de la maison... avant de se mettre en route lui-même pour le plus important de ses voyages.

Il s'écoula une longue minute, puis il entendit craquer le plancher sous les pas de Wes, la porte s'ouvrir et se refermer.

DIMANCHE matin, la pluie commença à tomber un peu après six heures, quand David se leva. La radio annonça qu'il fallait s'attendre à ce qu'elle se change en neige. En pyjama et robe de chambre, il prit posément son petit déjeuner : œufs à la coque, petit pain anglais, bacon ; il n'avait pas faim, mais il savait l'importance d'un estomac calé, et la nourriture fut consciencieusement absorbée. Puis il mit un disque de Haydn et déambula dans la maison, son regard caressant le dos de ses livres d'art, la page manuscrite, encadrée, d'un thème de Beethoven, qui lui avait coûté une grosse somme, un dessin de Léonard de Vinci, qui lui avait coûté encore plus cher et qui était dans un cadre aux feuilles d'or, et aussi le service à thé en argent, sur une table, dans un coin du salon ; il se rendit compte, un peu honteusement, qu'il ne s'en était encore jamais servi.

Il plut tout le long de la route jusqu'à Hartford, en faisant de plus en plus froid ; le brouillard devint plus épais, et David eut l'impression d'enfoncer sa voiture dans quelque contrée hyperboréenne. Il entendait encore le Haydn tourner dans sa tête et il le fredonnait, tout en repensant à ce qu'il allait dire ; il ne préparait cependant pas son texte mot à mot ; dans un cas comme celui-là, il préférait s'en remettre à l'inspiration.

Il s'était juré d'entrer cette fois dans la ville par une bonne route, mais il se vit imposer une déviation qui le fit aboutir dans un quartier d'usines, pas tellement différent de celui où habitait Annabelle, mais très éloigné, il le savait. Il dut demander son chemin deux fois à des postes d'essence. Rue Talbert. Un nom qui n'évoquait rien ; peut-être était-ce celui de quelque bon citoyen éphémère ; peut-être même avait-on pris ce nom sans raison précise. Ayant repéré la rue, David continua à rouler le long de deux ou trois pâtés de maisons, s'arrêta devant un café et entra dans la cabine téléphonique. Il connaissait le numéro par cœur. Une voix d'homme lui répondit.

« Est-ce que je peux parler à Annabelle ?

— De la part de qui ?

— David Kelsey.

— David ?

— Oui, David. »

Elle prit plus de temps qu'il ne lui parut nécessaire pour venir à l'appareil.

« Allô ? »

Au son de sa voix, il se détendit comme un arc qui se débande.

« Allô ! chérie. C'est David. Je suis à Hartford. J'aimerais vous voir.

— Aujourd'hui ?

— Oui. Maintenant. Est-ce que je peux monter ? Je suis presque à côté.

— J'allais à l'église.

— A l'église ? répéta-t-il surpris.

— Oui... Mais je suppose que... J'y allais simplement pour accompagner une amie.

— Eh bien, n'y allez pas, Annabelle... s'il vous plaît... Annabelle ? »

Mais elle avait déjà quitté l'appareil, peut-être pour parler avec son amie.

« Allô ! David... Est-ce que je peux vous rencontrer quelque part ?

— Je préférerais vous voir chez vous. Je voudrais parler à Gérald aussi », dit-il d'un ton décidé.

Et de nouveau elle s'éloigna. Il entendit quelques sons inintelligibles, la voix plus grave d'un homme, puis le téléphone fut raccroché bruyamment.

David raccrocha brutalement, lui aussi, et ouvrit la porte avec violence. Il domina aussitôt sa colère et, avant même de se retrouver dans la rue, il était de nouveau calme et maître de lui. Il laisserait Gérald être le seul à se mettre en rage, l'idiot.

Il roula jusqu'à la rue Talbert et rangea sa voiture presque en face de la maison. Il appuya sur le bouton de sonnette qui correspondait à l'appartement des Delaney, l'un des quatre de cette maison en briques rouges. Quelques brins d'herbe jaunissaient sur une pelouse minuscule ; une haie de trente centimètres de haut était trouée partout où les gens avaient pris l'habitude de passer, malgré le fil de fer qu'on avait tendu. Son attente lui paraissant plus que suffisante, David sonna de nouveau. Une petite fille, couverte de taches de rousseur, tout endimanchée, la bouche un peu pincée, ouvrit la porte et passa devant lui en le regardant fixement. Puis il entendit de hauts talons sonner dans l'escalier. La porte s'ouvrit de nouveau ; Annabelle était là.

« David... Pourquoi êtes-vous venu ? demanda-t-elle en souriant. Et un dimanche en particulier ?... Aïe ! ma main...

— Annabelle... »

Ses cheveux étaient plus courts et, sous ses yeux, semblaient se montrer quelques signes de fatigue ; mais la couleur de ses yeux, d'un gris-bleu un peu cendré, n'avait pas changé, non plus que cette bouche merveilleuse. Il admira les formes arrondies de la poitrine, sous la veste de tweed marron, la taille toujours fine.

« Qu'est-ce que vous regardez ? demanda-t-elle avec un petit rire timide qui le fit fondre d'émotion. Comment avez-vous fait pour avoir des cheveux aussi mouillés ? »

Il bredouilla quelque chose ; ce fut du charabia. Puis il s'appuya contre le dosseret de la porte. Il était fatigué, mais il la tenait serrée, enfermée dans ses bras, et ses lèvres se pressaient contre elle, juste en dessous de l'oreille. Il aurait pu rester ainsi le restant de son existence.

« David... je suis descendue afin d'éviter une scène... avec Gérald, dit-elle en l'écartant. Il n'aurait pas fallu lui dire votre nom.

— Je veux le voir. Ou bien préférez-vous sortir et bavarder d'abord avec moi ? Ma voiture est devant la porte. »

Elle hocha la tête.

« Gérald va descendre d'une minute à l'autre, si je ne remonte pas. Je ne suis pas sûre de pouvoir vous voir aujourd'hui. Sauf maintenant.

— Qu'est-ce que vous êtes ? Sa prisonnière ?

— Dès qu'il s'agit de vous...

— Annabelle ! » lança une voix dans l'escalier.

Elle le regarda d'un air suppliant, et il se souvint de ses yeux, à *La Jolla,* au retour de son voyage de noces.

« Très bien, montons », dit David, et il lui prit le bras.

« Annabelle ? Tu viens ?

— David, je vous en prie !... »

Mais il l'entraîna fermement vers l'escalier.

« Voilà ! » cria David vers l'étage.

Gérald recula d'un pas lorsque David, tenant toujours Annabelle par le bras, parvint au second. Il était petit, sans veste, les épaules rondes, avec une figure de bébé. David se rendit compte alors de ce qu'il avait de si étrange ; il ressemblait à ces malades des glandes, ces cas dont David avait oublié le nom, ces hommes dont la voix ne mue pas vraiment, qui n'ont pour ainsi dire pas de barbe, sont larges des hanches, ont la taille haute... Et Gérald avait toutes ces caractéristiques, sauf que sa voix était plutôt celle d'un homme que celle d'une femme.

« Monsieur Kelsey ? demanda Gérald.

— Oui, excusez cette intrusion, dit David avec affabilité. Je passais.

— David désire entrer quelques instants », dit Annabelle à Gérald, qui se tenait un peu de côté dans la porte, comme s'il voulait la bloquer.

David fit entrer Annabelle devant lui dans l'appartement. Il s'attendait à du désordre et à tout le morne attirail qui accompagne les vies comme la leur, mais la réalité lui fit paraître tout cela encore plus épouvantable. Sur le poste de télévision, à côté de l'antenne, trônait la photo d'un quelconque parent à cheveux blancs, particulièrement affreux ; une paire de chaussons, couleur taupe, traînait devant le fauteuil où étaient jetées les feuilles violemment coloriées des bandes dessinées du journal du dimanche. Il jeta un coup d'œil aux chaussures de Gérald et remarqua non seulement qu'elles étaient petites et sales, mais que les lacets en étaient défaits. Il en conclut que Gérald avait été interrompu dans son quart d'heure culturel.

« La maison est un peu en désordre, dit Annabelle. Asseyez-vous, David. »

Elle lui désigna un canapé vert, qui semblait dans un état de fatigue que ne pouvaient justifier dix-huit mois d'usage.

« Merci. »

Il enleva son imperméable mouillé et se le jeta sur un bras.

« Eh bien... Il n'est pas nécessaire que vous vous regardiez tous les deux en chiens de faïence. Voulez-vous du café, David ?

— Non, merci, Annabelle. »

Gérald avait croisé les bras et regardait David, attendant avec impatience qu'il s'en aille.

« Pour en venir directement au fait, monsieur Delaney, j'aime Annabelle et j'ai l'intention de la prendre pour femme.

— Comment ? » murmura Gérald.

Un sourire amusé glissa lentement sur son visage ; ses bras tombèrent le long de son corps, puis il mit les mains sur ses hanches, des hanches qui semblaient faites, plus que celles d'Annabelle, pour porter des enfants.

« Oh ! Seigneur !... gémit Annabelle.

— Ecoutez, monsieur Kelsey... », dit lentement Gérald.

Comme pour le soutenir ou comme s'il avait voulu dire : « Ecoutez ça », un vagissement aigu parvint d'une autre pièce ; Annabelle fit un mouvement dans cette direction et s'arrêta.

« En ce qui me concerne, continua Gérald, vous vous êtes montré insolent, vulgaire...

— Un instant..., interrompit David.

— ...et cela, depuis qu'Annabelle et moi sommes mariés. Je n'aime pas vos lettres et ne veux plus en recevoir.

— J'ignorais vous en avoir écrit.

— Vous les avez envoyées à ma femme et...

— Et j'imagine que vous les lisez. Tout à fait dans votre style. D'habitude, c'est plutôt un vice féminin.

— David ! » s'écria Annabelle.

Les joues de Gérald devinrent aussi roses que sa lèvre inférieure caoutchouteuse.

« D'une certaine manière... oui, en quelque sorte, je suis content que vous soyez venu ici aujourd'hui ; je constate que vous êtes exactement tel que je vous imaginais : timbré, vraiment timbré... »

David eut un rire bref. Cet eunuque !... Qu'il ait épousé Annabelle, c'était tellement grotesque... comme dans les contes de fées, quand le bossu gagne la main de la princesse.

« Et vous, vous êtes l'image même de la santé, c'est le moins qu'on puisse dire ! » grinça David.

Alors Gérald éclata, David éclata, tous deux se mirent à hurler, dressés l'un contre l'autre ; Annabelle essaya de les séparer ; du revers de la main,

David lui donna malencontreusement un coup sur la hanche.

« Sortez ! dit Gérald, montrant la porte. Sortez immédiatement, ou j'appelle la police.

— C'est Annabelle qui me mettra dehors et personne d'autre. »

David ramassa son imperméable qui était tombé par terre. Il regrettait de ne pas avoir enfoncé son poing jusqu'au coude dans cette attirante masse boudinée qui s'arrondissait sous la ceinture de Gérald. Il l'aurait envoyé s'aplatir à terre ; peut-être même l'aurait-il tué. Crânement, il lui tourna le dos, le temps d'arranger son imperméable, le replier en en laissant apparaître l'intérieur et le jeter de nouveau sur son bras gauche. Puis il chercha Annabelle du regard, se souvenant, à la manière dont le cuisait sa main, du coup qu'il lui avait donné. Elle arriva dans la pièce avec une tasse de café pour lui, et la lui tendit comme une offrande. Pour quelque raison obscure, David trouva cela très amusant et lui fit un large sourire en prenant la tasse.

« Il n'est pas très fort, dit-elle en s'excusant. Gérald ne l'aime pas très fort.

— Et vous ? » demanda David.

En fait, c'était un café très mauvais, si clair qu'on pouvait voir le fond de la tasse au travers. Il pensa à sa machine à café express, chez lui, puis regarda de nouveau Gérald, qui se tenait les jambes écartées, ses poings ridicules toujours serrés.

« Ecoutez-moi bien, Gérald. Annabelle et moi, on s'aimait avant même qu'elle vous ait rencontré. Et cela, c'est du genre des choses qui ne changent pas.

— Pour l'amour du Christ !... s'écria Gérald en frappant son front bulbeux... Mais demandez-lui... demandez-lui !...

— Vous vous rappelez, n'est-ce pas, Annabelle ? »

Il se tourna vers elle. Et soudain son corps et

son âme eurent faim d'elle, et toute sa colère tomba, et la tasse à café glissa jusqu'au bord de la soucoupe. Elle le regardait et voulait crier : « Oui... »

« Je me rappelle... mais il y a longtemps de cela, David.

— Même pas deux ans... et vous m'avez dit que vous n'aimiez pas Gérald.

— Comment aurais-je pu l'aimer alors ?

— A *La Jolla*.

— Il est fou, dit Gérald. Si, dans une minute, vous n'êtes pas dehors...

— Il y a différentes sortes d'amour, David. Quand on est marié, ce n'est pas la même chose... »

La voix d'Annabelle tremblait.

« Pas la même chose ?... Les gens tombent amoureux et ils se marient... »

Il la regarda fixement. Il ne parvenait pas à s'exprimer par ce seul mot « amour ». Il continua courageusement, aveuglément.

« Est-ce qu'il n'implique pas aussi : se soucier, mettre à l'abri du besoin, être prévenant, se sacrifier ?...

— Oui, mais... oh ! David... on ne peut pas rester là, toute la journée, à discuter.

— Tout cela, je le fais pour vous..., bégaya-t-il, plus et mieux que ce... ce... »

Là encore, il ne trouvait pas le mot convenant à cette masse de chair, qui avait la malheureuse capacité de se reproduire.

« Je veux vous parler, seul, Annabelle. »

Il posa la tasse, prit sa main pour l'emmener vers la porte, mais la main d'Annabelle se raidit, se retira, et la figure de Gérald se trouva soudain contre la sienne. David leva le poing.

« David, je vous en supplie !... »

Annabelle s'accrocha des deux mains au bras de David. Il se détendit.

« Je regrette. Je suis vraiment navré. »

Il aurait eu honte de frapper ce petit homme ridicule ; il avait honte d'avoir été sur le point de le frapper.

« Ce que je dis, je le pense », dit-il calmement à Annabelle.

Il regarda droit dans ses yeux, qui étaient maintenant pleins de larmes. Puis il lui donna soudain un baiser sur les lèvres ; Gérald n'eut pas le temps de se mettre en action : le baiser était donné et pris quand la main de David s'aplatit sur la poitrine de Gérald et poussa. Celui-ci reprit son équilibre de justesse avant que ses jambes heurtent le canapé. Il émit un juron ignoble que David refusa d'entendre.

« Apparemment, le dimanche n'est pas un jour de visite, dit David. Je vous aime, Annabelle... et je vous écrirai. »

Il pressa sa main entre les siennes, se dirigea vers la porte et sortit. Pendant qu'il descendait, il entendit Gérald tonitruer, tout en affichant une prétendue incrédulité.

Poursuivant son chemin vers la voiture, David se demanda s'il ne ferait pas demi-tour, s'il n'exigerait pas de voir Annabelle en tête-à-tête, quitte à l'emmener de force, s'il le fallait. Il pourrait certes prendre aisément soin de Gérald. Il sentit qu'il ne s'était pas montré assez déterminé, assez ferme. En revanche, il estima que sa sortie avait été réussie et qu'en revenant, il risquerait de tout gâcher. Il lui écrirait et la persuaderait — mais la persuaderait vraiment — de le rencontrer quelque part, même si ce n'était que dans Hartford. Il pensa de nouveau au physique de Gérald — apparemment racheté par aucune trace d'esprit, de grâce, de sensibilité — et fut tout à fait rassuré.

Il n'avait même pas fait huit cents mètres dans sa voiture qu'il s'arrêtait contre un trottoir, dans une rue calme, coupait le moteur et s'effondrait de fatigue sur le volant. Ses pensées revinrent à

Annabelle, comme toujours au moment de s'endormir : il ne se remit pas à réfléchir aux problèmes, à la situation ; il revit simplement son visage clair et innocent, son corps qu'il venait d'étreindre quelques instants plus tôt. Il savait, tranquillement — c'était inéluctable — qu'un jour elle serait à lui.

IL lui écrivit le soir même, avant que l'horreur de ce qu'il avait vu le matin ait pu s'estomper.

21 décembre 1958.

Mon Annabelle chérie,

Je serais tenté, à cause de vous, de présenter mes excuses pour mon attitude de ce matin, mais je regrette tellement de ne pas avoir été plus énergique, que je ne peux arriver à les faire. Je suis vraiment très déprimé... Et pourtant, du simple fait de vous avoir vue, cette journée a été différente des autres, elle a été un tel enchantement... J'ai aperçu votre piano dans la pièce voisine, le coin du piano droit dont je ne peux imaginer qu'il soit digne de votre jeu. J'avais eu l'intention de vous demander ce qu'il est advenu de votre idée du livre sur Mozart et Schubert, et de vous demander et de vous dire tant de choses..., et je n'ai pas pu. Tout ce que j'ai réussi à faire, du moins je le suppose et l'espère ardemment, ç'a été de convaincre Gérald de mon sérieux et de ma sincérité. Oui, j'espère qu'il est profondément bouleversé ; il devrait l'être.

Si possible, pourriez-vous m'envoyer un télégramme téléphoné (à ma charge, pour qu'il ne paraisse pas sur votre note de téléphone) m'indiquant quelle matinée ou quel après-midi vous pourriez me rencontrer, à Hartford, lundi, mardi ou mercredi prochains ? Je m'arrangerai, à l'usine, pour me libérer d'une manière ou d'une autre. Vous voir est plus important pour moi que mon travail — que je n'ai d'ailleurs accepté que pour raisons d'argent, et cela, à cause de vous. Comprenez-moi, ce n'est pas un reproche. J'ai apprécié l'argent et j'en ai fait bon usage ; j'aimerais vous raconter comment, mais je préfère vous le dire quand je vous verrai.

Je ne peux terminer cette lettre sans vous avouer à quel point la découverte de Gérald a été pour moi un sujet d'étonnement et d'abattement. Je m'étais laissé entraîner à croire les lettres de la famille, disant qu'il était très bien, et alignant toutes sortes d'épithètes élogieuses. Je trouve qu'il est (ici il biffa : « monstrueux ») tellement indigne de vous que je ne peux traduire ma réaction et mon jugement par des mots. S'il a des qualités qui peuvent le rendre sympathique, dites-moi lesquelles — car je suis tout disposé à les entendre — afin que je puisse simplement y penser, le temps qu'il vous reste à vivre avec lui.

Pour l'éternité, votre

DAVID.

P.-S. — *Veuillez m'excuser de n'avoir pu du tout m'intéresser à l'enfant, bien qu'il soit à moitié vôtre.*

Le post-scriptum lui fit remuer des idées troublantes : serait-il obligé de prendre aussi ce demi-monstre, lorsque Annabelle et lui se marieraient ? Il ne réfléchit pas longtemps au problème et pensa qu'il pourrait la persuader de faire cadeau de l'enfant à Gérald — ne se rendait-elle pas compte qu'il hériterait du physique paternel ? — car Annabelle et David auraient un enfant ou des enfants à eux.

Il sortit pour poster la lettre et conduisit jusqu'à Ballard, où il y avait une grande boîte postale verte sur la route principale. Mais il réfléchit : la lettre porterait le cachet de la poste de Ballard s'il la mettait à la boîte ici ; et il ne tenait pas à ce qu'Annabelle ou Gérald sachent déjà qu'il avait un lien quelconque avec cette petite ville. Il n'avait donc pas d'autre solution que de rouler jusqu'à Froudsburg. Il voulait que cette lettrc parte le plus tôt possible.

LE sommeil de David empira. Il ne mettait pas longtemps à s'endormir, mais il se réveillait au bout d'une heure et, après ce peu de repos, ne pouvait plus se rendormir avant l'aube. Les bruits, dans la pension, étaient comme des sons continus, ceux d'un mauvais rêve qui se répète. Il y avait le poum-poum léger, étouffé par des bourrelets, mais agaçant d'une certaine fenêtre de l'étage supérieur, dès que le vent la secouait dans son châssis. Mme Starkie, au second, dans l'ancienne chambre d'Effie, ronflait. M. Harris allait régulièrement aux toilettes aux environs de trois heures du matin, mais, en outre, il se réveillait de temps en temps avec une crampe, et, comme un fou, se mettait à taper, de son talon nu, sur le plancher, jusqu'à ce qu'elle ait disparu. Une fois par mois, il s'en excusait publiquement dans la salle à manger. La plupart des bruits n'étaient que des grincements mystérieux, comme si quelque autre insomniaque marchait dans sa propre chambre, aux endroits précis où le plancher craquait. Souvent David avait froid et devait étendre son manteau sur les fines couvertures de son lit. Comme il s'obligeait à rester immobile pour se reposer autant que cela lui était possible, on pouvait facilement imaginer qu'il était en état de coma éveillé ou de paralysie.

Mardi soir, il n'y avait toujours pas de télégramme. David se mit en retard au travail, mercredi matin, pour attendre le courrier de dix heures. Il se tenait dans l'entrée, anxieux, surveillant par la porte vitrée l'arrivée du facteur. Mme Mac Cartney lui avait demandé ce qu'il attendait ; il avait répondu que c'était le courrier ; elle s'était alors inquiétée de savoir s'il s'agissait de sa mère, si elle allait plus mal ; mais, en ce qui la concernait, lui avait-il dit, il n'y avait rien de changé.

« Je suppose que vous passerez les fêtes de Noël avec elle, dit-elle avec un sourire de circonstance.

— Oui, très certainement. »

Puis, à travers la pluie fine, il vit arriver le facteur. Il lui ouvrit la porte.

« Joyeux Noël ! » dit le facteur.

Il donna à David tout le courrier de la maison, deux douzaines d'enveloppes, contenant pour la plupart des cartes de vœux, quelques-unes aux couleurs brillantes, avec de petites guirlandes dans les coins, d'autres à l'écriture griffonnée et inégale des gens âgés. Une enveloppe portait l'écriture d'Annabelle. David, laissant tomber le reste du courrier sur la table d'osier, l'ouvrit d'un coup sec. Elle lui écrivait qu'il lui était impossible de le voir. Il ne fit que parcourir la lettre ; sa colère était telle qu'il respirait avec force, comme un enfant nerveux, sur le point d'éclater en larmes ; ses dents étaient serrées, les lèvres légèrement retroussées. Elle le remerciait pour la broche en brillants — achetée par correspondance, sans l'avoir vue, sur publicité d'une certaine Olga Tritt, dont il avait lu, deux semaines plus tôt, un entrefilet dans un journal de New York — mais elle ajoutait qu'elle ne pouvait songer à la garder, car c'était un cadeau d'un prix beaucoup trop important pour elle.

David se précipita dehors et leva la figure vers la pluie, jusqu'au moment d'arriver à la voiture.

A Cheswick, on faisait semblant de travailler, ce jour-là. A vrai dire, les poches des manteaux se gonflaient de bouteilles d'un demi-litre. Tout le monde avait l'air de rire — et David pensa à une ou deux reprises que c'était de lui. Machinalement, avec un léger effort, il s'obligea à conserver sur son visage une expression agréable et répondit gaiement à tous les « Joyeux Noël ! » Il n'oublia même pas le cadeau de parfum pour Hélène, sa secrétaire. Avec une grande patience, il contrôla deux fois tout ce qu'il avait à faire ce jour-là, sachant parfaitement qu'il était incapable de se concentrer sur son travail. C'était à cause d'Annabelle et de sa lettre qu'il ne pouvait se concentrer ; et pourtant, même à leur sujet, il lui était impossible d'avoir une idée claire. Dans le calme de son bureau, à l'heure du déjeuner, debout près de la fenêtre, il la relut. Ce qui lui faisait le plus de peine, c'étaient ses tentatives de gentillesse, de bonté, peut-être parce qu'elle avait su qu'il recevrait cette lettre à la veille des fêtes. « Vous devez comprendre que c'est Noël et que j'ai beaucoup à faire, bien que cela ne m'empêche pas de penser à vous. Que ce petit mot ne gâche votre Noël en aucune manière. » Comme s'il était concevable qu'il passe un bon Noël sans elle !... Cette lettre était un mélange de précipitation et d'inquiétude. « Votre visite — bien que j'aie bien sûr pris plaisir à vous voir — n'a pas arrangé les choses, en ce qui concerne Gérald, vous pouvez aisément l'imaginer. » *Bien sûr pris plaisir*. Pourquoi *bien sûr,* en de telles circonstances ? L'après-midi, il resta dans le service de Wes, aidant à remplir les verres d'un scotch vieux de dix-sept ans offert par M. Lewissohn. Les bonis avaient été généreux, cette année. Celui de David était de mille dollars. Tout le monde était content de soi, de Noël, de son travail, de son patron. David regarda la figure de M. Lewissohn, haute en couleur, pleine, éclatant du bonheur de la réussite ; et il s'aperçut qu'il n'avait aujourd'hui ni assez de force ni assez de passion pour le détester. Après une ou deux petites gorgées, il versa le reste de son scotch dans le verre toujours accueillant de Wes.

« Cela ne te dirait rien de passer à la maison, après la fermeture ? demanda Wes pour la troisième fois au moins. Il y aura d'autres gens, pas seulement Laura. Elle nous prépare du grog aux œufs, mais tu pourras prendre du café, ajouta-t-il avec un regard implorant.

— Merci, pas ce soir, dit David, incapable de trouver une excuse valable.

— En route pour voir ta mère, hein ? »

La façon dont Wes avait prononcé le mot « mère » incita David à le regarder.

« Oh ! je n'irai peut-être là-bas que demain. Ils ont prévu une petite fête pour ce soir, répondit David avec la crânerie du désespoir.

— Elle vit bien dans une maison de retraite ?

— Oui », dit David.

Il y avait deux maisons de retraite à une heure de route de Froudsburg ; il s'en était assuré avant d'avoir jamais raconté son histoire.

« Pas simplement... dans une villa ?

— Non », dit David avec fermeté.

« Et pourquoi me poses-tu cette question ? » allait-il ajouter, mais il en fut incapable.

Wes approuva enfin de la tête. David se demanda si Effie avait lancé quelques insinuations ou lui avait dit ouvertement que sa mère était morte.

« Effie m'a demandé de tes nouvelles, dit Wes. J'espère que tu lui as au moins envoyé une carte de vœux.

— Tu continues à la voir ? demanda David avec un peu plus de chaleur qu'il ne s'y attendait.

— De temps en temps. Quand j'en ai envie. »

Sur cet échange un peu acide, ils se séparèrent, David se détournant en même temps que Wes.

Même Mme Mac Cartney montrait son sens de l'hospitalité ; cela se passait dans son « salon » ; il semblait avoir subi une telle usure que celle-ci compensait en quelque sorte sa tristesse et son air de ne jamais être ouvert : il avait bien fallu que « quelqu'un » eût élimé le tapis, eût laissé s'éteindre ses cigarettes sur le couvercle du coffret à musique en acajou et eût rassemblé la demi-douzaine de queues de chats qui paraissaient d'ailleurs à moitié mangées aux souris.

« David, seriez-vous assez aimable pour monter ceci à Mme Beecham ? demanda Mme Mac Cartney avec une douceur de circonstance et en lui tendant une petite assiette sur laquelle se trouvait une tasse d'un liquide douteux et une demi-tranche de gâteau anglais acheté au magasin. Sarah est occupée à préparer du nouveau lait de poule... »

David ne répondit pas tout de suite, et Mme Mac Cartney, intriguée, allait recommencer sa phrase. Alors, brusquement :

« Peut-être, dit-il, pourrais-je l'aider à descendre.»

Il sortit et grimpa l'escalier quatre à quatre.

Mme Beecham se mit à rire et protesta, disant qu'elle ne pourrait pas descendre « dans » son fauteuil, même si deux hommes la portaient. David souleva le fauteuil, avec elle dedans, ouvrit la porte d'un coup de pied et descendit lentement, Mme Beecham riant toujours et tenant fermement la rampe. Des acclamations les accueillirent lorsqu'ils entrèrent au salon et que David la déposa doucement sur le canapé. Il avait laissé le fauteuil dans l'entrée.

Lorsqu'il réussit à s'extirper de la cohue du salon, il monta à sa chambre et trouva sur son lit un petit paquet, enveloppé de papier de soie. Une carte, en forme de père Noël, y était attachée, et sur sa barbe blanche, on pouvait lire : « A ce cher David, de la part de Mollie Beecham. » A regarder l'écriture désordonnée, les coins du papier maladroitement repliés, le ruban jaune, étroit, aux fils étirés, il sentit monter en lui un flot de pitié ; tel qu'il était là, tenant son petit paquet, dont il savait qu'il contenait une paire de chaussettes, tricotées des mains de la vieille dame, il pensa que c'était probablement à cet instant, que son cœur approcherait Noël de plus près cette année. Il tira un tiroir du bas de son bureau, en sortit une boîte recouverte de vieux cuir marron et cloutée. Au milieu de boutons de toutes sortes, et de quelques boutons de manchette — c'était à la maison de Ballard qu'il gardait ceux qui avaient de la valeur — il trouva une épingle, montée d'un rubis et de perles de culture. N'ayant rien pour l'envelopper, il prit un de ses mouchoirs blancs, le plia autour de l'épingle du mieux qu'il put, découpa un morceau carré dans une feuille de papier à machine, et écrivit : « A Mme Beecham, de la part de David, avec tous ses vœux d'heureux Noël. » Il porta le petit paquet jusqu'à sa chambre, entrant sur la pointe des pieds comme si elle était là, endormie, et le déposa sur la table où elle conservait ses affaires de couture. L'épingle avait appartenu à sa mère, et, bien qu'il n'eût jamais été très proche d'elle, il serra les dents et détourna nerveusement la tête en se dirigeant vers la porte.

Ce soir-là, dans sa maison, au moment des deux Martini rituels, il disposa des branches de sapin sur la cheminée, les égaya avec du houx et, sur la table à cocktails, où se trouvaient les deux verres, il installa un manège de petits anges, alluma trois bougies et arrêta le *Divertimento* de Mozart afin d'écouter sa petite ritournelle simple et toujours changeante écrite sur neuf notes. D'un côté de la cheminée, il avait groupé ses quelques cadeaux, la plupart provenant d'un colis de Californie, arrivé quelques jours auparavant. En la totale absence d'Annabelle, n'ayant reçu d'elle, cette année, ni un présent ni même une carte, alors qu'il y avait un an elle lui avait envoyé un étui porte-clef en crocodile, il lui était plus facile de se sentir en sa compagnie : quelques-uns des cadeaux étaient pour elle, envoyés par des amis, mais ceux qu'ils devaient se donner l'un à l'autre avaient été mis de côté pour n'être ouverts que lorsqu'ils se retrouveraient ensemble dans une autre pièce.

Après un dîner simple mais bien servi, il s'étendit sur le tapis en cuir de vache, devant le feu qui s'éteignait, les bras croisés sur la poitrine ; leur poids, c'était la tête d'Annabelle, s'appuyant sur lui, et, à travers les senteurs mélangées de feu de bois et de sapin, il pouvait encore sentir le parfum qu'il connaissait si bien.

La broche de diamant qu'il lui avait envoyée, qu'elle avait au moins tenue dans ses mains, qu'elle tenait peut-être en ce moment même, était une réalité tangible sur laquelle il se sentait capable de construire des aventures de la plus haute fantaisie pendant les quatre jours à venir. En compagnie d'Annabelle, il allait établir les plans d'un voyage autour de la terre, discuter d'avance des écoles où ils enverraient leurs enfants (il aimait se figurer qu'ils avaient déjà une petite fille de quatre ans et un garçon de deux ans), envisager sérieusement une offre d'emploi au Brésil ou au Mexique, débattre de l'installation d'un barbecue dans l'arrière-cour et de l'opportunité d'acheter un petit bateau à voiles pour l'été prochain. Il imaginait toujours Annabelle avec un esprit plus pratique que le sien, mais aussi plus impulsive et presque jamais capable de dire non à quoi que ce fût. Il l'habillait de soie, de fine laine, de vison, d'hermine. Ils avaient une loge à l'Opéra de New York ; ils allaient entendre *La Flûte enchantée*, *Electre* et *Wozzeck ;* et quand ils se rendaient à une soirée, ils plaisaient toujours, quoique mariés et célibataires les envient tout de même un peu. Quand il s'achetait un costume, ce qu'il tenait à faire seul, Annabelle l'obligeait parfois à le rapporter. Elle aimait certaines de ses cravates ; certaines autres, non, et celles-là, il les portait peu ou pas du tout. Il lui préparait ses repas préférés et faisait comme si elle n'avait de prédilection ni pour les crevettes ni pour les aubergines.

La maison, c'était le lieu du rêve. Il n'y venait pas pour dresser des plans d'action ou pour se tourmenter. Pas le moindre souci, au sujet de quoi que soit, soupçon, échec, retard — le temps même, ici, s'arrêtait — ne glissait la plus légère brume entre lui et ses visions imaginaires, lorsqu'il était ainsi étendu devant la cheminée et que la musique, comme de l'encens, influait sur ses états d'âme, que ce soient les mathématiques sublimes de Bach ou la tendresse épique de Brahms.

MADAME BEECHAM fut très touchée du cadeau de David.

« Mais c'est beaucoup trop beau pour une vieille femme aussi laide que moi. »

Elle continua ainsi, avec des paroles si élogieuses que David ne put rien lui répondre ; quand, pour la troisième fois, elle lui demanda dans quel magasin il avait trouvé une aussi jolie chose (car elle savait que Froudsburg offrait peu de choix), il révéla maladroitement que cette épingle avait appartenu à sa mère.

« Mais elle ne l'aimait pas beaucoup, s'empressa-t-il d'ajouter, lorsqu'il vit Mme Beecham rester bouche bée. Je ne sais même pas comment elle est arrivée en ma possession.

— Pourquoi ne la lui rendez-vous pas ? »

Et, soudain, David s'aperçut de l'erreur qu'il venait de commettre en parlant de sa mère au temps passé.

« C'est probablement pour cette raison que je l'avais en ma possession : elle ne l'aime pas. »

Alors Mme Beecham le regarda avec une grande tendresse et, malgré l'expression que les verres épais de ses lunettes donnaient à ses yeux, David sentit remuer quelque chose dans le fond de son cœur, et il en fut gêné, étant peu habitué à ce genre de regard. « C'est simplement qu'il est agrandi par les verres », se dit-il, et il lui répondit par un sourire.

« En tout cas, elle sera toujours à vous, David, dit-elle, en tenant la petite épingle entre ses doigts décharnés. Vous pouvez être sûr qu'elle ne sortira jamais de cette maison, et je veillerai à ce qu'elle vous soit rendue à ma mort. »

David se replia si bien sur lui-même, pour se protéger de la vérité brutale de ces derniers mots, qu'il n'en fut pas atteint sur le plan émotif. Il quitta la chambre aussitôt qu'il put.

Pendant la semaine qui séparait Noël du Jour de l'An, il écrivit deux lettres à Annabelle, la seconde plus violente que la première et dépréciant Gérald davantage encore. Il demandait qu'Annabelle lui écrive une vraie lettre, dans laquelle elle serait sincère, que Gérald n'aurait pas eu l'air de superviser, de relire, de contrôler presque dans ses moindres mots, au fur et à mesure qu'elle l'écrivait.

David avait en horreur les fêtes du Jour de l'An, et pourtant il serait dans sa maison et n'entendrait peut-être pas une seule voiture ni un coup de klaxon d'ivrogne. Il reçut un mot d'Annabelle, très court et pas du tout en réponse à ses lettres, en même temps que le petit paquet contenant la broche, envoyé par exprès. Elle était très reconnaissante, écrivait d'une manière gentille, mais elle renvoyait le cadeau. Gérald lui-même aurait pu écrire cette lettre. David n'y trouva pas les deux ou trois mots qu'il découvrait toujours dans les lettres d'Annabelle, au travers desquels se révélaient ses sentiments personnels. « Mon Dieu ! pensa-t-il, c'est à croire qu'elle est devenue la marionnette de cet avorton ! » Elle lui en écrirait certainement une autre. Il lui avait posé des questions précises : Combien d'heures pouvait-elle consacrer par jour à son piano ? Avait-elle beaucoup d'amis à Hartford ? Allait-elle parfois au théâtre ? Aimait-elle le café express ? Et encore une fois, qu'avait-elle l'intention de faire de son idée de livre sur Mozart et Schubert, dont il avait lu un jour le schéma ? Il était bien certain qu'elle répondrait à ces questions, peut-être après le Jour de l'An, quand elle aurait un peu plus de temps libre, et il pensait aussi qu'elle lui ferait des excuses pour la froideur du ton qu'elle avait employée en lui renvoyant son cadeau de Noël ; elle expliquerait que Gérald avait insisté pour lire le mot lui-même afin d'être sûr qu'elle le renvoyait vraiment ; elle lui avouerait à quel point elle aurait désiré le garder, parce que venant de lui.

Le premier de l'An, dans sa maison, David se réveilla d'un sommeil peu réparateur, avec, détestablement ancré dans sa tête, le rêve d'une lettre d'Annabelle. Il en avait distinctement lu chaque mot. Elle avait écrit qu'elle l'aimait, qu'elle s'en remettait entièrement à lui. Elle lui demandait d'établir des plans pour la délivrer de Gérald, et promettait de faire tout ce qu'il proposerait. Et David se réveilla pour faire face à cette énorme tricherie, imposée par son propre rêve, à la maison vide, aux premières heures d'une nouvelle année ; il se réveilla assommé, ébranlé. Cela semblait de mauvais augure. Il n'avait jamais fait jusqu'à présent de cauchemar dans cette maison. Mais, plus tard dans la matinée, alors qu'il astiquait les cuivres et l'argenterie, il s'avisa qu'il pouvait tout aussi bien prendre ce rêve pour un bon présage que pour un mauvais. Peut-être une lettre de ce genre était-elle déjà en route. Il était idiot de se laisser abattre parce qu'elle n'était pas encore entre ses mains. Cette disposition d'esprit plus réconfortante demeura, même pendant plusieurs jours, après son retour chez Mme Mac Cartney et à l'usine.

David rencontra deux fois Effie Brennan à la pension, vers dix-sept heures trente, alors qu'il revenait de son travail. Elle rendait visite à Mme Beecham. La première fois, elle avait apporté un géranium tout en fleur, dans un pot, protégé du froid par un papier d'emballage vert, dont elle n'avait pas fermé le dessus. Elle lui avait demandé de monter avec elle dire bonsoir à la vieille dame ; il s'était poliment excusé et lui avait demandé non moins poliment comment elle allait ; elle lui avait posé la même question, et cela s'était arrêté là. La seconde fois, il devait trouver Effie dans l'entrée, parcourant le courrier, sur la table d'osier, comme si elle s'attendait à y trouver une lettre pour elle. Lorsqu'il entra, elle se retourna brusquement et lui sourit.

« Tiens, bonsoir, David ! On se rencontre de nouveau... Il y a un paquet pour vous. »

Il ramassa le paquet, un petit livre qu'il avait commandé à New York. Ils bavardèrent, à dire des riens ; le temps était au froid... il allait empirer. En sa présence, David se sentait coupable, comme s'il l'avait gravement et indignement offensée. C'était parce qu'elle savait — ou du moins croyait — que sa mère était morte ; mais cela, et le fait qu'elle le lui ait dit en face, David n'y pensait pas clairement lorsqu'il se trouvait devant elle. Il regarda ses cheveux, courts, mais relevés en grandes boucles qui frisaient autour de son béret bleu marine ; ils étaient presque de la même teinte que ceux d'Annabelle, avec une légère nuance de roux, et il se rappela que les siens aussi étaient maintenant courts ; il les voyait toujours longs, comme au temps de *La Jolla.* David ne parvenait pas à regarder Effie droit dans les yeux.

« Au fait, j'ai fixé votre portrait, dit-elle ; si vous le voulez, il est à vous ; sinon, je ne m'en formaliserai pas.

— J'aimerais beaucoup l'avoir, répondit-il en passant la main sur le pilastre de la rampe de l'escalier.

— Pourquoi ne passez-vous pas chez moi, un soir ?

— Merci. C'est ce que je ferai. »

Il sourit et commença à monter. Elle le suivit. Il ouvrit sa porte, entra et allait la refermer quand elle l'appela.

« Il y a autre chose que j'aimerais vous dire. Puis-je entrer un instant ? »

Avec un petit soupir d'agacement, il la laissa passer et ferma la porte, ce qui les plongea dans l'obscurité jusqu'à ce qu'il ait traversé la pièce en deux emjambées et allumé la lampe de bureau.

« Oh ! dit-elle en regardant autour d'elle, je ne m'étais pas rendu compte que vous aviez une si grande chambre. Ils en prennent bien soin pour vous, n'est-ce pas ? »

Il acquiesça et déboutonna lentement son manteau.

« Voulez-vous vous asseoir ?

— Non, je ne reste pas. »

Le regard d'Effie était de nouveau braqué sur le visage de David.

« C'est à propos de cette soirée, dans mon appartement. Je regrette d'avoir eu l'air inquisiteur au sujet de votre mère.

— Vous n'aviez pas l'air inquisiteur.

— Je veux dire... la question de savoir si elle était morte ou non... Je suis sûre que vous devez avoir vos raisons... enfin... de dire que c'était une erreur sur la fiche... En tout cas, cela ne me regarde pas et je regrette d'avoir dit quoi que soit... Et puis, je voulais vous signaler que je n'en ai pas soufflé mot à Wes.

— Quelle importance ? Tout est très bien comme ça, dit David en lui tournant le dos pour suspendre son manteau.

— J'ai cru remarquer que cela vous avait troublé, ce soir-là ; c'est tout. »

Silence.

« Si vous croyez que l'attitude de Wes est un peu différente ces derniers temps, ajouta-t-elle, ce n'est pas à cause de cela. Il est ennuyé parce que vous ne passez jamais le voir », dit-elle avec son large sourire.

David haussa les épaules.

« Tout ce qu'il me raconte, ce sont des scènes de ménage. Je n'aime pas aller dans une maison où l'homme et la femme sont à la tête l'un de l'autre sans arrêt. Je ne suis pas psychiatre. Je ne sais pas comment l'aider.

— Simplement en allant voir. C'est vrai, David. Ils ne se disputent pas quand il y a d'autres personnes chez eux. En tout cas, pas quand je suis là. Wes pense que le caractère de sa femme a fait fuir un bon nombre de leurs amis. Eh bien, peut-être, en effet... mais si vous aimez Wes... »

David se balança d'un pied sur l'autre.

« Wes vous est très attaché, vraiment, continua-t-elle sur un ton d'exhortation. Il me semble que vous pourriez lui rendre ce genre de petit service. Même si vous détestez les femmes, une visite d'une demi-heure, ce n'est pas la vie en commun.

— Je ne peux pas. C'est tout. »

Elle le regarda, déçue.

« Je sais. Je comprends. C'est à peine si vous pouvez me supporter dans votre chambre, je le vois bien. »

Elle se dirigea vers la porte. Les grands mots d'excuses, les folles protestations, tout restait coincé dans la gorge de David. Elle se retourna.

« Quelle est la fille qui vous a fait si mal ?

— Personne.

— Je suis certaine qu'il y a eu quelqu'un. Je ne vous demande pas son nom... Simplement combien il y a de temps ?

— Il n'y a personne. »

L'œil rivé au plancher, depuis déjà quelques minutes, il s'approcha de la porte pour la lui ouvrir. Il mit la main sur la poignée.

« Vous êtes si jeune... dit-elle, il y a tant de grandes et belles choses à venir pour vous... je n'aime pas vous voir malheureux.

— Mais je ne suis pas malheureux. »

Il avait envie d'ouvrir la porte et de la pousser dehors. Les femmes ! Ces esprits étroits et ces langues pépiantes, leurs manières d'être (« Venez faire un bout de chemin... Mais pas plus loin... Mais faites, s'il vous plaît, un bout de chemin... »), et leur ennuyeuse obsession, leur idée fixe que l'extrême bonheur humain est basé sur la réunion du monsieur et de la dame dans la même maison.

« Au revoir, David !

— Au revoir ! »

Il tremblait en refermant la porte, tellement sa colère avait été sur le point d'exploser.

Il arracha sa cravate, la fit siffler en l'air comme un fouet et la suspendit dans l'armoire. Ce soir, pensa-t-il, il lirait son livre sur les fonds d'océans et chasserait de sa tête tout le gâchis de sa propre vie. Il défit le paquet, regarda, avec la joie de l'anticipation, la couverture toute neuve du livre et le lança sur le lit. Peut-être demanderait-il demain à Wes de passer et de bavarder. Il restait encore une demi-bouteille de scotch dans le bas de l'armoire. Il gardait toujours du scotch par courtoisie pour Wes, bien que celui-ci apportât, en général, sa propre bouteille.

Son nouveau livre le remonta. Il le lut jusqu'à deux heures du matin et le termina. Cet ouvrage venait de sortir, et il mentionnait un second voyage que le même groupe d'hommes de science des Laboratoires Dickson-Rand allait entreprendre dans quatre mois, dans le but de recueillir des « témoins » du fond de l'océan Indien et de la mer de Chine. Les noms des emplacements faisaient vibrer en lui des cordes romantiques ; ils étaient prometteurs d'aventures. Dickson-Rand était la maison où il avait voulu travailler avant de rencontrer

Annabelle. C'était une folie, mais peut-être pourrait-il... Ses pensées furent bloquées, car il se débattait — en vain — avec la possibilité de faire coïncider ses plans et le problème d'Annabelle. Il s'était dit : « Quand tout sera réglé... » Mais, après tout, pourquoi cela prendrait-il plus de quatre mois ? Et puis, à supposer que cela prenne plus longtemps ? Il revint à sa première idée, qui était d'écrire à Dickson-Rand. Le laboratoire était situé à Troy. Il leur enverrait le résumé de ses activités et leur demanderait si, éventuellement, il pourrait y avoir un poste pour lui. Il se fit un peu plaisir en pensant à ce résumé, au nombre impressionnant de bourses et de prix qu'il avait reçus, ainsi qu'aux déclarations les plus élogieuses du professeur Henkert, d'Oakley (Californie).

David se réveilla tôt et, avant de descendre prendre son petit déjeuner, il écrivit sa lettre à Dickson-Rand. Il se sentit particulièrement en forme pendant toute cette journée, bien qu'il n'eût pas dormi plus de trois heures. Il parla à Wes, à la cantine, du livre sur les fonds de mers, en particulier des aspects climatologiques de ces découvertes ; il savait que Wes serait intéressé. Et la figure de Wes s'éclaira un instant, en effet, mais la lueur s'évanouit aussitôt. Il dit combien il enviait ceux qui pouvaient partir pour de tels voyages, mais qu'il ne pourrait en être question pour lui, car Laura ne voudrait jamais en entendre parler. Il dépeignit Laura sous la forme d'une araignée femelle, chaque patte agrippée à quelques fils de la toile, veillant éternellement, prête à surprendre les moindres vibrations malencontreuses ou le frémissement menaçant du moindre souffle. Quand Wes partait au travail, un de ces fils était attaché à sa patte, et, le soir, il n'avait qu'à le suivre en sens inverse pour retrouver la toile et l'araignée.

« Pourquoi ne passes-tu pas me voir un soir ?

demanda David. Il y a encore du scotch dans l'armoire. »

Wes sourit avec gratitude.

« Dans les environs de vingt et une heures ? Plus tôt ?

— D'accord. Un peu plus tôt. Je te prêterai ce livre, si tu as envie de le lire. »

David reçut deux lettres, ce soir-là, l'une de sa tante — il reconnut son écriture — et l'autre, dont l'adresse était tapée à la machine. Il la retourna et lut :

G. J. Delaney
48, rue Talbert
Hartford
Connecticut

Il l'ouvrit dans sa chambre, affolé à l'idée qu'il était arrivé quelque chose à Annabelle, qu'elle était mourante dans un hôpital ou peut-être déjà morte.

Cher Monsieur Kelsey,

J'ai un mot à vous dire : disparaissez. Je ne veux plus de vos lettres, et ma femme non plus. Je pourrais vous intenter un procès en diffamation, simplement sur ce que vous avez déjà écrit. Il y a des lois contre les gens comme vous qui s'efforcent de propos délibéré de briser le mariage de quelqu'un d'autre. Vos insultes à mon sujet me donnent des nausées ; elles sont de loin inférieures à celles que pourrait imaginer n'importe quel jeune gibier de potence..., et vous vous prenez pour un grand homme de science ! J'ai lu vos deux lettres insultantes adressées à ma femme, dans lesquelles vous lui proposez de la rencontrer à tel ou tel endroit. Vous n'êtes absolument pas dans la course, monsieur Kelsey. Si ma femme avait voulu vous rencontrer, ne croyez-vous pas qu'elle l'aurait déjà fait, depuis le temps ? Elle partage mon opinion : vous êtes arrivé maintenant à quelques pas de l'asile d'aliénés, et il serait préférable que vous cessiez toutes relations avec nous... sinon !... Nous ne voulons plus entendre parler de vous. Si vous choisissez néanmoins de continuer, je prendrai des mesures. Et je parle sérieusement.

Votre

GÉRALD J DELANEY.

David fit un mouvement pour poser la lettre sur sa table, mais, au contraire, il la laissa tomber. Le temps qu'il ait suspendu son manteau et enlevé ses caoutchoucs — qu'il avait essuyés aussi fort que possible sur le tapis-brosse de l'entrée — et sa décision était prise de ne pas répondre à ce porc. Annabelle, partager ses « opinions » ? Mais comment donc ?... « Diffamation... » David se demanda si Annabelle avait lu la lettre et n'avait pu empêcher son mari de l'envoyer. Il écrirait ce soir-même à Annabelle, pensa-t-il, tout de suite après dîner, avant l'arrivée de Wes. De nouveau, il eut envie de lui dire qu'il était propriétaire d'une maison de bonne taille et confortable, où elle pourrait venir quand elle voudrait et ne serait jamais retrouvée par Gérald. Puis, une fois encore, il décida d'attendre. Mais il commença à écrire avant de descendre dîner et, au cours de sa lettre, il ne put s'empêcher de lui dire qu'il avait une maison, meublée pour deux personnes, très précisément pour elle et pour lui, que non seulement elle y serait toujours la bienvenue, mais que sa présence serait pour lui le plus grand des bonheurs. Il ne lui indiquait pas où elle se trouvait, car il ne voulait pas que Gérald le sache. Il fut calme et éloquent. Il lui dit aussi que c'en était fini avec les lettres, avec les insultes sur papier, avec les questions posées, et auxquelles il n'y avait jamais de réponses à cause de cet assommeur qui se mêlait de tout, de ce crétin châtré (il ne réussit pas tout à fait à se contrôler dans le choix de ses mots) avec qui elle vivait... « Si je retourne à Hartford, ce sera pour vous emmener avec moi, ce que j'aurais dû déjà faire la dernière fois. »

En venant ce soir-là, Wes apporta de la bière et une bouteille de cognac Hennessy. Il s'assit au bord du fauteuil marron de David avec une boîte de bière dans une main et, dans l'autre, un verre à moitié plein de scotch. Il expliqua à David que Laura et lui ne prenaient plus de cocktails avant dîner, et qu'en conséquence c'étaient là ses premiers verres. Il se mit à parler comme s'il lui fallait d'abord dégorger tout ce qu'il avait sur le cœur avant qu'une conversation sur un quelconque sujet fût possible. Le dimanche précédent, il avait dû se raser au-dessus de l'évier, parce que la bassine de la salle de bain était pleine de peignes et de brosses trempant dans de l'ammoniaque, que le lavabo était plein d'autres choses et que la baignoire débordait de vêtements. Et les balayettes pour le ménage, les poudres à récurer, les produits à détacher, les éponges de différentes couleurs, destinées, chacune, à un usage précis, les balais pour les cabinets, la paille de fer, les dégraisseurs de cuisinière, le produit pour les vitres, la cire à parquet, la cire à meubles, l'eau de Javel, l'alcali, l'argentil, tout dégringolait du placard sous l'évier ou de celui de la salle de bain chaque fois qu'il les ouvrait.

« Je te jure, si jamais je réussis à lui échapper et à vivre une vie normale dans un monde normal, au premier microbe que je rencontre, j'y reste. »

David ne l'écoutait pas avec beaucoup d'attention ; il entendait une phrase par-ci par-là, et de temps en temps il riait, parce que Wes aimait bien le voir rire. Puis Wes se mit à rire, lui aussi, à grands éclats ; c'était comme une purge.

« Reste célibataire, dit Wes, en se versant un autre scotch. Est-ce que tu vas vraiment t'engager dans cette expédition, s'ils te prennent à ce laboratoire ?

— Cela dépendra d'autre chose. D'un travail que j'ai en vue.

— Où ? Je pars avec toi.

— Je ne peux pas encore en parler. Aussitôt que je le pourrai... »

David se frotta les paumes des mains sur le rebord de son siège ; il venait de penser qu'Annabelle ne recevrait peut-être pas sa lettre demain, puisqu'il ne l'avait glissée dans une boîte qu'à vingt heures quinze ce soir. Elle ne l'aurait entre les mains que samedi matin. Ce qui signifiait que, si elle lui téléphonait ou lui télégraphiait, il ne serait pas là ; il serait en week-end. Il décida qu'il appellerait Mme Mac Cartney samedi soir vers vingt ou vingt et une heures afin de savoir si elle avait reçu des messages pour lui.

Puis Wes se mit à parler de la topographie des fonds marins, tout en regardant les photos du livre, et David, avec soulagement, passa de nouveau dans un monde objectif et logique. Ils discutèrent jusqu'après minuit ; David accompagna Wes jusqu'à sa voiture pour lui dire au revoir. Il se sentait bien, maintenant, chanceux, heureux : il n'avait que vingt-huit ans, Annabelle vingt-quatre, et les meilleures années de leur vie s'étendaient devant eux.

Le lendemain il y avait une belle couche de neige par terre, molle et floconneuse, comme un nuage qui serait tombé. David adorait la neige, et plus encore la légère que l'épaisse. Elle transformait tout, elle cachait la saleté, elle estompait les angles de tout ce qui pouvait rappeler les vieilles pensées, les déceptions et la morne routine de chaque jour. La neige revivifia ses espoirs. On était vendredi après-midi ; il était persuadé qu'une lettre d'Annabelle serait sur la table d'osier, attendant qu'il rentre à la pension, à dix-sept heures trente. Mais il ne trouva que trois lettres sur la table, dont aucune n'était pour lui. De toute manière, il n'aurait pu recevoir de réponse à sa lettre de la veille au soir.

Monté à sa chambre, il emballa quelques livres dans son sac de voyage ainsi qu'une bouteille d'encre ; il se rappelait qu'il en manquait une à la maison. Il sifflotait, savourant d'avance ce week-end, qui serait plus silencieux encore que les autres, à cause des nouvelles chutes de neige prévues pour la nuit prochaine. Très silencieux, sauf pour la musique et les bruits dont il serait lui-même responsable. Il en profiterait pour passer en revue tous les problèmes, et il n'était pas impossible que, ce dimanche, il se rendît à Hartford pour sa prochaine rencontre avec Annabelle, la plus importante de toutes. Peut-être que dimanche soir, pensa-t-il, tout serait en ordre ; Annabelle serait peut-être dans la maison, suspendant ses robes, faisant connaissance avec les lieux, lui jetant ses bras autour du cou et l'embrassant. Peut-être, se dit-il, ne voudra-t-elle pas faire chambre commune avant leur mariage... et il se mit à siffler plus fort jusqu'à ce qu'un sourire l'empêchât de continuer. Impulsivement, il monta et frappa à la porte de Mme Beecham. Elle tricotait quelque chose de marron — cette fois David ne demanda pas ce que c'était — et elle laissa reposer son ouvrage sur les genoux pendant qu'elle lui parlait. Il eut la parole facile et fut très à l'aise lorsqu'elle lui demanda des nouvelles de sa mère. Puis ils devisèrent de la neige et de la cheville que M. Harris s'était foulée, ce qui l'empêcherait pendant quelque temps de cogner son talon par terre pour chasser ses crampes. La chaleur qu'il y avait dans la voix de Mme Beecham, son sourire et ses vœux pour un bon week-end firent de David un homme joyeux et heureux.

A peine commençait-il à descendre l'escalier que Mme Mac Cartney l'appela : on le demandait au téléphone. David répondit aussitôt, pensant que c'était Wes.

« Allô ?

— Allô ! David, c'est Annabelle !

— Ma chérie... Est-ce que tout va bien ?

— Je vais bien. Mais Gérald a lu votre lettre. Il est rentré à seize heures pour chercher quelque chose ; le courrier est arrivé et je n'ai rien pu empêcher, David ; il l'a reçue lui-même du facteur et l'a ouverte.

— Eh bien..., quelle goujaterie !... Mais cela m'est complètement égal.

— Cela vous est peut-être égal. Mais ne comprenez-vous pas la situation, David ? Il est mon mari.

— La situation ?... Bien sûr, je la comprends, mieux que vous, à mon avis, Annabelle. Avez-vous pu lire ma lettre quand même ?

— Oui, je l'ai lue.

— Alors ? dit-il, plein d'espoir et entourant le téléphone de sa main, pour que sa voix ne résonne pas dans l'entrée.

— David... cette histoire de maison... c'est à cause de cela que je téléphone. Quand je vous écris, vous n'avez pas l'air de comprendre. Je ne pourrai jamais venir à votre maison, David... pas comme vous voulez que je vienne.

— Evidemment... J'ai pensé que... que vous obtiendriez finalement le divorce.

— David... je ne veux pas divorcer. Pouvez-vous comprendre cela ? »

Il humecta ses lèvres.

« Est-ce qu'il est là, avec vous ? En ce moment ?

— Non.

— Non ? Ecoutez, Annabelle, voulez-vous que je vienne à Hartford ? Maintenant ? Tout de suite ?

— Non, David. C'est pour cela que je vous appelle. Comment vous dire ? Il ne faut plus m'écrire. Cela crée de plus en plus d'ennuis. Gérald devient fou à lier, et je parle sérieusement.

— Je me fiche éperdument de Gérald.

— Mais moi, pas. Je ne peux pas... Simplement parce que vous ne pouvez pas comprendre... »

David, les yeux écarquillés, la bouche ouverte, était incapable de trouver un mot à dire, comme si tout à coup il était devant un problème bien trop difficile et gênant pour qu'il pût seulement le saisir.

« David, pardonnez-moi de vous avoir parlé ainsi.

— C'est bien, c'est bien, murmura-t-il Ne vous inquiétez pas.

— Comment ? »

Il avait parlé très bas et se sentait incapable de répéter ce qu'il avait dit.

« Au revoir, Annabelle !

— Au revoir, David ! »

Il s'éloigna, trébucha sur son sac de voyage, le ramassa et sortit. Il monta dans sa voiture et se mit en route machinalement pour la ville de Ballard et sa maison. Il prit les mêmes raccourcis, mais ne s'arrêta pas aux magasins de Ballard, comme il le faisait toujours : il ne pouvait supporter l'idée de se ravitailler pour le lendemain.

Une fois arrivé, son visage se rembrunit encore davantage, alors qu'il s'occupait de choses aussi simples que défaire son sac et changer de costume. Il lui sembla que, dans cette maison, dans cette moitié-ci de son existence, la plus heureuse, il découvrirait certainement la réponse, l'explication, la direction à prendre. Il mit finalement de la musique et s'assit sur le canapé, les yeux dans le vague, les bras croisés, aussi incapable maintenant de s'attaquer au problème qu'il l'avait été aussitôt après le coup de fil.

Ce n'est qu'après sa douche — la deuxième, cette nuit, par distraction, tellement il était préoccupé — après minuit, que quelque chose qu'on aurait pu appeler une idée commença à prendre forme dans sa tête. Annabelle pouvait peut-être « s'imaginer » avoir parlé en toute franchise. Comment expliquer autrement les accents de sincérité et de sérieux de sa voix ? Annabelle ne mentait pas. Donc, la situation exigeait encore plus de persuasion de sa part, à lui, une plus grande force de conviction ; et il n'avait pas perdu un iota de sa foi dans les lettres et leur puissance.

Mais, cette nuit, il se sentit aussi épuisé que s'il avait fait l'aller et retour de Hartford à pied ou s'il avait été rossé jusqu'à ne plus pouvoir se tenir debout. Son envie d'écrire sur-le-champ une autre lettre n'était pas non plus très forte, de même que cette idée qui lui était venue et dont il pensait bien qu'elle n'était peut-être pas très valable. Il se pourrait que demain il y voie plus clair.

Au profond de la nuit, la neige se remit à tomber, telle des millions de larmes blanches et silencieuses.

IL n'écrivit pas d'autre lettre, samedi, à Annabelle, car il n'avait pas encore abandonné l'idée d'aller à Hartford, dimanche, et de la ramener avec lui. Les lettres, c'était bien, elles pouvaient exercer une influence, mais chaque chose en son temps ; après tout, écrire n'était pas agir.

Il se leva tôt le dimanche, commença par déblayer les marches, à la pelle, de la neige qui s'y était entassée, puis se mit à nettoyer avec du sable, avant de le laquer, un morceau de bois qu'il se plaisait à appeler une figure de proue ; en fait, c'était un bout de moulure, sculpté à la main, qui devait avoir orné une moitié de porte à la fin du XIXe siècle. Cela mesurait plus d'un mètre et comportait deux dessins de fleurs, perdus au milieu de larges arabesques ; pas de trace de figure humaine, et cela paraissait singulièrement incomplet ; il l'appelait néanmoins sa figure de proue. Quand, pour un demi-dollar, il avait acheté cette chose au brocanteur perplexe, il l'avait imaginée en bois blond ou marron, selon ce que serait sa vraie couleur. Il avait tout de suite pensé qu'Annabelle aimerait l'avoir comme pied de lampe, par exemple, ou simplement posée sur la longue table du salon, sans but précis, pour sa beauté. Il y travaillait activement, quoique sans hâte, et appliquait la première couche de laque quand il entendit une voiture qui changeait de vitesse, qui rétrogradait. Il monta l'escalier et entra au salon. Il avait sursauté au premier bruit qui lui était arrivé du dehors, où il n'y avait que neige et silence. Maintenant son cœur battait à tout rompre. Une vieille voiture rouge foncé roulait dans l'allée, prenait le virage et arrivait face à lui. A la couleur de sa plaque, David reconnut qu'elle était immatriculée au Connecticut. Il essaya de voir à travers le pare-brise. La voiture n'était plus qu'à une courte distance, sur la ligne droite qui menait à sa porte, quand il vit l'homme qui conduisait : il était seul. C'est à peine s'il s'aperçut de sa déception. Il était aussi tendu que s'il s'apprêtait à un combat physique. Sa réaction aurait peut-être été aussi hostile envers un quelconque inconnu, s'il en était venu un jusqu'à lui pour lui demander son chemin. Mais, dans le cas précis, il avait reconnu le conducteur : c'était Gérald.

Gérald sortit de sa voiture en examinant la maison d'un air soupçonneux ; il laissa sa portière ouverte et s'approcha de l'entrée, disparaissant ainsi du champ de vision de David. Gérald frappa à la porte. David s'approcha de l'entrée afin de ne pas être vu par les fenêtres. Il n'avait pas l'intention de répondre. Il laisserait Gérald s'imaginer qu'il s'était trompé de maison. Il serra les poings jusqu'à ce qu'ils soient brûlants, tant il était furieux que Gérald ait découvert son refuge, en ait envahi le seuil. Il y eut de nouveau un coup à la porte, plus violent.

« Kelsey ?... Ouvrez ! »

La voix de Gérald était haut perchée, mais menaçante. Aussitôt après, des pas crissèrent en direction du garage.

David se glissa vers une fenêtre de côté. La neige avait effacé toutes traces de roues, mais Gérald se dressa sur la pointe des pieds et plongea le regard à travers la vitre encastrée dans la partie supérieure de la porte. Et, comme si cela ne lui suffisait pas, il se mit à tirer sur les battants et à empiler de la neige de chaque côté, en les ouvrant suffisamment pour passer. Et là était la voiture, avec les clefs de contact, et les initiales de David sur la peau de crocodile de l'étui dont Annabelle lui avait fait cadeau. David imagina Gérald en train de fouiller et de passer ses mains sales sur cet étui. Il ouvrit brusquement la porte de la maison.

« Sortez de là ! » hurla-t-il.

Gérald ressortit du garage.

« Ah ! vous voilà !... Qu'est-ce qui se passe ? Peur d'ouvrir la porte ? demanda-t-il de sa voix perchée et rauque.

— Allez-vous-en, c'est tout ! »

David était planté dans la neige, les poings serrés de nouveau.

« Pas avant que j'aie eu une petite conversation avec vous. Entrons », dit Gérald.

Il poussa un véritable grognement de colère et sa silhouette courtaude approcha avec une belle assurance. David pensa qu'il avait peut-être un peu bu.

« Venez. Vous allez attraper froid. »

Gérald avait pris un ton supérieur et avançait son bras vers celui de David. Celui-ci recula et, en même temps, abattit son poing sur le bras de Gérald. Chancelant, tombant presque :

« Bon Dieu !... dit Gérald, courbé en deux sous la douleur et serrant son coude. Ecoutez, Kelsey... J'ai un revolver sur moi. Je ne voudrais pas avoir à m'en servir ; je ne l'ai apporté que pour me protéger, mais... »

Le rire de David le submergea. Avec un peu d'angoisse, Gérald regarda la porte ouverte de la maison, comme s'il avait peur maintenant d'entrer.

« Vous êtes fou, Kelsey, vous êtes vraiment cinglé ! dit-il en tenant toujours son coude.

— J'ai dit : partez ! Fichez-moi le camp ! »

David remonta jusqu'à sa porte pour la fermer. Il ne voulait pas que Gérald puisse même voir l'intérieur de sa maison. Il décliqua le verrou afin de pouvoir rentrer ensuite, et tira la porte.

Gérald le regarda d'en bas, sa bouche épaisse en accent circonflexe.

« J'ai dit que je voulais vous parler. Je sais maintenant où vous habitez en week-end. C'est ici, je suppose, que vous aviez l'intention d'amener ma femme. Eh bien, je suis venu vous dire que j'en ai par-dessus la tête de vous, et Annabelle encore plus que moi.

— Pourquoi ne pas vous servir de votre arme ? » cria imprudemment David, ses pouces dans les poches de ses blue-jeans, tout le corps offert à ce revolver idiot. Il était raide et tremblant de froid. Gérald mit la main dans la poche de son manteau et avança. Au bon moment, David descendit une marche, leva un pied, l'appuya sur la poitrine de Gérald et poussa.

Le coup partit à l'instant où Gérald tombait, comme si c'était sa chute qui avait produit le son. Plus que tout le reste, ce bruit et ce désordre incitèrent David à remettre Gérald sur ses pieds et à le pousser vers sa voiture. Mais Gérald tomba de nouveau, hurlant de frayeur et de douleur.

« Ne me touchez pas ! » cria-t-il sur un ton aigu.

Un instant plus tard, David vit ses grosses joues trembloter comme des paquets de graisse, quand son poing le frappa sur le côté de la tête. Gérald tenait maintenant son oreille comme un petit garçon qui va pleurer ; puis, comme un petit garçon en colère, il regarda David en fronçant les sourcils, sortit le revolver de sa poche et lui dit les dents serrées :

« Ecartez-vous ! »

Mais David se faisait trop plaisir, il ne put s'arrêter. Il lança ce qui lui parut un coup au ralenti, qui aboutit au menton flasque de Gérald. Il vit sa figure se relever un peu en l'air, avec son expression légèrement fixe, comme celle d'un hypnotisé, puis se renverser. Au moment où il toucha terre, il y eut un craquement, rien à voir avec un coup de feu. La tête de Gérald avait heurté les marches qui montaient à la maison. Il resta étendu sans bouger.

David ramassa le revolver qui avait glissé dans la neige, le replaça dans une poche du manteau et mit Gérald en position assise. Il était sans connaissance. D'une main, avec la force que lui donnait encore sa colère, David le tira jusqu'à la voiture, le fit glisser derrière le volant, poussa une jambe à l'intérieur, puis l'autre et claqua la porte. Il partit vers la maison, mais l'idée lui vint — qui lui parut un instant plus tard ridiculement prévenante — que Gérald pourrait fort bien être gelé avant de reprendre connaissance. Il pensa à remettre le moteur en marche pour le réchauffer, mais il y avait le danger qu'il fût empoisonné à l'oxyde de carbone. Avec un sourire amer, et un juron lui trottant par la tête, il ouvrit de nouveau la porte de la voiture, prit une poignée de neige et en frotta la figure repoussante de Gérald.

« Réveillez-vous, espèce de raté ! dit David. Réveillez-vous et fichez-moi le camp d'ici ! »

David remarqua que l'oreille gauche de Gérald saignait. Puis il s'aperçut que le sang venait de l'arrière du crâne. Il songea à tâter la blessure, pour voir à quel point c'était grave, mais il ne pouvait se résoudre à toucher ce crâne rond d'idiot. Les mains efféminées étaient bêtement jetées sur les genoux. David prit un poignet et voulut trouver le pouls. Non seulement il n'y en avait pas, mais le poignet lui parut mou. Soudain, David pensa que Gérald pourrait bien être mort. Il se releva, croisa les bras et regarda cette masse d'embêtements tout en chair, qui ne voulait pas reprendre connaissance.

« Gérald... »

David glissa la main sous toute la graisse de la mâchoire, pour essayer de découvrir le pouls plus sûrement à la gorge. Il n'y en avait vraiment pas, et il trouva même que la peau était un peu froide, pas aussi froide que ses mains, mais pas aussi tiède que doit l'être une gorge. Il jeta un coup d'œil vers la route, qu'on ne pouvait distinguer que parce qu'elle était parfaitement plate et bordée sur une courte distance par une clôture couverte de neige. Pas âme qui vive, pas une voiture. Se tournant dans la direction opposée, il regarda la lisière silencieuse des bois, à une centaine de mètres. Il pensa emmener Gérald à l'hôpital, à environ une trentaine de kilomètres, il ne savait pas exactement. Ou bien à la police. Que faire ? Frissonnant de froid, il se rendit compte qu'on le considérerait comme responsable. Il eut de nouveau un petit sourire amer et hocha la tête avec un agacement quelque peu emphatique.

Il rentra à la maison, s'assit, se frotta les mains pour les réchauffer et regarda fixement un cache-radiateur de l'autre côté de la pièce. Bien sûr, il pourrait conduire jusqu'à quelque endroit désert, à plusieurs kilomètres d'ici — il en trouverait certainement un — et il y laisserait Gérald dans sa voiture, ou bien il ferait basculer la voiture, avec Gérald dedans, au fond d'un ravin. Il pourrait soutenir qu'il ne l'avait jamais vu, du moins pas aujourd'hui. Une question atroce et terriblement évidente lui vint à l'esprit : Comment Gérald avait-il découvert la maison ? Qui l'avait renseigné ? Qui savait ? Wes ? Mme Mac Cartney ? Est-ce qu'elle acceptait de lui, comme un caprice, le conte de fées de sa mère malade et de ses visites filiales en week-end ? Cela paraissait impensable. David se leva nerveusement. Il eut soudain une autre idée : ici, dans cette maison, il était William Neumeister. Qu'est-ce que Gérald faisait ici à parler avec William Neumeister ? Il était en chemin pour prendre un tricot, mais il retourna vers la porte d'entrée. Il l'ouvrit et vit que Gérald n'avait pas bougé. Il sortit quand même, mais cette fois-ci se contenta de regarder sa figure blanche, le menton gras enfoncé dans le col de chemise, la tête lourde qui tirait le corps en avant et l'éloignait un peu du dossier, comme si, d'un moment à l'autre, la poitrine allait tomber sur le volant et actionner le klaxon jusqu'à épuisement. David poussa l'épaule de Gérald. Tout le corps pencha avec raideur et resta en équilibre instable sur la hanche droite.

Il ferma la porte de la voiture et revint à la maison plus vite que la première fois. Il se demanda s'il irait quelque part téléphoner à la police — il n'avait pas le téléphone chez lui — ou bien s'il conduirait Gérald et sa voiture directement au premier poste. Il se décida pour la seconde solution, ne voulant pas voir d'agents autour de sa maison, et encore moins dedans ; en tout cas, il désirait retarder ce moment le plus possible. Il y aurait sans doute un examen des lieux pour vérifier la véracité de ses dires. L'histoire que William Neumeister allait raconter serait véridique, sans aucun doute possible.

David se changea ; il mit un costume d'Oxford, en flanelle grise, des souliers noirs sur lesquels il glissa des caoutchoucs, et un manteau bleu marine. Il mit aussi un chapeau. Puis, à contrecœur, il prit le plaid écossais qui était au pied du divan, dans son bureau, à l'étage, et le descendit pour couvrir Gérald Delaney. Il revint encore dans la maison, car il avait oublié les photos d'Annabelle sur la cheminée. D'abord il les rabattit, mais, après réflexion, les glissa entre les livres, dans les rayonnages.

Il conduisit la voiture, avec Gérald en tas sur la banquette avant, jusqu'à Beck's Brook, la ville la plus proche sur l'autoroute du Nord. Il entra dans un café pour téléphoner. Il demanda à l'opératrice l'adresse du poste de police le plus proche et apprit qu'il y en avait un au coin de Broadway et de la rue Horton.

« Voulez-vous que je vous le passe ? C'est une urgence ?

— Non, je vais y aller », dit David.

Il avait pris la précaution de mettre dans sa poche quelques lettres sans importance et une note d'électricité, arrivées à la maison au nom de William Neumeister, et de laisser son portefeuille chez lui.

DAVID raconta son histoire d'une manière simple et directe ; toute nervosite — et il en avait, c'est certain — pouvait être attribuée, à son avis, au choc dû à l'accident. Il dit que l'homme — dont il fit semblant d'ignorer le nom, laissant à la police le soin de le découvrir dans le portefeuille de Gérald — était arrivé à sa maison, d'humeur belliqueuse, qu'il l'avait appelé « Parker » ou quelque chose d'approchant, et qu'en fin de compte il avait sorti un revolver.

« Vous y trouverez peut-être mes empreintes digitales, ajouta David ; je l'ai remis dans sa poche. »

La seule balle tirée avait fait un trou dans le manteau, mais Gérald n'avait pas été touché. David avoua franchement l'avoir poussé contre les marches du perron ; et c'était ce qui l'avait tué.

Ils lui demandèrent son nom et un papier d'identification quelconque ; en l'occurrence, les lettres parurent suffisantes. David se donna le métier de journaliste indépendant. Tout à fait par hasard, il avait mis des boutons de manchettes portant l'initiale « N », qu'il avait achetés un jour par caprice ; peut-être l'officier de police les remarqua-t-il au moment où David signait : Wm. Neumeister, d'une écriture obstinément renversée, ou peut-être ne les remarqua-t-il pas. En tout cas, les agents paraissaient beaucoup plus intéressés par le cadavre et par les mobiles de Gérald Delaney que par David. Ils étaient deux : l'un, d'un certain âge, le supérieur, et un plus jeune, un peu lourd, à la figure simple mais éveillée. Evidemment, ils voulurent se rendre sur place pour examiner les lieux. Sur la route du retour, alors qu'il leur indiquait le chemin, David pensa qu'il n'avait commis jusque-là qu'une erreur, et encore sans importance : il n'avait pas su — et cela de toute évidence — si on était samedi ou dimanche. On était maintenant dimanche après-midi, et il était seize heures dix.

Les traces étaient très visibles dans la neige. Entre l'endroit où la voiture avait stationné et la maison, la neige était soulevée, crevassée et découvrait la terre, comme si les deux hommes s'étaient battus violemment. Au pied de la première marche du perron, le sang était frais et rouge vif.

« Vous êtes absolument certain de ne jamais avoir vu cet homme auparavant ? demanda l'agent le plus âgé.

— Aussi certain que je peux l'être.

— Et à aucun moment il n'est entré dans la maison ?

— Non.

— Est-ce qu'on peut jeter un coup d'œil quand même ? »

David fit gravement un signe de tête et tira de sa poche un anneau où étaient attachées deux clefs, une pour la porte de devant et l'autre pour celle de derrière. Il laissa les agents passer les premiers.

Le salon était en ordre.

« Belle maison, dit le plus jeune. Pas de téléphone ?

— Non.

— Vous aimez bien disparaître quand vous écrivez, hein ?

— C'est à croire, oui. »

Le jeune agent ouvrit la porte d'entrée. Du seuil, ils avaient une vue plus nette des traces qui conduisaient au garage : celles de Gérald allaient jusqu'au bout, celles de David s'arrêtaient à mi-chemin, toutes se confondaient près de la maison. David dit que, lorsqu'il était arrivé, l'homme avait regardé dans le garage et que, lui, David, était sorti pour lui demander ce qu'il voulait.

« Ah ! bon... Alors vous ne lui avez pas simplement ouvert la porte ? demanda le plus vieux.

— Non, il a frappé. Le temps que j'arrive — j'étais à la cave — il se trouvait déjà là-bas et regardait par le hublot ; je suis descendu pour savoir ce qu'il cherchait. »

Ce n'était pas tout à fait ce qu'il avait raconté la première fois. Le jeune agent se tourna vers lui.

« Vous nous avez dit, il me semble, que la discussion a commencé sur le perron.

— Nous sommes revenus vers la maison ; moi, je voulais m'en débarrasser. Il avait l'air soûl. Il insistait pour entrer chez moi ; il répétait qu'il devait trouver Parker. Nous étions sur le sentier, là, devant, quand il s'est mis à me menacer de son revolver. »

Les deux agents eurent l'air de réfléchir, puis le plus jeune hocha la tête d'un air perplexe.

« Peut-être qu'en regardant dans le garage, il essayait de savoir quel genre de voiture vous aviez. Peut-être on l'avait payé pour vous tuer... ou ce dénommé Parker. »

L'autre agent sourit légèrement au plus jeune.

« Vous avez des ennemis, monsieur Neumeister ? demanda-t-il, en prononçant « Newmester ».

— Pas d'ennemis prêts à me tuer.

— Eh bien..., je suppose qu'il faudra trouver l'explication à l'autre bout de la chaîne. On va voir qui connaissait Delaney dans le Connecticut... Monsieur Newmester, on va garder votre maison ; il y aura un homme sur la route, là-bas, en voiture, cette nuit et pendant quelques jours.

— Je me sentirai plus à l'aise, dit David avec un hochement de tête, s'il y en a un cette nuit. Mais je m'en irai tôt, demain matin, et je serai parti pour quelques jours.

— Pour où ?

— New York. J'y vais pour affaires.

— Pouvez-vous nous dire où il nous sera possible de vous toucher ? demanda le jeune agent en tirant un calepin de sa poche.

— Je serai à l'hôtel, je ne sais pas encore lequel. Ce serait peut-être plus facile pour moi de rester en rapport avec vous et de vous téléphoner.

— A quel hôtel croyez-vous descendre ?

— En général, j'essaie le Barclay. »

Il avait répondu très calmement, le coin de l'avenue Lexington lui venant aussi naturellement à l'esprit que s'il était un vieil habitué du Barclay, bien qu'il n'ait jamais prêté attention à cet hôtel.

« Pouvez-vous nous appeler aux environs de dix-huit heures, demain soir, lundi ? demanda le vieil agent. Voici notre numéro. »

Il tendit à David une petite carte imprimée, semblable à celles des hommes d'affaires.

Bureau principal de la police de Beck's Brook
Carrefour Broadway + rue Horton
Beck's Brook
Etat de New York

Puis la porte claqua solidement. David, au lieu d'être délivré par la solitude retrouvée, se sentit tout embrouillé et l'âme ballante. Soudain, il se mit à trembler, ses nerfs commencèrent à sauter et à se contracter. Il s'assit sur le canapé en se tenant la tête pour essayer de retrouver son calme. S'ils revenaient tous les deux, pensa-t-il, et s'ils le découvraient ainsi !... Il se força à se tenir droit et, peu à peu, la crise diminua. Il se rendrait demain au travail, comme d'habitude. Il téléphonerait à la police, vers dix-huit heures, de quelque endroit dans Froudsburg, et il saurait alors si les agents désiraient le revoir. Il leur dirait qu'il était au Barclay, et, s'ils essayaient de l'y joindre plus tard... eh bien, ce serait peut-être gênant d'être pris à mentir, mais, après tout, ce ne serait pas un crime.

David se leva et alluma une autre lampe, La police préviendrait Annabelle ce soir, c'était une question de minutes ; peut-être cela se passait-il en ce moment même. Il imagina le jeune agent, le permis de conduire de Gérald dans une main, demandant à la téléphoniste de Hartford de lui passer le numéro correspondant à la maison de la rue Talbert, Annabelle lui répondant... « Vous êtes la femme de Gérald Delaney ? Votre mari a été tué, m'dame... » Et Annabelle s'effondrant en larmes, parce que, qu'elle eût aimé ou non son mari, cette nouvelle serait un choc. Penserait-elle que, lui, David, était le responsable, parce que Gérald était parti à sa recherche ? Cela ne durerait qu'une ou deux secondes, car la police lui raconterait la version Neumeister.

Gérald mort. Cela ne s'était pas encore inscrit en lui ; il ne pouvait encore se rendre compte de ce que cela signifiait vraiment pour lui. En tout cas, ce qu'il voyait très clairement, c'était qu'Annabelle ne devrait jamais apprendre que David Kelsey avait donné à Gérald la poussée fatale ; elle, jamais elle ne croirait à un accident.

QUAND David quitta la maison, à sept heures quarante-cinq le lendemain matin, la voiture de police était toujours là, sur la route de Ballard ; elle était tournée dans le sens opposé à celui de la veille, ou peut-être en était-ce une autre. David se força à s'arrêter et à parler à l'agent ; quand il eut commencé à lui dire qu'il allait à New York pour quelques jours, il se sentit calme et détendu.

« Oui, le sergent m'a prévenu », répondit l'agent avec un sourire amical.

David partit pour Froudsburg. C'était son habitude de passer chez Mme Mac Cartney, le lundi matin, avant d'aller à l'usine, pour mettre d'autres habits que ceux qu'il portait le vendredi précédent. Au moment où il entra, Sarah descendait l'escalier avec le plateau du petit déjeuner de Mme Beecham.

« Bonjour, Sarah !

— Bonjour, monsieur Kelsey ! »

Elle le regarda ; elle n'avait pas encore de rouge à lèvres et elle avait un bouton sur la joue droite.

« Oh !... Est-ce que le monsieur vous a trouvé ? Celui qui est venu ici dimanche ? »

L'intérêt modéré qui se détectait sur son visage dénotait une excitation inhabituelle.

« Non. Quel monsieur ?

— Je ne sais pas qui c'était. Il demandait à tout le monde où vous étiez. »

Elle poussa adroitement, d'un coude, la porte de la salle à manger, le plateau penchant juste assez

pour que tout ne glisse par terre, et elle disparut.
David monta à sa chambre. « Peut-être le renseignement n'est-il pas venu d'ici », pensa-t-il. La porte refermée derrière lui, il resta un moment immobile, presque sans respirer, parcourant la pièce du regard et n'y découvrant aucun changement. Bien qu'il fît froid, il enfila son pantalon de toile et une chemise bleue ; il prit dans son armoire une veste de tweed marron qui, en quatre ans d'usage, n'avait jamais été nettoyée ni repassée. Il était sûr que Mme Mac Cartney serait en bas à l'attendre. Et, bien entendu, elle était là, rôdant autour de la table d'osier.

« Votre ami ne vous a pas trouvé, dimanche, David ?

— Non. Qui était-ce ?

— Il n'a pas dit son nom. Du moins je ne l'ai pas entendu. Effie était là, et c'est elle qui lui a indiqué où il pourrait vous joindre. Nous, nous ne savions pas, n'est-ce pas !... Et, mon Dieu, qu'il a donc insisté !... Il disait que c'était très important. »

David la regarda dans les yeux.

« Est-ce qu'il a dit de quoi il s'agissait ?

— Non. Seulement qu'il fallait qu'il vous voie. Il voulait savoir où se trouvait votre maison. Moi, je lui répétais que vous passiez vos week-ends à rendre visite à votre mère, dans une maison de repos », dit-elle en souriant.

David crut discerner une nuance de soupçon dans son œil. Il fronça les sourcils.

« Je n'ai jamais vu cet individu. »

Mme Mac Cartney éclata d'un rire qui parut à David presque hystérique.

« Entre nous, je crois qu'Effie lui a raconté une histoire. Il avait bu, son haleine sentait le whisky, c'est certain. »

David, lui aussi, se mit à rire.

« Je veux bien croire qu'elle lui a raconté une histoire », dit-il.

Il s'éloigna. A la porte, il se retourna et, avec une sorte de défi :

« A propos, à quoi ressemblait-il ?

— Oh !... pas très grand ; à peu près la trentaine, à mon avis ; plutôt du genre vilain, d'assez grosses lèvres. »

David serra très fort la poignée de la porte, sans l'ouvrir encore.

« Et Effie, où lui a-t-elle dit que j'étais ?

— Pas très loin d'ici... Une petite ville... Je n'ai pas entendu, parce qu'elle l'a accompagné jusqu'au trottoir pour lui parler... C'est une bien gentille jeune fille, n'est-ce pas, David ?

— Oui, bien gentille », murmura David.

Dans l'après-midi, à l'usine, il trouva un journal local sur le comptoir de la cantine. Il était seul ; il avait fait exprès de descendre plus tard, afin d'éviter de rencontrer Wes et les quelques autres camarades avec lesquels il déjeunait parfois. En page 4, il découvrit l'article.

LA MORT MET FIN A LA VISITE MYSTÉRIEUSE D'UN HOMME DE HARTFORD.

Ballard, N. Y., 19 janvier. — Gérald J. Delaney, 31 ans, électricien à Hartford (Connecticut), a été mortellement blessé hier en tombant, la tête contre les marches du perron d'une maison, au cours d'une rixe avec William Neumeister, 30 ans, habitant Ballard. Neumeister, journaliste indépendant, qui prétend ne jamais avoir vu Delaney auparavant, a déclaré que la victime s'était présentée à sa maison vers 14 h 30, dimanche après-midi et, tout en criant un nom dans le genre de « Parker », avait proféré des menaces et finalement sorti un revolver.

Au cours de la dispute qui eut lieu sur le chemin conduisant à l'entrée, Delaney fut étendu par terre d'un coup de poing, et sa tête, cognant une marche du perron, subit une fracture du crâne.

Neumeister utilisa la voiture de la victime pour la transporter jusqu'au poste de police de Beck's Brook où sa déclaration fut enregistrée. Selon le rapport médical, établi par le docteur Serge Oskin, de Beck's Brook, Delaney avait bu, mais la quantité d'alcool absorbée n'était pas suffisante pour faire perdre son contrôle à un homme normalement équilibré ; peut-être Delaney était-il particulièrement sensible à l'alcool. La victime laisse une jeune femme de 24 ans, Annabelle, et un fils, Gérald Delaney junior, âgé de sept semaines. La police s'efforce d'éclaircir le mystère qui entoure cette mort.

David replia le journal et le remit où il l'avait trouvé, sur le comptoir. Cet article était-il rassurant ou non ? Ce n'était pas rassurant que « la police s'efforce encore d'éclaircir le mystère » de ses actions. Est-ce qu'elle ne demanderait pas à rencontrer David Kelsey ? Annabelle dirait certainement que Gérald était parti de Hartford pour aller lui parler. Et, si ce n'était pas mentionné, pensa David, c'est qu'on n'avait pas encore eu ce renseignement quand le journal avait paru.

Il sortit de la cantine, descendit quelques marches, entra dans un vestiaire aux longues files de casiers verts et alla jusqu'à une cabine de téléphone. Soudain, il avait vu Annabelle en larmes, et cette vision l'avait poussé à agir. Il croyait se souvenir de son numéro, mais, dans le doute, il demanda le renseignement à Hartford ; il avait fait une erreur de deux chiffres.

Une voix de femme répondit, mais ce n'était pas celle d'Annabelle. Pendant qu'il attendait, il entendit une conversation inintelligible, au loin, des voix de femmes, soit dans l'appartement, soit par le standard, il ne pouvait dire.

« Allô ?

— Annabelle ?... C'est David. Comment allez-vous, ma chérie ?

— Oh ! David... dit-elle en sursautant. Je suis en vie, je suppose, je ne sais pas.

— Je viens de lire dans le journal...

— David, il était parti pour vous voir. J'ai essayé de l'arrêter, mais il est sorti, dimanche matin ; c'était simplement pour passer chez Ed Purny, disait-il, mais, moi, je savais bien... C'est là qu'il a eu le revolver, chez Ed, et l'alcool.

— Ed lui a donné le revolver ?

— Il savait où il était caché et il l'a pris. Ed m'a dit qu'il a demandé quatre verres et qu'il les a bus, coup sur coup... lui qui n'avait pas l'habitude de boire.

— Eh bien... Il avait l'intention de me tuer ?

— Je ne peux pas le croire, dit-elle en se mettant à pleurer. Il voulait vous donner un avertissement, c'est tout. Il avait lu votre lettre. Je vous avais prévenu, David. C'est ça qui est à l'origine de tout. »

Le ton accusateur d'Annabelle le glaça.

« Je regrette, dit-il, avec une inflexion de repentir. Je regrette vraiment beaucoup.

— C'est trop tard maintenant. Gérald m'aimait. C'est ce que vous n'avez jamais compris.

— Je comprends.

— Mais vous ne l'avez pas compris alors. Je vous ai téléphoné pour tâcher de vous éclairer. Tout ce que vous trouviez à me dire, c'était : « J'ai le droit de vous écrire » ou quelque chose comme ça. A présent, vous mesurez les conséquences, n'est-ce pas ?... Vous êtes toujours là, David ? demanda-t-elle d'une petite voix, soudain, une voix d'enfant pleine de larmes.

— Annabelle, je suis là... et je vous aime.

— Je dois vous quitter maintenant, David. »

Et avant qu'il ait pu ajouter quoi que ce soit, elle avait raccroché.

Ce soir-là, David appela Joseph Willis, son agent immobilier, et lui annonça qu'il voulait vendre la maison.

« J'ai entendu parler de vos ennuis, dimanche, dit M. Willis. Ce n'est pas cela qui... »

Il s'arrêta. David se souvint de son habitude de ne pas terminer ses phrases. Et aussi qu'il l'appelait « Newmester ».

« Non, j'y pense depuis pas mal de temps... Je vais voyager à l'étranger... La maison ne serait plus qu'une source de dépenses.

— Vous pourriez toujours la louer. Cela m'ennuie de perdre votre clientèle.

— Non, je vends, même à perte. J'aurai probablement déménagé dans une semaine environ.

— Vous ne vendrez pas à perte, monsieur Newmester, dit Willis en riant. J'ai deux clients qui cherchent quelque chose dans cette région et dans ces prix.

— Bien, le plus tôt sera le mieux. J'aimerais rentrer dans mes fonds avant de partir à l'étranger.

— Je crois qu'on pourra s'arranger. Est-ce qu'on peut faire visiter à toute heure ?

— Quand vous le désirez. »

Ils fixèrent rendez-vous au bureau de M. Willis, à Beck's Brook, pour le samedi matin à venir, afin de régler les problèmes d'hypothèque ; d'après Willis, la maison serait déjà vendue, auquel cas la banque restituerait à David tout l'argent qu'il avait mis dedans. C'était bien ce qu'espérait David, car il pensait que William Neumeister serait peut-être obligé de disparaître bientôt, sans laisser de traces, et alors, il ne pourrait plus toucher l'argent de la maison. Il se rappela la signature de Neumeister sur les papiers hypothécaires, la même signature qu'il avait apposée sur les contrats d'électricité et de gaz propane, et qu'il avait utilisée pour régler les factures qui concernaient la maison de Ballard, en tirant des chèques sur le compte de Neumeister. (S'il voulait retirer tout l'argent de sa banque, il faudrait qu'il aille en personne à Beck's Brook pour fermer son compte.) Pour la première fois il éprouva un doute quant aux chances de M. Neumeister. Les paroles d'Annabelle lui avaient fait peur, lui avaient fait honte à lui, David, du jeu mené par Neumeister. Il lui faudrait faire attention à Beck's Brook. Il était terrorisé à l'idée d'affronter de nouveau la police dans la peau de cet autre personnage. Puisque sa maison était en ruine lui semblait-il, et disparue l'intimité qui lui était propre, la personne de Neumeister disparaissait, elle aussi. Il ne se sentait pas capable de réussir le coup une deuxième fois.

Cela paraîtrait probablement suspect de mettre la maison en vente précisément maintenant, mais il n'avait pu remettre l'opération d'un jour. Il avait peur qu'Annabelle ne demande à voir l'endroit où était mort Gérald, que la police ne le fasse venir pour raconter, en tant que seul témoin, comment les choses s'étaient passées. Il ne pouvait pas envisager de garder la maison. En fait, ce n'était même pas prudent de retourner là-bas. Cependant, il ne pouvait supporter l'idée d'engager quelqu'un pour empaqueter ses affaires. M. Willis téléphonerait probablement à un des clients de sa liste, quelqu'un qui n'aurait pas entendu parler de l'histoire Delaney-Neumeister. Il serait le seul à savoir que la maison était mise en vente le lendemain même de la mort de Gérald, et, comme Mme Mac Cartney, M. Willis tenait David en haute estime. Le numéro du soir du *Herald*, de Froudsburg, publia deux photographies : l'une de sa maison, montrant les marches contre lesquelles était tombée la victime, l'autre, très floue, de Gérald, laid et grimaçant un sourire.

Et cette Effie qui avait indiqué la maison à Gérald !... C'était une énigme qui affolait David. Si elle en savait autant, elle s'efforcerait de découvrir pourquoi il avait acheté la maison sous le nom de Neumeister, et, très probablement, mue par son dépit vis-à-vis de David, qui l'avait éconduite, ou par un certain sens de la justice, elle irait dire à la police que Neumeister et Kelsey n'étaient qu'une seule et même personne. Il n'avait même pas le courage d'envisager cette éventualité. Devrait-il appeler Effie — ce que ferait tout innocent — et lui demander si l'individu avec lequel elle avait parlé dimanche lui avait dit son nom ou ce qu'il voulait ? Aurait-il le front de nier carrément, si elle le lui demandait, être le propriétaire de cette maison, qu'on montrait dans le journal ? Que lui répondrait-il quand elle lui dirait que l'homme, dont on publiait la photo ce soir, était celui-là même à qui elle avait donné les renseignements ? Il n'y aurait pas d'autre solution que de tout nier en bloc.

Il était plus de vingt heures. David avait réussi à surmonter sa tension nerveuse au moment du coup de fil de dix-huit heures à la police de Beck's Brook, puis de celui donné à M. Willis aussitôt après. Il eut peur d'un surcroît de tension s'il en donnait un autre. Il remit le journal sur le buffet ; il était le dernier à quitter la salle à manger.

Sarah, ayant presque fini de débarrasser les tables, lui dit d'un air morne :

« Comment ça va ce soir, monsieur Kelsey ? »

Et elle passa avec son plateau. Il monta dans sa chambre, prit son manteau, trouva le numéro d'Effie dans un carnet, à côté du téléphone, dans l'entrée, sortit, marcha presque jusqu'à la grand-rue et entra dans une sorte de café-librairie-papeterie un peu triste où il savait qu'il trouverait une cabine téléphonique. Il appela de nouveau M. Willis pour lui demander de ne pas mettre le panneau « A vendre » avant le prochain week-end. Puis, alors qu'il avait eu réellement l'intention de téléphoner à Effie, il s'aperçut qu'il n'en avait pas la force.

Il repartit dans la boue, vers la pension, se demandant comment il allait passer la soirée, comment il avait fait pour passer les quatre ou cinq cents autres dans sa chambre. C'était comme si même cette pauvre chambre était envahie. La partie « Neumeister-vendredi-lundi » de sa vie avait pénétré dans la partie Kelsey-lundi-vendredi » ; ainsi que cela se passe au mélange de certains produits chimiques, il y avait eu explosion. David n'avait pas l'habitude, pendant ses journées de travail et ses soirées, de penser à ses week-ends ; et voilà que ses week-ends et leur vie propre étaient anéantis. Slush-slush-slush, répétaient ses chaussures sur les trottoirs boueux.

Et Annabelle ?... Annabelle en colère, le détestant, en colère et dans l'erreur !... Et lui, trop bouleversé pour imaginer de quelle manière il pourrait redresser la situation. Oui, son premier objectif devait être : Annabelle. Il décida d'essayer de lui écrire ce soir une lettre calme, pleine de sympathie, qui l'aiderait à éprouver pour lui moins d'inimitié et qui l'aiderait, lui, du même coup, à mettre un peu d'ordre dans ses idées. Il se sentit aussitôt mieux, avec la perspective de cette occupation pour la soirée.

Dès qu'il eut allumé dans sa chambre, il vit le petit rectangle de papier sur son lit :

« Mlle Brennan a appelé à vingt heures trente. Vous demande de la rappeler à FR. 6.7739. »

Il ne lui téléphonerait pas, pensa-t-il ; il pouvait être sorti toute la soirée et rentrer trop tard pour la rappeler. Mais c'était elle qui lui téléphonerait de nouveau, ce soir, ou demain, à l'usine ; il en était certain. Il arriverait bien un moment où il devrait l'affronter. Il respira un grand coup et revint vers la porte. Il retourna jusqu'au café et rentra dans la cabine.

« Oh ! bonsoir, David ! dit Effie avec une voix amicale et tout excitée à la fois. Avez-vous vu le journal, ce soir ?

— Le journal ?

— Oui. Cet homme qui a été tué, vous savez ?... C'est celui qui était hier chez Mme Mac Cartney et qui demandait après vous. Sa photo est dans le journal du soir. Regardez-la. Gérald Delaney. Vous le connaissez, non ? »

David ne ressentit qu'un léger mouvement au cœur.

« Non, je ne le connais pas.

— Vous ne le connaissez pas ? Il vous connaissait, lui. J'ai pensé que cela vous intéresserait.

— Non... Je veux dire... cela ne m'intéresse que parce qu'il avait l'air de me connaître. »

David regarda à l'extérieur de la cabine. Un homme d'âge moyen, à un mètre de lui, passait en revue tous les livres de poche d'un des rayons. Il eut l'impression que cet individu l'écoutait ; il eut la certitude qu'il faisait semblant de regarder les livres, qu'il était un détective prêt à l'arrêter dès qu'il sortirait. La bouche sèche, David ajouta :

« Je me suis laissé dire, à la pension, qu'il était soûl.

— Pas ivre, non, mais il avait tout de même bu, c'est certain. »

David devina qu'Effie avançait prudemment ; elle attendait qu'il lui en dise davantage.

« Et où lui avez-vous raconté que j'étais allé ? D'après Mme Mac Cartney, vous avez inventé je ne sais quel endroit.

— Eh bien, je lui ai dit... Oh ! David, est-ce que je peux vous voir ce soir ? Est-ce que vous pouvez venir ici ? »

Il hésita.

« Ce n'est pas facile, Effie. J'ai du travail sur la planche, ce soir.

— Regardez le journal, David. Il y a une photo de la maison. Elle appartient à William Neumeister (elle prononce « Newmester », comme les agents de Beck's Brook). Vous le connaissez, n'est-ce pas ?

— Non.

— Vous ne le connaissez pas ? A Ballard ?

— Non, répéta David avec impatience.

— Mais je vous ai vu y aller un jour, David. Vous avez entré votre voiture dans le garage.

— Moi ?

— Regardez la photo dans le journal. William Newmester. Je prononce peut-être mal son nom. Je sais que c'est cette maison, la première à droite sur la route départementale. Celle qui a la grande cheminée.

— Vous avez dû voir quelqu'un d'autre.

— Je pense tout de même connaître votre voiture, non ?

— Je crois n'être jamais allé à Ballard », dit David avec entêtement.

Cette fois-ci elle resta silencieuse.

« Mais je jetterai un coup d'œil sur cet article, Effie.

— Ecoutez. Si vous reconnaissez cet individu, voulez-vous me le faire savoir ? Rappelez-moi Je suis plutôt curieuse ?

— D'accord, Effie. »

Il raccrocha. Les derniers moments avaient été exténuants.

C'était probablement en compagnie de Wes qu'elle avait dû le voir dans sa propriété, pensa David. Il n'avait jamais vu Effie avec qui que soit d'autre, ayant une voiture. En supposant qu'elle n'ait pas été avec Wes, elle lui dirait tout, parce que les gens ne peuvent s'empêcher de raconter une histoire un peu sensationnelle, surtout si l'on y découvre la mort mystérieuse d'un homme, à qui en outre on a parlé juste avant qu'il soit tué. David se souvint de Wes, demandant d'un air soupçonneux : « Elle vit bien dans une maison de retraite ? Pas dans une villa ? » Il appréhenda de le revoir le lendemain. Peut-être d'ailleurs téléphonerait-il, lui aussi, ce soir, comme Effie.

Il rentra à la pension. Il était hors d'état de commencer, même mentalement, sa lettre à Annabelle.

LE lendemain, toutefois, Wes était égal à lui-même. David le rencontra dans un couloir, vers dix heures du matin, et Wes le garda au moins cinq minutes pour lui raconter l'histoire d'une vieille fille et d'un voleur, une longue plaisanterie à laquelle David réussit à rire ; Wes alors lui donna une claque dans le dos et continua son chemin.

David commença à respirer. Peut-être, en ce qui concernait Effie, pourrait-il s'en sortir en mentant. Peut-être n'était-elle pas avec Wes quand elle avait vu David à la maison de Ballard. S'il persistait à nier, que pourrait-elle faire ? Et, au prochain week-end, il la quittait, cette maison.

Quand sa montre marqua dix-huit heures, ce soir-là, il se souvint qu'il devait appeler la police de Beck's Brook ; mais il se rappela aussi l'avoir fait la veille. « D'accord, nous nous appellerons de nouveau », lui avait-on dit ; mais on n'avait pas précisé quand on téléphonerait au Barclay, ni si l'on désirait que ce soit lui qui appelle. Peut-être la police ne tenait-elle plus à ce qu'il téléphone. Il était peut-être trop angoissé. David se souvint, tout à fait par hasard, qu'en parlant à la police il n'avait pas dit d'où il appelait. Mais, à supposer que les agents soient en train de téléphoner au Barclay, en ce moment même, et d'apprendre que William Neumeister n'était pas à cet hôtel et qu'il n'y était jamais descendu, alors quoi ? Pendant quelques instants, David se demanda s'il irait ou non à New York et resterait au Barclay sous le nom de Neumeister. Sa présence y serait au moins enregistrée. Ou bien devrait-il téléphoner de nouveau à la police, de lui-même ? Tâcher de paraître coopératif ? Il mit son manteau et sortit. Il appela du même café, près de la grand-rue. Une jeune voix répondit.

« Allô, dit David, c'est William Neumeister... encore.

— Oh !... euh ! monsieur Neumeister... Eh bien, rien à signaler ici, je pense. Vous êtes toujours à New York ?

— Oui... Je serai ici peut-être... au moins pour le week-end, je suppose. »

Comme la veille au soir il baissa un peu le ton, se souvenant que, le dimanche précédent, pour paraître calme, il s'était efforcé de parler avec beaucoup de retenue et sur un timbre assez grave.

« Je vois, dit son jeune interlocuteur. Bon... Eh bien, merci d'avoir fait signe. »

On sentait même comme un sourire qui passait entre les mots. David revint à la pension, dîna, commença à lire un livre qu'il avait rapporté de la bibliothèque de l'usine, puis décida d'aller se promener. « Gérald a probablement été enterré aujourd'hui, pensa-t-il, et toute la journée, j'ai pensé à écrire une lettre à Annabelle. » Il voulait le faire avant de s'installer avec son livre, et il se mit à y réfléchir en partant de la maison. Ce qui lui vint d'abord à l'esprit, ce fut de la compassion mêlée à des flots de banalités ; il les rejeta en bloc avec dégoût. « Je vous veux avec moi maintenant. » En fait, c'était tout ce qu'il désirait lui dire. Il resta jusqu'à vingt-trois heures pour composer une lettre de dix lignes qui le satisfasse. Il ne mentionna pas son désir d'elle ; il eut beaucoup de compassion.

Le lendemain, mercredi, juste après le déjeuner, les haut-parleurs annoncèrent dans tout le bâtiment qu'on demandait David Kelsey au téléphone. Sachant que sa secrétaire était avec Lewissohn cet après-midi, David revint à son bureau pour prendre la communication. Il eut l'affreux pressentiment que c'était la police de Beck's Brook qui voulait le voir : Annabelle leur avait dit que Gérald avait essayé de le trouver dimanche ; ou bien ils avaient appelé Effie et lui avaient demandé pourquoi elle avait dirigé Gérald vers la maison de Ballard ; et elle avait laissé échapper qu'elle l'avait vu, lui, David, là-bas. « C'est vous, David Kelsey ? dirait le jeune agent à l'œil vif. Dimanche vous nous avez dit que vous vous appeliez William Neumeister. »

Une voix plus âgée, plus grave, se fit entendre.

« Monsieur Kelsey ?... Sergent Terry, de Beck's Brook, à l'appareil. Ça ne vous dérange pas trop si on vous pose quelques questions ?

— Non.

— Euh !... Vous connaissez Mme Annabelle Delaney, de Hartford, n'est-ce pas, monsieur Kelsey ?

— Oui.

— Vous savez que son mari à quitté Hartford dimanche dernier pour aller vous voir ?

— C'est ce qu'on m'a dit.

— Où étiez-vous dimanche, monsieur Kelsey ?

— Je visitais ma mère dans une maison de repos.

— Une maison de repos, où ça ?

— A Hazelwood. A huit kilomètres au nord de Neuburg. »

C'était une des deux maisons de repos qui se trouvaient à environ une heure de voiture de Froudsburg.

« Neuburg », répéta l'agent comme s'il prenait des notes.

La voix continua, très décontractée :

« Je suppose que vous avez appris par les journaux la mort de M. Delaney.

— Oui... Et j'ai téléphoné à Mme Delaney, dès que j'ai été au courant.

— Connaissez-vous M. William Newmester ? demanda-t-il avec une nuance d'espoir.

— Non, je ne le connais pas.

— Mais vous connaissez une certaine Mlle Elfrida Brennan ?

— Oui, un peu.

— Sauriez-vous, par hasard, pourquoi elle a envoyé Delaney à la maison de Newmester à Ballard ?

— Eh bien... je lui ai parlé au téléphone... elle m'a dit qu'elle ne connaissait à vrai dire aucune maison en particulier à Ballard... qu'elle avait simplement inventé un endroit pour y envoyer Delaney. Il avait un peu bu, à ce qu'on m'a dit.

— Oui... Avez-vous quelques doutes, monsieur Kelsey, sur la véracité des déclarations de Mlle Brennan ? Ceci est strictement confidentiel, c'est entre nous, vous pouvez me parler franchement.

— Non, monsieur. Je n'ai aucune raison d'avoir des doutes. Pourquoi ?

— Eh bien, nous essayons de trouver Newmester. Mme Delaney voudrait le rencontrer, lui parler, vous savez... lui demander comment tout ça est arrivé. Newmester est à New York et il ne sera pas de retour avant la semaine prochaine. »

Le ton de la voix était incroyablement banal.

« Ah !... dit David.

— Nous ne pensons pas que Newmester ait quoi que ce soit à cacher, mais on ne sait jamais. Il n'est pas à l'hôtel où il avait dit qu'il descendrait, à New York, et nous avons pensé que Mlle Brennan le connaissait peut-être et essayait de le protéger.

— Eh bien, je ne saurais quoi vous dire.

— Hm... mm... Quand avez-vous vu Delaney pour la dernière fois, monsieur Kelsey ? » continuait la voix paresseuse.

David respira profondément.

« Pour être franc, je ne lui ai jamais accordé beaucoup d'attention. Je suis un ami de sa femme.

— Seulement un ami, monsieur Kelsey ?

— Oui, répondit David, pensant que la vérité incluait aussi amitié. Ce n'est pas ce qu'elle vous a dit ?

— Ou...i..., c'est ça, dit l'agent, paraissant le croire. A tout hasard, Delaney n'aurait pas été jaloux ?

— Je ne sais pas quels ont pu être ses motifs profonds. Peut-être sa femme le sait-elle. Vous pourriez le lui demander.

— Hm... mm... Elle nous a dit que son mari avait très mauvais caractère.

— Sergent, j'ai vu Delaney une fois dans toute ma vie ; c'était à Hartford, il y a trois ou quatre semaines.

— Je comprends... Eh bien, merci, monsieur Kelsey... Encore une chose : pouvez-vous me donner le numéro de votre pension ? »

David le donna. Après avoir raccroché, il s'éloigna et sentit passer un vent de défaite : la police de Beck's Brook signalerait très probablement à Annabelle que David avait rendu visite à sa mère pendant le week-end... Annabelle savait que sa mère était morte.

Et puis il y avait cet autre problème : Annabelle voulait rencontrer William Neumeister.

Mme Mac Cartney l'attendait dans l'entrée, ce soir-là. Elle se mit à parler dès qu'elle le vit. La police de Beck's Brook avait téléphoné et avait posé un tas de questions sur lui ; elle avait répondu en faisant de lui les plus hauts éloges ; elle se donna beaucoup de peine pour en convaincre David. Mme Starkie avait été présente, elle aussi, et elle avait confirmé tout ce qu'avait dit Mme Mac Cartney aux policiers. Elle vint dans l'entrée se joindre à Mme Mac Cartney et David. Et M. Muldaven, lui aussi, s'était trouvé dans la maison pendant le coup de téléphone de la police.

« Je leur ai affirmé que vous étiez le meilleur jeune homme qui ait jamais mis les pieds dans cette maison », déclara Mme Mac Cartney à David.

Celui-ci écouta attentivement pour surprendre le nom d'Annabelle, mais il ne l'entendit pas. La police ne s'était intéressée qu'à David, sa personnalité, ses habitudes ; elle avait voulu savoir où il était pendant ce week-end ; ce à quoi Mme Mac Cartney avait répondu qu'il l'avait passé avec sa mère, et que cela avait toujours été ainsi depuis deux ans qu'elle le connaissait.

« Qui est-ce « Newmester » ? demanda-t-elle.

— Je ne sais pas, dit David.

— Ne vous inquiétez d'absolument rien, David, glissa Mme Starkie.

— Merci. »

David avait ignoré jusque-là qu'il avait un tel champion, pour le défendre, dans la personne de Mme Starkie, qu'il saluait à peine lorsqu'ils se rencontraient dans la pension.

Feignant de ne pas entendre le murmure des questions :

« Je vous prie de m'excuser..., dit-il, j'aimerais maintenant monter à ma chambre.

— Bien sûr, c'est tout naturel, dit Mme Mac Cartney, en lui tapotant la manche. Allez-y. Tout s'arrangera très bien. »

Quel plaisir de monter cet escalier et laisser fondre derrière lui toutes ces voix !... de refermer sa porte, claquer le verrou et respirer de nouveau !... Pourquoi le nom de Gérald n'avait-il pas été mentionné ? se demanda David. Pourquoi la police n'avait-elle pas dit à Mme Mac Cartney qu'il connaissait Delaney ? Les policiers se réservaient-ils cette carte pour quelque autre jeu ? Si oui, lequel ? Annabelle ne leur avait-elle vraiment pas révélé qu'il était amoureux d'elle ? Peut-être, après tout, serait-il sauvé justement par cette arme que portait Gérald. Une erreur commise par un ivrogne brandissant un revolver, c'était déja assez honteux ; mais si l'on apprenait qu'il y avait là-dessous de la jalousie vis-à-vis de l'amant supposé de sa femme, alors ce serait tentative d'assassinat avec préméditation.

Une fois de plus, David se trouva à table avec MM. Harris et Muldaven. Ceux-ci, pour la cinquième ou sixième fois, lui demandèrent s'il était certain de n'avoir pas connu Gérald Delaney d'une manière ou d'une autre. Lorsque David, rassemblant toutes ses réserves de patience, leur eut répondu calmement « Non, absolument pas », ils se mirent à retourner l'affaire dans tous les sens avec une objectivité que David trouva très réconfortante. Ce qui les intriguait, et tous les autres habitants de cette maison, c'était l'état de rage dans lequel Gérald leur était apparu, dimanche matin, et qu'il se soit trouvé porteur d'un revolver destiné, selon toute vraisemblance, à être utilisé contre David Kelsey. Ce qui les stupéfiait tous, c'était le calme de David dans toute cette histoire. Si jamais Mme Mac Cartney et ses pensionnaires apprenaient par la police ou de quelque autre manière qu'il avait connu Gérald Delaney, il dirait que c'était précisément la police qui l'avait prié de ne discuter avec personne de la situation. La situation. Tout cela, après tout, n'était qu'un aspect de la seule situation.

Il n'arriva pas à manger le poulet bouilli gluant de riz pâteux ; il ne prit que le pain blanc insipide avec sa rondelle de beurre. Ses deux voisins de table, bien que plus âgés que lui et amateurs aussi de leur morceau de beurre (ils grattaient toujours les petits cartons sur lesquels ils étaient servis), lui firent don de leurs portions, comme s'il avait droit à un traitement particulier à cause de ce qu'il venait de subir.

Il eut peur que quelqu'un de la pension, Mme Mac Cartney elle-même peut-être, ne vienne jusqu'à sa chambre, et ne s'y installe, pour lui poser un tas d'autres questions ; il alla donc directement chercher son manteau. Il pensa tuer deux heures dans un cinéma, puis cela lui sembla l'équivalent d'une soirée d'ivresse, et il fit un effort pour se ressaisir. Il décida de marcher pendant une heure exactement ; ensuite, il rentrerait dans sa chambre et lirait jusqu'à ce que vienne le sommeil... toute la nuit, s'il ne venait pas.

« David... »

C'était la voix de Wes ; elle sortait d'une voiture,

stationnée de l'autre côté de la rue. David s'approcha.

« Je veux te parler, David. Peut-on monter chez toi ? »

David hésita, puis pensa qu'il n'avait aucun moyen d'y échapper.

« Allons Chez-Michel.

— Très bien. »

David monta. Wes ne dit rien de plus. Ce silence pénible dura jusqu'à ce qu'ils soient en vue de la brasserie. Wes dit alors, avec sa bonne humeur habituelle :

« Je suppose qu'ils sont tous venus te poser des tas de questions, à la pension ; je veux dire... sur cette affaire Delaney. »

Le bar était faiblement éclairé et, à cette heure, assez tranquille. Wes fit signe à David de le suivre vers une table du fond, dans un box ; il salua Adolf, le barman, et commanda deux scotchs avec de l'eau, en passant.

« Si tu n'en veux pas, je le boirai », dit Wes.

Il y eut un silence jusqu'à ce qu'Adolf ait apporté les deux verres sur un plateau, les ait servis et soit reparti.

« Effie m'a téléphoné ce soir, commença Wes en regardant la table. Il paraît que la police l'a appelée, elle, et... »

Wes approcha une deuxième allumette de sa cigarette à moitié prise.

« La police l'a appelée parce qu'elle avait envoyé ce Delaney à Ballard... tu sais ?

— Oui, dit David.

— Toi, tu n'y étais pas, là-bas... »

C'était à moitié interrogatif, à moitié positif.

« Non.

— Mais tu connais cette maison, n'est-ce pas ?

— Non, je ne la connais pas. »

Wes fronça les sourcils et sourit à la fois, comme s'il ne le croyait pas.

« Est-ce que tu connais ce gars qui vit là-bas, ce Newmester ?

— Non, je ne le connais pas. »

Wes se frotta le front du bout des doigts.

« Eh bien..., il se trouve qu'Effie et moi, nous t'avons vu y aller un jour, David. C'est pour cela que je t'ai posé cette question, il n'y a pas d'autre raison.

— Quand est-ce que vous m'avez vu y aller ?

— Tu te souviens du vendredi où je suis parti de chez Mme Mac Cartney ? Tu sais que je suis allé prendre un verre chez Effie. J'ignore pourquoi, mais je lui ai dit : « Et si on suivait ce vieux David, « ce soir, pour voir où il passe vraiment ses week-« ends ?... » Mon intention n'était pas de fouiner dans ta vie privée, David, mais simplement, j'étais d'humeur à faire n'importe quel genre de blague, ce soir-là, je suppose. Effie est donc montée en voiture avec moi, et nous t'avons repéré quand tu es passé au carrefour de la grand-rue et de la route du nord ; on t'a suivi, voilà tout. Je me suis seulement dit : « Tiens, sa mère habite dans une villa, « pas dans une maison de repos. » Ou quelque chose comme ça. Ou peut-être était-ce une maison de repos, je n'en savais rien. »

David le regarda. Il comprit ce qui inquiétait Wes : ce n'était pas la mort de Delaney ou le fait que la villa n'eût pas l'apparence d'une maison de repos, mais de savoir si toute l'histoire de sa mère malade n'était pas une fable.

« Je veux dire, David..., je n'y ai plus jamais pensé jusqu'à ce que toute cette affaire rebondisse..., avec Effie. Elle pense que la maison où ce Delaney a été tué est la même que celle où nous t'avons vu entrer. Elle m'a téléphoné pour me demander mon avis. C'est ce que je pense aussi. Sur la photo, on aperçoit une partie de la grande cheminée. Et, après tout, elle a bien indiqué au bonhomme le chemin à prendre pour y arriver. »

« Le mensonge éhonté, pensa David ; il n'y a pas d'autre solution. »

« J'ai dit à Effie que je ne connaissais pas cette maison. Si elle croit avoir vu ma voiture y entrer, elle se trompe, voilà tout.

— Ah ! non, David. Tu y as peut-être seulement déposé quelque chose ce jour-là, mais nous t'avons vu sortir de la voiture et ouvrir la porte du garage. Toi, en personne, dit Wes, en souriant et l'index tendu vers David. Nous étions sur la route, juste avant l'entrée de l'allée, bien assez près, crois-moi.

— Je ne vois même personne qui, à ma connaissance, habite dans ce coin. »

David se sentait un peu écœuré par la cigarette de Wes, qui le regardait, parfaitement incrédule.

« Je n'ai aucune intention de me mêler de ce qui ne me regarde pas. Vraiment aucune, dit Wes avec un haussement d'épaules et en tirant de nouveau sur sa cigarette. Je regrette. Ne prends pas ça... Ne prends pas la mouche... »

Ses yeux marron tachetés d'or paraissaient presque implorants.

« Bien sûr que non, dit David, magnanime ; je pense tout simplement qu'il y a eu une erreur quelque part. »

Calmement, il regarda de nouveau droit dans les yeux de Wes, avec une sorte de crânerie un peu folle.

« Effie..., demanda-t-il, est-ce qu'elle a dit aussi à la police qu'elle m'avait vu entrer dans cette maison ?

— Oh ! non, pas du tout..., gloussa Wes. Une chic fille, ajouta-t-il sur le point de terminer son premier verre. Elle a dit qu'elle avait inventé un chemin à suivre, sans même savoir s'il y avait une maison à cet endroit-là, seulement pour faire partir cet ivrogne de la maison de Mme Mac Cartney ; voilà ce qu'elle a raconté à la police... Elle croit que tu y vas pour retrouver une fille, tu comprends, et elle en pince tellement pour toi qu'elle se résout au suprême sacrifice. »

Le sourire voulu de David se transforma en sourire de soulagement. Quelle chance !... Lui-même n'aurait pas mieux indiqué à Effie ce qu'elle devait déclarer.

« C'est bien l'histoire la plus embrouillée que j'aie jamais entendue. »

Wes le regarda d'un air malicieux, comme s'il le voyait sous un jour nouveau, comme s'il envisageait la possibilité que David soit vraiment homme à passer ses week-ends avec une fille et qu'il l'ait toujours été depuis deux ans qu'il le connaissait. Il approcha son deuxième verre.

« Un embrouillamini... répéta-t-il ironiquement. Il y a en effet des trous que je n'arrive pas à combler. »

David ne dit rien.

« Pourquoi ne passes-tu pas un soir chez Effie prendre ton portrait ?

— Je ne sais pas pourquoi », dit tranquillement David.

Wes rit. Puis, quelques instants plus tard, il se pencha sur la table.

« Dis-moi comment tu as connu Delaney. »

David le regarda. Pour la première fois, il était maintenant certain que ni Wes, ni par conséquent Effie, n'avaient entendu parler d'Annabelle.

« Je ne l'ai pas connu. »

Wes fronça les sourcils.

« Tu ne veux tout de même pas me faire avaler celle-là ?

— Cela m'est égal, Wes, que tu l'avales ou non.

— C'est bon, David, ne te fâche pas après moi. S'il y a quelqu'un qui devrait respecter la vie privée, c'est moi ; et je la respecte. Quoi que je sache, et je ne sais pas grand-chose, cela s'arrête là ; bouche cousue. »

Mais il attendait ce que David avait à dire sur Delaney.

« Je ne peux pas comprendre pourquoi les gens sont tellement fouineurs, dit David, avec agacement. Bon Dieu ! ce n'est pas mon cas.

— L'humaine nature..., dit Wes gaiement. Et n'oublie pas que cet individu te cherchait afin de te causer quelques ennuis : il transportait un revolver. Peut-être as-tu oublié ce détail ?

— Je ne l'ai pas oublié, dit David.

— Vous ne vous seriez pas partagé la même fille, par hasard ? C'est ma dernière question.

— Ne sois pas idiot. »

Après avoir demandé à David si cela le dérangeait de rester encore quelques minutes, Wes but un troisième verre et, par courtoisie, changea de conversation. Ils parlèrent du dernier satellite parti de Floride. En le reconduisant en voiture jusqu'à la pension, Wes signala à David que son nom avait été signalé dans le journal du soir. L'avait-il vu ? Non, David ne l'avait pas vu. Il ne s'agissait que d'un entrefilet : la femme de Delaney avait déclaré à la police que son mari était parti à la recherche de David Kelsey — ce dont n'importe quel pensionnaire de Mme Mac Cartney aurait pu témoigner aussi, pensa David. Apparemment, Annabelle n'avait pas encore dit aux policiers que Gérald était jaloux parce que David Kelsey était amoureux de sa femme. David espérait qu'elle n'en avait pas parlé, pas seulement pour son bien à lui, mais parce que, si elle voulait garder cela secret, c'était vraisemblablement qu'elle y attachait de l'importance et qu'elle respectait cet aspect du problème. David n'avait même pas pensé à regarder le journal du soir... et il s'avoua que c'était par peur de le lire.

« Faut bien rentrer chez sa petite femme, hein ? dit Wes en déposant David. Nous n'avons pas encore dîné... Je lui ai dit que j'avais une course urgente à faire et je suis sorti ; elle s'imagine que c'était pour aller voir Effie. Ça va être chouette !... »

Soutenu par ses verres de scotch, il étala un grand sourire et salua de la main.

Rentré dans sa chambre, David enleva son manteau et se jeta à plat ventre sur le lit, la tête sur un bras, l'autre entourant, sur le côté, une Annabelle imaginaire. Il appuya sa bouche contre ses joues, puis contre ses lèvres et se laissa emporter vers ce sanctuaire de calme, vers cette envahissante réalité de sa présence, qui amenait son tourment à un paroxysme, et qu'il prolongeait grâce à sa faculté de concentration. Ce qui le frappa, c'est qu'il était pour la première fois avec Annabelle dans cette chambre affreuse. Même la courtepointe, avec son odeur de poussière aigrelette, paraissait maintenant amusante et agréable, puisqu'il la partageait avec elle.

VENDREDI soir, dans sa maison, David travailla tard à remplir une malle et des valises, à envelopper ses services de table dans des journaux ; tout devait être prêt à être emballé dans des caisses qu'une société de garde-meuble déposerait chez lui samedi après-midi. Et il se leva tôt le lendemain pour continuer à démanteler ses lampes, attacher les matelas, et ainsi jusqu'à onze heures. Il avait alors rendez-vous avec M. Willis. Il regretta d'avoir accepté d'aller à Beck's Brook, parce qu'il ne tenait pas à être abordé par un des officiers de police. Il était sur le point de sortir, afin de téléphoner d'un endroit quelconque, et demander au contraire à M. Willis de venir chez lui, lorsqu'il entendit une voiture. Il regarda par la fenêtre de devant. Elle s'était arrêtée dans l'allée, à environ une dizaine de mètres ; à cause de la réverbération dans le pare-brise, il ne parvint pas à voir qui conduisait ; puis la porte s'ouvrit, et Effie Brennan parut.

« Seigneur... » se dit David. Il se retourna, se passa la main sur le visage, bondit jusqu'à l'escalier et monta. Dans la chambre à coucher à moitié vide, il marcha lentement de long en large, s'efforçant d'ignorer les petits coups rapides du heurtoir contre la porte d'entrée. Cela continua encore et encore, jusqu'à ce que David ait envie de lui crier, d'où il était, de s'en aller.

« David... C'est Effie !... Est-ce que je peux entrer ? »

Sa voix passait faiblement dans la maison entièrement close.

Et encore les coups.

Puis un silence divin. Mais elle était tout simplement passée de l'autre côté de la maison, et les coups recommencèrent à la porte de derrière.

« David, êtes-vous dans la cave ? C'est Effie ! »

Alors, brusquement, il dévala l'escalier comme s'il courait éteindre un feu à l'entrée de service, et ouvrit brutalement la porte.

« Bon Dieu !... Qu'est-ce que vous voulez ? »

Elle était en chaussures à talons plats et parut sur le point d'être renversée en arrière par ces quelques mots. Elle chancela, retrouva son équilibre, et ses yeux furent aussitôt remplis de larmes.

« David !... Je désirais seulement vous parler un instant... Je vous en prie !... Je suis votre amie, David... Ou bien, y a-t-il quelqu'un d'autre ici ?...

— Non.

— Une copine m'a prêté sa voiture. J'ai pensé que je viendrais vous dire bonjour. Je ne vais pas rester longtemps. »

Elle passa à côté de lui, laissant derrière elle une traînée de parfum. David fronça les sourcils. Elle se retourna et le regarda, encore effrayée, l'œil agrandi par la commotion, apparemment disposée à sortir en courant par la porte ouverte... ce qu'espérait bien David, justement.

« Elle est à vous, cette maison, n'est-ce pas ? »

Un mélange de honte et de colère l'empêcha de répondre. Il se dirigea vers une autre porte, les mains dans les poches à revolver de son blue-jean. Elle le suivit.

« David, ne soyez pas fâché après moi. Je crois avoir raconté à la police ce que vous auriez souhaité que je raconte : que j'avais inventé toute cette histoire de villa. Je n'ai pas dit que c'était la vôtre. »

Il ne fit aucun commentaire.

« C'est à cause de cela, n'est-ce pas, que vous êtes fâché ?

— Pourquoi ne partez-vous pas, Effie ? lui demanda-t-il en se tournant vers elle. Je ne suis pas en état de parler. »

Sa voix craqua bêtement, et il constata qu'il tremblait.

Regardant, furetant, elle avait traversé la cuisine et contemplait le beau désordre du salon. Il avait une folle envie de la jeter par la fenêtre, de faire n'importe quoi pour qu'elle ne soit plus là.

« Vous déménagez ? » dit-elle.

David éclata d'un rire insensé et se mit à se balancer sur la pointe de ses espadrilles, la tête rejetée en arrière. Elle le regarda soudain comme s'il était un spectre.

« Oui, je déménage aujourd'hui ! » dit-il très fort et joyeusement.

Elle ne le quittait plus des yeux, comme si elle attendait le bon moment pour lui échapper, s'enfuir de cette maison ; David se demanda ce qu'il pouvait avoir de si effrayant, debout, là, avec son sourire aimable et niais.

« Qui est William Newmester ? demanda-t-elle.

— Un ami à moi... un ami très, très cher.

— Il habite ici ?

— Et comment donc !... »

C'est alors que commença à monter en lui une colère hargneuse.

« Vous avez dit à Wes que vous ne le connaissiez pas.

— Je ne voulais pas discuter de ça avec lui.

— Et vous passez tous vos week-ends avec Newmester ?

— Oui... Ce cher vieux Bill !... dit-il avec un léger sourire.

— Etiez-vous ici dimanche ?... Dimanche dernier quand l'autre est arrivé ?

— Il se trouve que j'étais sorti. »

Elle hocha la tête et regarda autour d'elle, gênée. Des deux mains, elle tenait un petit livre de poche marron, assez épais, et elle en tripotait nerveusement la tranche supérieure.

« Est-ce qu'il y a aussi une fille ici, David ? » demanda-t-elle timidement.

Il se contenta de la regarder d'un œil fixe.

« Je vous en prie, ne vous fâchez pas. Je ne vois pas pourquoi vous êtes en colère. Je veux simplement faire pour le mieux. J'ai même menti à la police pour vous aider. »

Elle retrouvait son courage ; elle sourit tout à coup, bien qu'il lui restât encore un coin de méfiance dans le regard.

« Ce que vous faites ici, vous tenez à ce que cela demeure secret, je le sais... Et vous ne me devez rien, je le sais aussi... Mais si j'ai posé la question... au sujet d'une fille... c'est que cela m'importe, à moi, n'est-ce pas... s'il y a une fille...

— Je croyais vous avoir dit que j'étais fiancé.

— Oui, mais je n'arrive pas à le croire. Wes m'avait prévenue, lui aussi. Mais c'est impossible, ça ne peut pas être la vérité... »

Quelque chose dans ce qu'elle disait le faisait penser à certaines lettres d'Annabelle, et sa colère monta encore.

« Si vous êtes maintenant avec une fille, c'est autre chose, un autre problème... »

Elle se mordit la lèvre supérieure, puis, très carrément :

« Je vous aime, David, dit-elle.

— Sortez !... »

Elle sursauta. Elle recula d'un pas.

« Vous n'avez aucune raison d'être furieux après moi. »

Elle se mit à pleurer et ouvrit tristement les bras.

« Si vous déménagez aujourd'hui, je suis même disposée à vous aider... »

Ce fut la goutte d'eau qui fit déborder le vase. David avança vers elle ; elle recula, en poussant des cris, à travers le salon. Ils hurlaient maintenant tous les deux ensemble. Elle levait sans cesse les bras, comme pour détourner des coups, ressemblant à ces poupées qui bougent par saccades. Oui, c'était vraiment la goutte d'eau, cette vulgaire petite dactylo, violant sa maison, lui faisant une déclaration d'amour et lui proposant d'emballer ses affaires !... Ces affaires qui n'avaient été rassemblées là que pour qu'Annabelle seule puisse les voir ; lui proposant de détruire ce qui n'avait été créé que pour Annabelle : les chambres, les tableaux, la musique qu'Annabelle n'avait jamais entendue ici, le moindre petit objet qu'hier soir et ce matin il avait eu tant de souffrance à toucher, parce qu'il avait été placé à tel ou tel endroit pour Annabelle, et qu'elle n'avait même jamais vu !

« Je crois que vous êtes fou », dit Effie dans une sorte de hoquet.

Ses yeux semblaient sur le point de jaillir de leurs orbites. Elle se cogna contre la porte d'entrée bien qu'il ne l'ait même pas touchée.

« Et vous n'êtes pas la première à le dire !... » lui cria-t-il.

La respiration d'Effie était tremblante. A tâtons, elle chercha la poignée de la porte, le fixant toujours de ses yeux terrifiés, comme s'il avait l'intention de la tuer. Il saisit la poignée et ouvrit. Elle passa devant lui comme une flèche, contourna la porte, sortit et courut jusqu'à sa voiture. David resta où il était, la suivant des yeux, le corps secoué par chaque battement de son cœur. Le moteur tourna et s'arrêta deux fois avant de ronfler, puis, la voiture étant partie en arrière, il cala. David vit les efforts effrénés que faisait Effie pour le remettre en marche. Il ferma la porte.

Pendant une longue minute, il resta à regarder

un tapis roulé ; il se sentait soudain très fatigué. beaucoup trop fatigué pour réfléchir à ce qui venait de se passer. Il s'estimait absolument dans son droit ; c'est tout ce qu'il avait la force de penser. Il retourna à ce qu'il était en train de faire quand Effie était arrivée et se rappela aussitôt qu'il avait été sur le point d'appeler M. Willis. Il était un peu tard maintenant, mais il allait tout de même le faire, puis décida qu'il ne voulait pas voir M. Willis non plus dans sa maison. Il se déshabilla, se tint quelques instants sous la douche, afin de se laver de sa transpiration nerveuse, puis s'habilla et se rendit à Beck's Brook.

Il ne rencontra aucun des deux agents. M. Willis le reçut d'un air de triomphe en lui annonçant qu'un certain Grégoire Peabody avait vu la maison, qu'il voulait l'acheter et que les arrhes seraient versées lundi. M. Willis lui demanda si cela l'intéressait de connaître dès maintenant d'autres maisons dans la région, pour plus tard ; David, ahuri par la chance qu'il avait de vendre si vite, répondit qu'il l'était et qu'il ne mettait ses affaires au garde-meuble que pour un ou deux ans. Mais quand M. Willis se mit à lui montrer des cartes et des photographies d'autres villas, David se rendit compte qu'il ne voudrait plus jamais se retrouver dans les environs de Ballard, de Froudsburg ou de Beck's Brook.

« Je suis incapable d'y penser maintenant, dit-il ; j'ai tellement d'autres choses en tête... »

Les déménageurs arrivèrent dans l'après-midi, apportant avec eux une douzaine de caisses pour les livres et la vaisselle. Ils reviendraient lundi matin, quand David ne serait plus là, pour charger dans leurs camions les caisses, le mobilier et tout ce qu'il y avait dans la maison. Tout serait pris en dépôt au nom de David Kelsey. Bien sûr, c'était dangereux, il le savait, mais il ne voyait pas d'autre solution, de solution honorable en tout cas. Il aurait pu mettre ses affaires au nom de Mme Mac Cartney ou de Mme Beecham. Si, un jour, toute cette histoire devait s'effondrer sur lui, il n'aurait, de toute manière, aucune envie de retrouver ses affaires et ses meubles ; mais de s'être dissimulé derrière leurs noms, cela aurait été assez ignoble. Quant à inventer un autre nom, cela aurait signifié de grosses difficultés d'identification, au moment de sortir ses affaires du garde-meuble. Alors, si la police, ou même les gens du garde-meuble remarquaient que Neumeister avait mis ses affaires en dépôt au nom de Kelsey, eh bien, ce serait tout simplement sa malchance. Aucune de ses valises ne portait d'initiales. Il sortit un costume correct et une chemise blanche. Mais les seules choses qu'il garda avec lui, de tout ce qu'il y avait dans la maison, ce furent les deux photos d'Annabelle, les rares lettres qu'elle lui avait écrites, ainsi que quelques papiers, tels que sa police d'assurance, désignant comme bénéficiaire, Mme Annabelle Stanton Kelsey.

Il resta assis un certain temps sur le canapé, déjà tout enveloppé de papier. Il régnait dans la maison un silence d'horreur, comme celui qui suit l'explosion d'une bombe. Il se souvenait maintenant de tout ce qu'il avait dit à Effie ; les mots résonnaient dans sa tête comme dans une chambre d'écho. Avait-il vraiment dit : « Je vous méprise... Sortez avant que je ne vous jette dehors... » ? Il était sûr d'avoir dit que Neumeister était un grand ami à lui ; or, il avait affirmé à Wes qu'il n'en avait jamais entendu parler. Qu'est-ce que Wes allait en penser ? Et Effie elle-même, qu'en penserait-elle ? David se leva. Il se dit qu'il devrait parler de nouveau à Effie, lui demander... Mais il se souvint de la terreur sur son visage, et il sut que désormais il avait fait d'elle une ennemie. Elle raconterait tout à Wes, et probablement aussitôt rentrée. « Au diable ! se dit David. Me voilà encore à me faire du souci au sujet de ce qui ne le mérite pas. Annabelle, voilà la seule source digne de souci. »

Quant à connaître ou ne pas connaître Neumeister, si Wes en parlait, il lui dirait qu'il lui avait raconté un petit mensonge, en lui affirmant qu'il ne le connaissait pas — alors que c'était bien sa maison, à Ballard, et qu'ils étaient amis, tous les deux — mais que la police lui avait demandé de ne discuter de cette affaire avec personne, à cause de la manière dont Neumeister était mêlé à la mort de Delaney.

David eut un sourire amer. Il prit une cigarette, dans une petite boîte en argent qui n'était pas encore emballée, parmi d'autres objets qui traînaient à terre. Il l'alluma. W. Neumeister fumait quelques cigarettes en week-end, et celle-ci était comme un ultime salut que David lui adressait. Elle était sèche et cassante. David avala la fumée, bien que cela ne lui procurât aucun plaisir. On frappa au heurtoir. David alla tranquillement à la porte. Le jeune agent de Beck's Brook se tenait sur le seuil.

« B'jour, m'sieur Newmester !... Tiens... Vous déménagez ?

— Oui, je pars en voyage pour quelque temps. Voulez-vous entrer ?

— Merci. J'ai remarqué qu'il y avait un peu de mouvement par ici, alors je suis passé voir comment vous alliez.

— Très bien. Je vais très bien. »

L'agent poussa sa casquette en arrière du crâne.

« Vous n'êtes jamais descendu au Barclay, n'est-ce pas ?

— Non. La première nuit, j'ai dû aller ailleurs ; la seconde, on m'a dit que je pouvais avoir une chambre, mais... »

Il fit un geste signifiant que ce n'était pas assez important pour qu'il entre dans les détails.

« Nous avons essayé de vous y joindre, jeudi dernier, parce que Mme Delaney était ici.

— Ici ?

— Elle est venue chez nous ; elle voulait voir l'endroit où est mort son mari. Alors on vous a appelé. Nous pensions, si vous étiez d'accord, que vous auriez pu revenir et parler avec elle ; elle aurait attendu une ou deux heures. En fin de compte, on l'a conduite ici ; on a juste fait le tour, à l'extérieur ; elle est repartie. Il y avait une autre dame avec elle... C'est une bien jolie fille, ça, on peut le dire. »

Il regarda David avec un sourire un peu rêveur, comme s'il avait encore l'image d'Annabelle dans le fond des yeux. David se tourna vers la fenêtre qui donnait sur le devant. Ce terrain... les pieds d'Annabelle l'avaient foulé. C'était presque incroyable ; il avait tant espéré, et si longtemps, l'amener ici ; et elle était venue justement quand il n'y était pas, et était repartie.

« Alors, vous déménagez ?

— Oui, je pars en voyage ; je vends.

— Combien en demandez-vous ?

— Ce que j'en ai payé. Vingt mille dollars. Quatre hectares de terres vont avec la maison... Est-ce que Mme Delaney est restée longtemps ? demanda-t-il, poussé par une curiosité irrésistible.

— Oh ! environ une dizaine de minutes. Il ne faut pas vous étonner, les gens font toujours ça. Ils veulent voir où cela s'est passé et qu'on leur donne tous les détails. Sauf les vieux. Les vieux, non, ils ne demandent pas de détails sur les accidents et autres histoires comme ça... »

David fit un signe de tête ; il se demandait si Annabelle voulait toujours voir William Neumeister... si elle allait persévérer jusqu'à ce qu'elle le rencontre.

« Croyez-vous que je doive lui téléphoner ? demanda-t-il.

— A vous de décider. A votre place, je crois que je le ferais. Vous pourriez peut-être lui dire par téléphone tout ce que vous savez. »

Il se dirigea lentement vers la porte.

« J'ai son numéro au poste de police, continua-t-il, si vous voulez passer le prendre. Sinon, vous demandez Mme Gérald Delaney, à Hartford. Les renseignements vous le donneront.

— Est-ce qu'elle était très bouleversée ?

— Plutôt au bord des larmes, mais elle a tenu bon. Une fille bien, ça se voit. Et avec un bébé de deux mois, en plus !... Bon Dieu !... Je crois qu'elle s'appelle Anna... quelque chose comme Anna... »

Le lundi soir, David se rendit à Hartford. Il était parti à dix-neuf heures quarante-cinq ; il arriva à vingt heures trente, par une petite pluie fort désagréable. Il voulut d'abord sonner à la porte, sans téléphoner, mais il pensa que ce serait mal élevé de sa part s'il ne l'avertissait pas ; il s'arrêta au même café que la fois précédente et fit son numéro sans le vérifier. Annabelle répondit. Il lui dit qu'il était à Hartford.

« Est-ce que je peux vous voir, ma chérie ? Etes-vous libre ?

— Oui... je suis libre. Aviez-vous l'intention de venir chez moi ?... »

Il laissa sa voiture où elle était, traversa la rue en biais, faillit se faire renverser et suivit un trottoir sombre, la figure levée vers la pluie fine, qui soudain était devenue merveilleuse et rafraîchissante. Quelqu'un sortait de la maison au moment où il arriva ; il se précipita et attrapa la porte avant qu'elle se referme. Il monta l'escalier quatre à quatre et frappa.

« David ? demanda Annabelle.

— Oui. »

Il y eut un bruit de verrou. La porte s'ouvrit. Annabelle le regarda, surprise.

« Vous êtes arrivé tellement vite... »

Il la tint contre lui, les lèvres pressées contre sa joue. Elle remuait dans ses bras, mais ce fut seulement lorsqu'elle le repoussa qu'il comprit qu'elle désirait se libérer. Il la laissa aller immédiatement et la dévora alors du regard. Elle était pâle ; ses lèvres étaient incolores ; ses yeux seuls étaient les mêmes, levés tristement vers lui, comme pour lui dire un tas de choses qu'elle ne pouvait formuler, parmi lesquelles il chercha des mots d'amour ; et il les trouva aussitôt ; il trouva aussi du regret, des excuses, de l'espoir et de la tendresse. C'était comme si elle lui disait combien elle avait attendu sa venue, qu'elle avait besoin de lui, qu'elle avait craint qu'il ne vînt pas. Il mit ses mains sur ses épaules et se pencha pour l'embrasser de nouveau.

« Vous avez raccroché si vite, dit-elle en reculant, je n'ai pas pu vous dire que j'attendais quelqu'un.

— Qui ?

— Une amie, Mme Barbier. Elle sera là dans quelques minutes.

— Ah !... Mais nous avons au moins quelques minutes. J'ai tellement à vous dire, Annabelle... N'avez-vous jamais un peu de temps ? »

Il se passa la main sur ses cheveux mouillés.

« Enlevez votre manteau, David », dit-elle plus gentiment.

La figure de David se détendit ; il sourit. Elle alla s'asseoir, un peu crispée, au bord du canapé, les mains sur les genoux. Il s'assit à côté d'elle, pas trop près.

« Je suis navré, dit-il, que vous ayez été si malheureuse. »

Il la regarda et vit ses yeux se remplir de larmes.

« C'est une telle méprise, tout cela. Parfois je n'arrive pas à y croire. Je me dis : Gérald va rentrer... Mais non... Gérald était ici... et maintenant, il n'est plus. »

Elle essuya une larme avec impatience. Tout ce qu'elle disait ne touchait David que très peu et lui paraissait banal. Elle se sentait donc obligée de faire le numéro traditionnel !... Il laissa errer son regard jusqu'à l'appareil de télévision surmonté de la photo de la personne insignifiante, à cheveux gris, puis, soudain, se tourna de nouveau vers Annabelle et lui prit une main, bien que celle-ci se raidît à son contact.

« Je veux que vous veniez avec moi, dit-il dans un grand mouvement. Je vends ma maison, mais j'ai l'intention d'en acheter une autre, une que vous aimerez et que vous m'aurez aidé à choisir... Elle peut se trouver n'importe où... c'est-à-dire presque... J'aimerais entrer à Dickson-Rand, à Troy. Je veux commencer une vie toute nouvelle. Recommençons ensemble, tous les deux. Est-ce que vous...

— Non, interrompit Annabelle. Vraiment, David, êtes-vous venu ici pour me dire des choses raisonnables ou non ? »

Elle agita sa main fermée, puis la posa sur sa cuisse, lentement, comme fatiguée. David vit qu'elle portait une simple alliance en or.

« Je ne voulais pas vous dire tout cela d'un coup, comme ça... Mais nous avons toujours si peu de temps... ou pas de temps du tout... Je regrette, ma chérie. »

Il serra les dents à les faire crisser ; il la voyait presque folle de fatigue et d'angoisse, à cause des soucis dont, précisément, il voulait tant la soulager.

« Je n'ai simplement rien à répondre à une telle explosion. Vous parlez comme si je n'avais pas d'enfant, pas de devoir envers Gérald. »

David s'aperçut tout à coup qu'elle portait une chemise blanche d'homme, avec sa jupe de coton imprimé ; il pensa, avec gêne et répulsion, que c'était probablement une chemise de Gérald.

« Je sais bien, dit-il, qu'il faut du temps pour tout cela...

— Du temps ?... Beaucoup de temps, en effet.

Ma vie est maintenant en lambeaux... Et vous, vous arrivez avec vos projets insensés... Mon premier devoir est envers mon enfant.

— Nous la prendrons avec nous, dit David très vite ; c'est entendu, ma chérie. Je parlais... pour l'avenir. Vous aussi, vous devez y penser, n'est-ce pas ?...

— Au cas où vous l'auriez oublié, c'est un garçon », dit Annabelle en s'essuyant le nez avec un kleenex, sorti de sa poche de chemise.

Un garçon, bien sûr. Quand il lui était arrivé de penser à cet enfant — rarement — il s'était toujours représenté une sorte de Gérald en miniature. Il lui demanda si elle comptait rester dans cet appartement ; elle répondit qu'il lui fallait penser au loyer, qu'il y avait heureusement autour d'elle des gens qui pourraient l'aider, en s'occupant du bébé, car tôt ou tard il lui faudrait trouver du travail.

« Ce ne sera pas nécessaire, ma chérie, j'ai bien assez d'argent.

— Je ne peux l'accepter.

— Pourquoi en ai-je, sinon pour vous ? »

Elle retira de nouveau sa main de celle de David. Un instant il crut qu'elle allait se lever du canapé.

« Où se trouvait votre maison, David ?

— Oh !... A environ une heure de route de Froudsburg.

— A Ballard ?

— Non. Pour ainsi dire dans la direction opposée. Cette jeune fille de la pension a inventé toute cette histoire de Ballard. Elle ne savait pas où était située ma maison.

— Pourquoi ? N'est-elle pas une amie à vous ?

— Je voulais que personne ne soit au courant de l'existence de ma villa, Annabelle. Je voulais la garder pour nous seuls... et j'ai réussi.

— Quelle en était la ville la plus proche ?

— La ville la plus proche ?... Ruarksville... J'étais

à un kilomètre cinq cents plus loin. Largement cent quarante kilomètres de Ballard.

— Vous disiez à tout le monde que vous alliez voir votre mère. Pourquoi ce mensonge ?

— Parce que c'était la solution la plus simple. Je tenais à être chez moi. Je ne voulais pas d'invités. Je n'avais même pas de... »

Il s'arrêta à temps ; il allait révéler qu'il n'avait pas de téléphone.

« C'était une jolie maison... J'ai tellement désiré que vous puissiez la voir... J'avais pris l'habitude de vous imaginer avec moi là-bas ; tout était préparé comme je l'imaginais pour vos goûts. La chambre à coucher, le salon, les tableaux sur les murs... même la façon dont je préparais les repas, dit-il en souriant. Dommage que je n'aie pas de photographies, vous auriez pu voir vous-même. »

Et il regretta sincèrement de ne pas en avoir à lui montrer, jusqu'à ce qu'il se rappelle qu'elle avait vu la maison, de l'extérieur, et se rende compte qu'elle aurait pu la reconnaître.

Elle hocha la tête, les sourcils froncés, le regard ailleurs, loin de lui.

« Connaissez-vous William Neumeister ? lui demanda-t-elle en prononçant le nom à la manière allemande.

— Non.

— Y a-t-il quelqu'un de votre pension qui le connaisse ?

— Non. Pas que je sache. Personne.

— J'aurais bien voulu lui parler. Il était absent quand j'ai été chez lui. Jeudi dernier. Je savais qu'il n'était pas là, mais j'espérais que quelqu'un saurait où le trouver, quelqu'un de la police. J'avais l'intention de lui demander ce qui s'était vraiment passé. »

David haussa les épaules, et son regard fut de nouveau attiré par le visage suffisant, en photo, sur l'appareil de télévision.

« Il l'a dit à la police, ce qui était arrivé, non ?

— Ce que je ne comprends pas, c'est que Gérald soit resté à discuter avec lui... assez longtemps pour en arriver à tirer son revolver !... Cela ne tient pas debout !... Je sais qu'il avait absorbé quelques verres, mais... »

Non, cela ne tenait pas debout, en effet, David y avait déjà réfléchi... mais il fallait maintenant que cela tienne.

« Peut-être a-t-il cru que je me cachais dans la maison... Peut-être avait-il bu davantage que vous ne pensez...

— Le docteur a estimé que ce n'était pas énorme. Il s'était offert quatre verres chez Purdy, mais je doute qu'il se soit arrêté en route pour en boire d'autres.

— Eh bien, voilà !... Quatre verres !... Et vous ne savez pas de quelle taille ils étaient. »

Le désespoir de David commença à prendre le dessus.

« Un accident, Annabelle !... De quelque manière qu'on y regarde !... Il est tombé et a heurté sa tête contre une marche. Ç'aurait pu arriver à n'importe qui, ce jour-là, rien qu'en descendant ce perron.

— Mais c'est l'autre qui l'a poussé. Je désirais parler à ce Neumeister... »

Son visage, sa voix, tout se déformait de nouveau avec la montée des larmes, ces vaines larmes que David avait horreur de voir et qu'il ne pouvait empêcher.

« On ne peut pas reprocher à Neumeister de s'être défendu contre un homme armé d'un revolver. »

Elle releva la tête.

« Mais ce n'est pas par accident qu'il est parti à votre recherche. N'importe qui en aurait fait autant, si un autre avait écrit ce genre de lettres à sa femme. Et je vous avais demandé de vous arrêté, David ; Dieu sait que je ne vous ai pas encouragé !...

— Je sais.

— Et, au contraire, voilà que vous m'envoyez la pire de toutes !... Vous menacez !... Vous allez venir ici et m'enlever !... Enfin, David, quiconque verrait vos lettres dirait que votre place est à l'asile... »

Il se leva d'un bond.

« Ah ! oui ? N'importe laquelle de ces lettres est... Elles sont parfaitement logiques... Et vous le savez très bien... Je vous aime. Pourquoi ne pourrais-je vous l'écrire ?

— Parce que je suis mariée ! lança-t-elle.

— Je n'ai jamais levé la main sur vous ni sur Gérald, et vous parlez comme si j'étais un idiot ou un fou furieux. Si maintenant un homme ne peut même pas plaider sa propre cause par correspondance, dans quel monde allons-nous vivre ?

— On n'écrit pas de lettres de ce genre à une femme mariée. Je n'ai même pas osé en parler à la police, tellement ç'aurait été gênant... »

Il y eut un coup de sonnette.

« Gênant, répéta David, stupéfié.

— Et tout ce que vous trouvez à dire, c'est : « J'avais le droit ». Alors, vous aviez aussi le droit de tuer mon mari ? »

Elle se leva, pâle d'une colère dont David devina qu'elle la croyait juste.

« Le tuer ?... Et puis quoi encore ?...

— C'est à cela que ça revient. »

Elle sortit. David entendit le déclic de la porte du rez-de-chaussée, puis les pas lents d'une femme qui montait.

« Il est inutile que vous restiez plus longtemps, David.

— Que voulez-vous dire ? »

Il s'approcha d'elle ; puis il s'arrêta, sachant qu'elle ne se laisserait pas toucher par lui ; enfin, de désespoir, il la prit par les épaules.

« De tout mon cœur, je vous aime et vous veux heureuse. Autant être mort, moi-même, Annabelle, sans vous. Au moins, entendez-moi jusqu'au bout. »

On gratta à la porte. Annabelle lui jeta un regard furieux, comme si elle était trop en colère pour pouvoir lui répondre quoi que ce fût. David en fut déconcerté.

« J'attendrai en bas aussi longtemps qu'il faudra, dit-il.

— Vous croyez peut-être que je vais vous loger pour la nuit ? »

Elle ouvrit la porte. Une femme d'environ cinquante ans, à cheveux gris, plutôt ronde, entra ; pour David, c'était une de ces femmes ordinaires et ennuyeuses qu'on peut grouper sous l'appellation de « voisines » ou, possiblement, « bonnes voisines ».

« Comment allez-vous ? » répondit-il, avec une petite inclination de tête, aux présentations faites par Annabelle.

Il vit alors s'évanouir le sourire de la femme ; il ne resta soudain que quelques rides autour de la bouche.

« C'est... c'est le même ? demanda-t-elle à Annabelle.

— Oui. Nous avions à parler. Mais David était sur le point de partir.

— Pas du tout, dit David doucement, mais fermement. A moins, évidemment, que je ne sois de trop. »

La femme le dévisagea comme s'il était un objet rare, un phénomène, et sa bouche resta légèrement ouverte ; on aurait dit quelqu'un, dans une foule, pris en photo, regardant passer la fanfare.

« Je crois que nous n'avons pas terminé notre conversation, Annabelle.

— Merci, David, pour toutes vos propositions. Je ne vois pas ce qu'on peut encore avoir à se dire ce soir. »

Les yeux de David se fixèrent bêtement sur les chaussons marron d'Annabelle, ses chevilles fines et nues que, sans la présence de l'autre femme, il aurait sans doute embrassées, à genoux par terre. Il avait un goût de sang dans la bouche, tellement il s'était mordu l'intérieur de la joue. Annabelle le regarda d'une manière hautaine, à croire qu'elle jouait la comédie pour cette voisine de malheur.

« Quand est-ce que je peux vous revoir ?

— David... Je vous en prie...

— Annabelle... qu'est-ce qui vous prend ? » cria-t-il.

Il lui saisit les mains. Elle recula. L'autre femme éclata soudain dans une sorte de glapissement de fureur, lui attrapant maladroitement un bras, qu'il lui retira d'un coup sec. Il était à légère distance d'Annabelle, clignant des yeux, cependant que l'autre femme hurlait et faisait de grands gestes.

« Vous n'avez pas encore causé suffisamment d'ennuis, espèce de... de sale individu !... Un sale individu, voilà ce que vous êtes ! dit-elle en dressant la tête à la manière des gens de grande vertu.

— J'aime cette personne et je me moque du qu'en-dira-t-on ! » hurla-t-il en retour.

Alors la femme se mit à taper du pied, à rejeter la tête en arrière de plus belle et à crier à David d'autres choses qu'il dédaigna d'écouter. Il se retourna vers Annabelle. Celle-ci fit un pas de côté et, en même temps, ouvrit la porte.

« Bonne nuit, David... s'il vous plaît... Je vous en prie ! » dit-elle d'un ton lassé.

Il se contenta de la regarder longuement une dernière fois, souriant, soulagé par la gentillesse qu'il avait sentie dans sa voix.

« Je penserai à vous sans cesse », dit-il.

Et il partit.

Tout le temps qu'il mit pour retourner à sa voiture, il se fit des montagnes de reproches pour avoir perdu son sang-froid. Même l'intervention de cette voisine, bête comme un âne, ne lui donnait aucune excuse. Il aurait dû rester calme, par égard pour Annabelle ; il aurait dû être fort comme une colonne, et à la fois se montrer compatissant, patient... tout ce qu'il n'avait pas été.

Ah ! Seigneur !... tout ce qu'il avait à rattraper !...

27 janvier 1959.

Annabelle chérie,

Le jour se lève alors que je vous écris. Pendant des heures, j'ai marché en tous sens dans la ville. Que ne donnerais-je pour être un poète et pouvoir vous dire quel symbole représente pour moi cette journée naissante ; c'est un nouveau début. Si seulement vous pouviez considérer ainsi notre vie, à tous deux !... Si vous pouviez croire à l'intensité de mon amour !... Je me rends compte que c'est parfaitement égoïste de parler de moi dans les circonstances présentes. Je vous aime pour votre dévouement à Gérald, et je respecte votre peine, simplement parce que c'est la vôtre. Tout ce que je demande aux puissances, de quelque nature qu'elles soient, c'est que votre dévouement et votre amour se portent un jour sur moi. Comment puis-je prendre la mesure de mon amour pour vous ? Il me submerge. Il est étrangement tangible et immatériel à la fois. C'est comme une masse qui pèse en moi. Il est impensable que je puisse vous aimer davantage. Et il est impensable également qu'un être humain puisse aimer comme je vous aime sans espérer être payé de retour. Annabelle, je suis certain qu'un jour vous me comprendrez et me sourirez de nouveau, comme cela vous est arrivé autrefois.

Quant au présent... Eh bien oui, revenons à hier soir : je m'en veux amèrement d'avoir perdu mon sang-froid, d'avoir crié. C'est impardonnable. Moi, qui désirais seulement essuyer vos larmes, vous consoler !... Je ne veux que votre bonheur ; c'est cela qu'il vous faudrait comprendre, et alors je serais le plus heureux des hommes. Mon travail ici ne me plaît pas et ne m'a jamais plu. J'ai l'intention, dans quelques semaines ou dans quelques mois — j'attendrai le temps qu'il faudra — de trouver une situation dans un laboratoire de recherches. Je vous veux avec moi. Je veux acheter une maison de votre choix. Pensez-vous retourner à La Jolla *pendant quelque temps ? Cela vous aiderait peut-être à vous retrouver. Si vous y allez, croyez bien que vous êtes nuit et jour dans mes pensées, toujours. Je vous aimerai aussi longtemps que je vivrai.*

DAVID.

Il sortit sans faire de bruit et glissa sa lettre dans une boîte, à deux rues de là. Il était sept heures du matin. La ville était encore sans couleurs, comme une photographie en noir et blanc. Mais quand il revint, le mur en brique de la maison d'en face virait au rouge sombre, et il pouvait voir un peu de vert dans les haies rabougries. Peut-être sa lettre pourrait-elle effacer tout ce qu'il y avait eu de négatif dans la visite d'hier soir, relever le moral d'Annabelle et tout lui faire voir sous un jour nouveau. Une certaine lettre réussirait, il le savait. Cent, peut-être deux cents lettres seraient nécessaires ; ce ne serait pas leur poids ou l'accumulation de leurs arguments et leur puissance de persuasion qui seraient déterminants, mais peut-être une toute petite phrase, que lui-même n'aurait pas considérée comme importante, et qui ouvrirait les yeux d'Annabelle.

Il sifflait en remontant la petite allée devant la

pension. Jeudi, le lendemain du jour où Annabelle aurait reçu sa lettre, il l'appellerait de l'usine et l'inviterait à déjeuner avec lui, samedi. Il l'emmènerait dans un restaurant, à l'extérieur de la ville. Il serait bon qu'Annabelle voie des arbres, de l'herbe, de grands espaces. La campagne ne serait peut-être pas aussi belle qu'au printemps ou en été, mais, en comparaison de cette rue sordide où elle vivait, elle serait merveilleuse à contempler.

Mme Mac Cartney était dans l'entrée lorsqu'il arriva.

« Je viens juste de frapper à votre porte, David. Effie Brennan vous a téléphoné il y a une minute. Elle vous demande de la rappeler. Elle dit que c'est important.

— Bien. Merci, dit David.

— Vous avez son numéro, n'est-ce pas ?

— Non.

— Il est dans le petit carnet bleu, suspendu à côté du téléphone. » Mme Mac Cartney lui souriait avec, au coin des yeux, cette sorte de curiosité avide que David lui connaissait bien. Il ne voulait pas appeler Effie de la pension. Il attendit que Mme Mac Cartney soit passée au salon pour ressortir. Si Effie était allée à la police de Beck's Brook dire qu'elle avait vu David Kelsey dans la maison de William Neumeister, eh bien, tant pis, pensa-t-il. Ce serait gênant et embarrassant, rien de plus. S'il était obligé d'admettre que c'était lui, David Kelsey, qui avait discuté avec Gérald Delaney et l'avait en fin de compte poussé d'une manière malencontreusement fatale, et puis après ?... Devenait-il pour autant un assassin ? Si, jusqu'à présent, il avait essayé de dissimuler son identité à cause de la situation, n'était-ce pas compréhensible ? Et même, pensa David, en composant le numéro d'Effie, ne lui serait-il pas possible de tout avouer et de se retrouver en meilleure position vis-à-vis d'Annabelle, qu'il ne l'était en ce moment ? Jusqu'alors, il avait toujours refusé l'idée de ces aveux, mais ce matin tout lui paraissait possible.

« Allô ! Effie... David Kelsey à l'appareil.

— David ?... Bonjour, dit-elle, le souffle coupé. Excusez-moi de vous avoir appelé si tôt ce matin. Est-ce que tout va bien ?

— Tout va bien, pourquoi ?

— Je me faisais du souci, dit-elle, un peu haletante.

— A quel sujet ?

— Oh ! au sujet de tout. Où étiez-vous tout à l'heure ?

— Parti poster une lettre. »

Il éprouva le besoin de lui dire qu'il lui devait des excuses, qu'il ne fallait pas lui en vouloir pour son explosion de samedi dernier. Mais l'incident lui parut soudain sans grande importance, de même que le fait qu'Effie soit ou non son ennemie.

« David, je n'aurais pas dû passer vous voir samedi. Je vous demande encore une fois de me pardonner cette liberté.

— Aucune importance, dit-il, troublé par sa voix mal assurée.

— Je veux que vous sachiez que, quoi qu'il advienne, je suis avec vous... à vos côtés... Du moins...

— Du moins, quoi ?

— Je ne m'y retrouve plus... Si seulement je n'avais rien dit à Gérald Delaney... Je veux que vous sachiez, David, que je dirai ce que vous m'avez dit... Et je le croirai aussi... C'est bien ce que vous désirez ?

— Dire à qui ?... Ecoutez, Effie ce que vous dites et à qui vous le dites, cela m'est égal. Il n'y a rien que j'essaie de cacher.

— Non ? Dommage, David. Vous devriez.

— Pourquoi ?

— C'est simplement que j'ai de curieux pressentiments. Une petite pointe de divination, vous savez ? »

David, à ce moment précis, n'avait aucune patience pour les curieux pressentiments.

« J'ai toujours votre portrait, mais je l'ai rangé ; là où il est, on ne peut pas le voir... Vous êtes toujours là, David ?

— Oui.

— Est-ce que je peux vous appeler ce soir ? S'il vous plaît... Il le faut.

— Pourquoi ?

— Dites-moi simplement que je peux. Je vous appelle à dix-huit heures ?

— D'accord, Effie, dit-il pour en finir.

— Merci. Au revoir, David ! »

Il raccrocha et, quelques instants plus tard, il ne pensait plus à Effie Brennan ou à ce qui pouvait la tracasser. Mais, à l'usine, au cours de cette journée, il se demanda à plusieurs reprises si Effie avait raconté à Wes qu'elle était allée à Ballard, samedi dernier, et qu'elle avait trouvé David dans la maison. Il ne vit pas Wes avant seize heures passées, et quelques secondes seulement, à un moment où Wes sortait des toilettes ; David comprit, à son sourire et sa façon de saluer, que rien n'avait changé.

A dix-huit heures exactement, le téléphone sonna dans l'entrée de la pension. Effie voulait le voir, et non lui parler par téléphone. David tenta de remettre cette rencontre au lendemain, de la remettre à tout jamais, non qu'elle lui fît peur, mais une personne haletante, une femme au bord des larmes, c'était assez pour qu'il ait envie de fuir dans la direction opposée.

« C'est important. Juste cette fois. »

Il accepta donc et lui dit qu'il passerait vers vingt heures. Mais elle ne voulait pas qu'il monte à son appartement. Elle proposa un café sur la grand-rue.

« Il y a des boxes », dit-elle.

David arriva un peu en retard. Effie était assise dans un box du fond, derrière une table recouverte de plastique rose, avec un café noir devant elle. Elle eut un petit sourire nerveux quand elle le vit. Il s'assit ; elle parut encore un peu raide et timide, comme si elle devait se méfier de ses coups ou de sa rancune.

« Effie, je regrette de m'être emporté, samedi. »

Elle acquiesça de la tête, comme en état d'hypnose, inconsciente de ses gestes.

« Ce n'est rien. Je l'oublierai. Et aussi d'avoir jamais mis les pieds chez vous, David. C'est bien ce que vous attendez de moi, n'est-ce pas ?

— Je le suppose. »

La servante passa, et il commanda un café.

« J'ai vu Annabelle aujourd'hui, dit Effie.

— Vous... quoi ? »

Il la regarda ; elle fit de nouveau un mouvement de tête ; il ne pouvait en croire ses oreilles.

« Elle est venue ici ? A Froudsburg ?

— Non. Je suis allée à Beck's Brook. La police m'a téléphoné ce matin, à sept heures, et ils sont venus me chercher à l'heure du déjeuner. Ils m'ont encore une fois demandé si je connaissais Newmester ou si je savais où il était. Je crois qu'ils se demandaient même si je connaissais Annabelle, mais ils ont pu constater que non. Annabelle voulait parler à Newmester. C'était la deuxième fois qu'elle venait pour le voir, mais il était introuvable. »

Elle s'arrêta et le regarda, d'un regard à la fois troublé et circonspect.

« Ils ont donné sa description. »

David se croisa les bras sur la poitrine ; son cœur battait à éclater.

« Très bien. Ils l'ont décrit.

— Ils ont dit qu'il mesurait environ 1,78 mètre, qu'il était de carrure moyenne, qu'il avait la trentaine..., et des cheveux noirs. Vos cheveux sont châtains, mais... c'est vous, n'est-ce pas ?

— Oui, dit tranquillement David. Et après ? »

Son corsage rose, à petits plis, se soulevait et descendait à chaque respiration.

« Et après ?... Simplement qu'Annabelle voudrait lui parler. La police aussi veut le trouver, lui ou celui qui s'est servi de ce nom d'emprunt ; car ils ne peuvent rien découvrir, absolument rien sur ce Newmester, journaliste indépendant. Je suis restée fidèle à ma version, David ; j'avais inventé cette maison, à Ballard, et il s'est trouvé qu'elle appartenait à une personne appelée Newmester. De sorte que votre nom n'a même pas été mentionné par la police. Annabelle ne leur en a pas parlé non plus. Je voulais que vous le sachiez, David. »

Elle avait tout dit avec une grande chaleur. David regardait la table. Elle alluma une autre cigarette.

« Plus tard, Annabelle m'a parlé de vous. Je lui ai proposé de prendre un sandwich avec moi. »

David remua, mal à l'aise sur son banc : Annabelle mangeant un sandwich en compagnie d'Effie...

« Et que lui avez-vous dit ? demanda-t-il.

— Rien. Je le jure, rien. Elle sait que je vous connais, bien sûr... et je lui ai dit que... que j'étais amoureuse de vous. Ce qui est vrai, David. Et elle m'a dit que c'était d'elle dont vous aviez toujours été amoureux jusqu'à présent. J'avais cru le deviner tout de suite en la voyant ; alors je lui ai posé la question, et elle l'a reconnu. »

La voix d'Effie avait tellement baissé que David devait faire un effort pour l'entendre, mais il l'avait entendue.

« Cela ne regarde personne d'autre que moi.

— Vraiment ? Je suis heureuse de l'apprendre, dit-elle d'une voix tremblante. Elle a l'air d'une personne merveilleuse, David... et maintenant, elle est libre.

— Je n'éprouve aucunement le besoin de parler d'elle avec vous.

— Pourquoi êtes-vous en colère ?... Moi, je sais pourquoi. Vous ne l'aurez jamais, David, dit-elle en secouant la tête. Jamais.

— Que lui avez-vous raconté ?

— Rien..., sauf que je vous aime. »

Cela l'irritait à l'extrême.

« Pourquoi dites-vous que je ne l'aurai jamais ? »

Elle se pencha vers lui, les yeux écarquillés.

« Une femme ne se décide pas brusquement à épouser l'homme qui, pense-t-elle, a tué son mari, n'est-ce pas ? Et un homme qu'en outre elle n'a jamais aimé ? »

Et voilà. C'était tout dit ; c'était vilain, c'était cru et cela sortait de cette petite tête de secrétaire de magasin.

« Ce n'est pas vrai !

— Elle m'a dit que ce n'aurait pas été pour vos lettres, son mari ne serait pas mort. C'est ce qu'elle a dit. Elle ne croit pas que c'est vous qui l'avez poussé ; je ne prétends pas ça... L'avez-vous seulement poussé, David..., ou avez-vous vraiment fait exprès de... ?

— Je l'ai frappé d'un coup de poing et il est tombé. »

David se sentait faiblir. Il appuya sa tête contre une main.

« Qu'est-ce que vous allez faire ? » demanda-t-elle, les larmes aux yeux. Il releva la tête.

« Fermez-la ! »

Il parlait bas, mais il s'était penché vers elle et frappait doucement la table de son poing.

« Taisez-vous au sujet d'Annabelle, c'est tout.

— Vous ne voulez pas entendre la vérité. Je comprends. Mais vous ne pouvez pas continuer comme ça, David.

— Ah !... Je ne peux pas ?... dit-il, considérant les paroles d'Effie comme une sorte de provocation à sa persévérance et à son caractère.

— Non. Vous finirez par en devenir fou.

— J'ai suffisamment entendu parler de folie dernièrement, je ne veux pas en entendre parler par vous.

— C'est bon. Vous en avez assez. On ne peut rien

vous dire. Mais qu'est-ce que vous ferez quand la police annoncera à Annabelle qu'il n'existe absolument personne du nom de Newmester ? Vous ne croyez pas qu'ils en arriveront tôt ou tard à cette conclusion ? Et, pour en finir avec leur enquête, ils pourraient vouloir rencontrer David Kelsey.

— Pourquoi ? demanda David plus doucement. Pendant combien de temps croyez-vous que peut durer leur enquête sur cet accident ?

— Etait-ce un accident ?

— Oui.

— En tout cas, Annabelle veut voir celui qui a poussé son mari. Elle mettra la main dessus un jour ou l'autre. Pas grâce à moi, mais de quelque manière. »

Les larmes rendaient à présent les yeux d'Effie vitreux. Le poing de David était encore sur la table, crispé.

« Vous pourriez naturellement laisser tomber quelques allusions de temps en temps, à mots couverts, et ce ne serait toujours pas grâce à vous, n'est-ce pas ?

— Ne soyez pas aigre. Jamais je ne ferais cela. Jamais.

— Allez-y. Je suis en état de le supporter. Annabelle aussi. Elle et moi, nous sommes en état de le supporter. Essayez, si vous ne me croyez pas... Et en supposant que je les prenne de vitesse ? Peut-être irai-je le leur dire moi-même, aux policiers ; je leur donnerai une description détaillée de ce qui est arrivé ce jour-là, coup par coup. En fait, je la leur ai déjà donnée. Ils savent parfaitement bien que c'était un accident. Mais je peux aussi leur dire que c'est David Kelsey qui a frappé.

— A supposer qu'ils ne croient pas à la version de l'accident ? Ils pourraient dire que vous aviez un mobile pour le tuer.

— Gérald pointait son revolver sur moi.

— Ils pourraient quand même dire que vous aviez un mobile. »

Il ne daigna pas lui répondre et la regarda avec une haine aveugle. Elle essayait de le prendre au piège, de le faire chanter, de lui mettre le grappin dessus en lui faisant peur et en lui promettant le secret.

Elle ne cessait de le fixer de ses yeux écarquillés ; elle semblait faire son choix, entre mille mots, avant de se décider pour le plus fort.

« Vous dites que vous aimez Annabelle. Elle aimait Gérald. Il me semble que vous... non seulement vous vous efforcez de l'oublier, mais vous ne lui accordez même pas la moindre... la moindre sympathie maintenant qu'elle en a justement le plus besoin. Non qu'elle en accepterait, venant de vous, David.

— Voulez-vous simplement ne plus en parler ? » dit-il doucement.

Il parlait vite et s'assit au bord de la banquette, prêt à partir.

« C'est tout ce que vous trouvez à dire... C'est... c'est comme cette maison où vous habitiez, caché sous un autre nom. Vous essayez tout le temps d'échapper à la réalité.

— Tout cela, c'est du jargon, un jargon pseudo-scientifique. »

David posa vingt-cinq *cents* sur la table, cogna sa tasse en se levant et renversa du café dans la soucoupe.

« Où allez-vous ?

— Je vais à la police de Beck's Brook, dit-il. Si vous voulez bien m'excuser.

— David... »

Il ne regarda pas en arrière et marcha rapidement vers la pension, près de laquelle il avait garé sa voiture. Mais il n'avait pas parcouru la distance d'un pâté de maisons qu'il se rendit compte qu'il n'aurait jamais le cran de dire aux agents que William Neumeister était David Kelsey. Ce n'était pas à cause des questions auxquelles il faudrait répondre ni par peur qu'Annabelle ne puisse admettre, en fin de compte, la version de l'accident ; c'était qu'il ne voulait pas trahir William Neumeister, cette moitié de lui-même qui n'avait jamais échoué en rien, qui avait vécu avec Annabelle dans la jolie villa, près de Ballard, celui dont l'existence avait rendu possible, pendant près de deux ans, l'autre existence, celle du lundi au vendredi, celle de David Kelsey. Encore une chance qu'il ait porté un chapeau cet après-midi-là ; ils n'avaient pas vu que ses cheveux étaient châtains. Et ils s'étaient trompés d'environ sept ou huit centimètres dans l'évaluation de sa taille. La peur l'avait-elle tassé sur lui-même ?

La police ne mettrait pas la main sur Neumeister ce soir, et peut-être aucun soir. Il est très difficile de se saisir de quelqu'un qui n'existe pas. En y pensant, David se mit à rire tout seul. Brusquement, il fit demi-tour et retourna vers le café. Effie en sortait.

« Je ne vais rien dire à la police, dit-il.

— Je pensais bien que vous ne diriez rien. Qu'est-ce que vous allez faire ?

— M'en remettre à la chance. »

Jeudi matin, il appela Annabelle. Elle était sortie. Personne ne répondit avant quatre heures de l'après-midi, et ce ne fut même pas la voix d'Annabelle, mais une curieuse voix de femme, que David soupçonna être celle de la vieille sorcière qui avait tiré si frénétiquement sur sa manche ; il ne révéla pas son nom et demanda seulement si Annabelle serait rentrée pour dix-huit, dix-neuf ou vingt heures. La femme pensa qu'elle serait rentrée pour dix-huit heures.

Du café un peu triste qui se trouvait entre la pension et la grand-rue, David téléphona à dix-huit heures précises.

« Oui, dit Annabelle, de sa voix calme ; j'aimerais beaucoup vous voir, samedi, David.

— J'arriverai dans les environs de midi. Ou préférez-vous que j'arrive plus tôt ?

— Midi sera parfait. »

Midi est parfait, l'heure de la félicité... Midi, l'heure à laquelle tout repart à nouveau. Il se cogna à l'arbre incliné, en revenant, bien qu'il ne fasse pas encore très sombre, à cet arbre qu'il avait si souvent évité et que, pendant ses promenades nocturnes, il ne manquait que de peu. Il se fit très mal au front, mais cela lui parut un bon présage, le signe d'un grand changement, simplement de s'être cogné à cet arbre, alors qu'il l'avait évité pendant deux ans. Il fit un brin de conversation avec MM. Harris et Muldaven, à dîner, ce soir-là, et il alla même jusqu'à leur raconter deux plaisanteries du cru le plus récent de Wes Carmichaël.

SAMEDI, il trouva dans l'appartement une toute jeune fille qui allait, lui dit Annabelle, garder le bébé. Celui-ci était installé dans une sorte de parc, au salon, calé contre un oreiller, suçant la tétine d'un biberon qu'il laissait constamment glisser et qu'Annabelle, patiemment, lui remettait dans la bouche. Elle se déplaçait en douceur, sans se presser, et David, son manteau sur le bras, debout au milieu de la pièce, ne la quittait pas des yeux pendant ses allées et venues. Elle s'arrêta à la porte de la chambre.

« David, peut-être aimeriez-vous boire quelque chose avant que nous partions ? Il y a du bourbon.

— Non, merci », dit-il en souriant.

Elle semblait de bonne humeur, presque semblable au souvenir qu'il avait d'elle aux meilleurs jours de *La Jolla*. Elle portait même une robe avec des petits rubans au bout de ses manches courtes, comme celle dans laquelle il l'avait vue pour la première fois. Il se sentit très optimiste en ce qui concernait l'après-midi.

« Vous ne voulez pas vous asseoir ? J'ai encore une ou deux choses à faire. Je regrette de nous mettre ainsi en retard, mais vous êtes arrivé si tôt... »

Elle allongea les derniers mots, comme elle le faisait à *La Jolla*, quand elle était heureuse. Elle disparut, reparut, se pencha au-dessus du parc, caressa le bébé, et, lorsqu'elle prit son manteau vert sur le fauteuil, David se précipita pour le lui tenir, faisant maladroitement tomber le sien par terre et le laissant là jusqu'à ce qu'il ait fini d'aider Annabelle.

« Quel est votre restaurant préféré, à la campagne, aux alentours ? demanda David en l'emmenant vers la voiture.

— Vous n'allez pas me croire, mais je ne connais aucun restaurant à la campagne. »

David en connaissait quatre. Il avait consulté des cartes touristiques, et même un vieux guide trouvé sur un rayon de la salle à manger de la pension. Mais le plus prometteur était celui dont il avait lu la publicité dans un journal de Hartford, acheté le matin même : « *Auberge du roi George*, vieille piste postale, par la route 21 A ; fondée en 1889. Vins et alcools. Ambiance reposante. Cuisine raffinée et vue sur la... » une rivière dont il avait oublié le nom.

« J'ai démissionné.

— Ah ! oui ? Quand ?

— Je les ai prévenus il y a huit jours. J'y suis tout de même encore pour trois semaines. Le 20 février, c'est le départ.

— Et alors, qu'est-ce que vous ferez ?

— J'essaie d'entrer chez Dickson-Rand, à Troy. Je leur ai écrit. Dans quelques jours ils devraient me convoquer. »

Lorsqu'ils furent sortis de la ville, il se mit à regarder les maisons. Il souhaitait en découvrir une, d'un certain genre, un peu isolée, confortable, et de préférence en pierre. Il dirait : « Que pensez-vous d'une maison comme celle-là ? »

« Cela ne vous fait pas peur de quitter votre travail avant d'en avoir trouvé un autre ?

— Pas le moins du monde. De toute façon, je n'aurais pu rester plus longtemps, même en me forçant. Si j'entre chez Dickson-Rand, je gagnerai un peu moins d'argent, sauf si je trouve à faire en marge un travail de chimiste-conseil. Mais l'argent n'est pas tout... Ne parlons plus de cela. C'est un autre parfum que vous mettez. Vous n'employez plus Kashmir ?

— Kashmir ? Vous vous en souvenez encore ?

— J'aurais pu vous en apporter, dit-il en se faisant à lui-même d'amers reproches. J'ai acheté une bouteille il y a un an..., puis, je l'ai jetée. »

Il lui lança un regard gêné, comme un petit garçon qui confesse quelque méfait, et cependant il ne désirait rien tant que de laisser éclater tout le lyrisme qui entourait cette bouteille de Kashmir. Annabelle semblait réfléchir à ses derniers mots, mais elle ne dit rien. Le silence devint pénible, gênant, obsédant ; David en arriva à serrer le volant de toutes ses forces. Puis il arrêta la voiture au bord de la route. Quelque chose s'agitait dans sa poitrine, lui brûlait les yeux, comme si des larmes allaient monter.

« Annabelle, excusez-moi aujourd'hui, si je dis quoi que ce soit de travers. Je veux que ce soit une journée merveilleuse ; je veux que vous en soyez heureuse. S'il vous plaît ? Pardonnez-moi ? »

Elle le regarda presque avec inquiétude.

« Vous n'avez rien dit de travers. Ne nous arrêtons pas, David. »

Il désirait trouver d'autres mots, lui prendre la main et l'embrasser, et il restait à la regarder fixement serrant toujours le volant très fort. Puis, le visage sombre, il se retourna face à la route et appuya sur l'accélérateur.

Le restaurant n'était pas aussi attrayant qu'il l'avait espéré, mais...

« Je trouve cela magnifique, dit Annabelle, et je ne savais même pas que cela existait. »

David choisit le menu avec beaucoup d'attention, demanda au maître d'hôtel s'il recommandait la sole ou le bœuf bourguignon — la sole, lui fut-il répondu — et opta pour un Beaune 1949, dont il savait par hasard qu'il était excellent. Il désirait commencer par un consommé, mais Annabelle avait envie d'un cocktail de crevettes.

« Des crevettes ? », dit-il stupéfait.

Il se rendit compte aussitôt qu'il avait tout simplement inventé qu'elle ne les aimait pas.

« Je veux dire... étant donné que vous allez manger une sole...

— Je ne savais pas que vous étiez devenu un tel gourmet, dit Annabelle en riant.

— Est-ce que vous aimez aussi les aubergines ?

— Comme ci, comme ça... Vous vouliez en manger ?

— Non, dit-il en souriant. Je désire seulement savoir ce que vous aimez. Dites-moi ce que vous n'aimez pas.

— Peu de chose... Les rognons, peut-être... Oh ! et le ris de veau.

— Je connais un plat de bœuf et rognons mélangés, je crois que vous sauriez l'apprécier. Je me le suis déjà préparé à deux ou trois reprises.

— Ah !... Vous savez cuisiner aussi ? Dans votre maison, vous faisiez la cuisine ?

— Oui, bien sûr. »

Le garçon versa un peu de vin blanc dans le verre de David pour qu'il l'approuve, et David, l'ayant goûté, fit signe qu'il était d'accord.

Les yeux gris-bleu d'Annabelle étaient fixés sur les siens. Ils avaient la douceur d'une fumée légère ou de certains nuages ; ils étaient tels que David les avait toujours imaginés, tels qu'ils étaient sur la plus grande de ses photographies, celle qu'il préférait. David puisa dans ce regard un étrange renouveau d'énergie.

« Voyez-vous Effie très souvent ? » demanda-t-elle.

Le charme fut rompu.

« Presque jamais, répondit David en baissant le regard jusqu'à l'alliance d'Annabelle.

— Elle m'a dit qu'elle était amoureuse de vous.

— C'est ce que j'ai appris. »

Il but un peu, à petites gorgées.

« Je pense, poursuivit Annabelle, que vous ne vous conduisez pas très aimablement avec elle.

— Et pourquoi le devrais-je ? Je ne suis pas méchant ; je ne la vois pas, c'est tout.

— C'est une gentille fille. Il ne devrait pas vous être très difficile de vous mettre à sa place : voilà quelqu'un qui vous aime, et vous ne lui accordez pas seulement le temps de vous « faire du gringue. »

Cette expression argotique l'agaça ; le sujet même de la conversation l'agaçait.

« C'est une fille tout ce qu'il y a d'ordinaire. Qu'elle se trouve quelqu'un de son espèce !... Vous imaginez-vous par hasard qu'elle pourrait m'intéresser ?

— Inutile de vous mettre en colère. J'ai seulement dit qu'elle etait gentille. »

Pendant que le garçon leur servait le premier plat, David regarda Annabelle sans rien dire, dans un silence désespéré. Puis :

« Cela vous dérangerait-il que nous parlions d'autre chose ? De n'importe quoi d'autre ?

— D'accord. Mais voulez-vous répondre à une question ?

— Certainement.

— Est-il exact qu'Effie ne connaissait pas William Neumeister ?

— Autant que je sache, elle ne le connaissait pas.

— C'est donc tout à fait par hasard, à votre avis, qu'elle a dit à Gérald de se rendre à sa maison ?

— Je ne connais aucun de ses amis, dit David avec un peu d'impatience. Si elle a dit que c'était un hasard, je suis sûr que c'était vrai.

— Je me demandais si, peut-être, elle ne cherchait pas à protéger Neumeister, pour une raison ou pour une autre, dit Annabelle, piquant sa première crevette et la trempant dans la sauce rouge.

— Je ne pense pas. Je crois que c'est une fille très honnête. »

Il parlait avec difficulté, aussi troublé par l'air détaché avec lequel Annabelle mangeait sa crevette que par tout le reste.

« Me dites-vous la vérité, David ?

— Oui ! dit-il avec véhémence. Et je vous ai déjà affirmé que je ne connais pas Neumeister, moi non plus. »

Il y eut un silence pendant lequel David essaya de boire son consommé qui manquait totalement d'intérêt.

« Ne trouvez-vous pas curieux qu'ils ne puissent mettre la main sur lui ? On pourrait croire qu'il se cache. Je ne peux m'empêcher de penser qu'il y a un rapport étroit, quel qu'il soit, entre Effie et lui..., ou même entre Gérald et lui.

— Avez-vous jamais entendu Gérald prononcer son nom ?

— Non, jamais. Je suis certaine que je m'en souviendrais.

— Est-ce que Gérald devait de l'argent à quelqu'un ?

— Seulement un peu... à une banque. »

David sentit dans sa voix l'orgueil blessé et le dépit.

« Vous me demandiez pourquoi Neumeister évitait la police. D'abord je n'ai rien vu dans les journaux signalant qu'il soit recherché. Il est possible qu'il soit en voyage et ne puisse être contacté. Quant à se cacher !... Du moins a-t-il eu le cran d'emporter le corps de Gérald jusqu'au poste de Beck's Brook... Si quelqu'un vous met un revolver sous le nez, je pense qu'on a le droit de recourir à n'importe quel moyen de défense, non ? Surtout si on est soi-même sans arme ?

— Gérald n'était pas un méchant homme. Pourquoi prenez-vous le parti de Neumeister ?

— Je ne prends le parti de personne. Je me suis seulement permis de vous rappeler que Gérald avait une arme et qu'en outre il était hors de lui. Que voulez-vous qu'on fasse dans un cas comme ça ? »

Il s'aperçut soudain de son ton agressif et le regretta aussitôt. Il pensa à cet instant où il avait donné un coup de poing dans la poitrine de Gérald, et aussi, comment, déjà raidi par la mort et le froid, installé sur la banquette avant de la voiture, son corps avait penché vers la droite. La bouche de David se crispa légèrement et il prit une cigarette.

« Depuis quand fumez-vous ?

— Cela m'arrive parfois... En général, en week-end. »

Sa figure se détendit.

« Je regrette, dit-il, d'avoir paru tellement...

— Vous regrettez toujours... après. »

Dès qu'il s'agissait de le défendre, ce bon à rien qui offensait la vue, elle sortait aussitôt ses griffes. Gérald était comme une barrière entre elle et lui, un obstacle, grassouillet, comique, qu'il aurait pulvérisé d'une petite phrase cinglante si Annabelle n'avait été obsédée de loyauté. Elle était comme la jeune fille du *Songe d'une nuit d'été,* qui tomba amoureuse de l'âne.

« Vous choisissez de curieux moments pour sourire », dit Annabelle.

Il effaça son sourire.

« Ma chérie, je regrette.

— Voilà qui nous avance bien, n'est-ce pas ? Je suppose que vous regrettez aussi que Gérald ait essayé de vous trouver pour vous parler...

— Me parler ? Avec un revolver ?

— Il n'en est pas moins vrai que si vous n'aviez pas écrit ces lettres, tout cela ne serait pas arrivé. Rien de tout cela. »

Sa voix était pleine de larmes.

« Gérald serait ici, maintenant », ajouta-t-elle.

« Quelle affreuse perspective ! » pensa David.

« Je regrette que mes lettres aient abouti à ce résultat.

— Vous ne regrettez rien, vous me l'avez dit ; alors, ne prétendez pas maintenant que vous avez des remords !... D'une certaine manière, David... vous êtes vraiment sans cœur. Vous ne vivez apparemment qu'en imagination, et vous ne savez rien, rien du tout des autres gens, de tous ceux qui vivent autour de vous. »

Chez David, ces mots ranimaient des échos terriblement familiers ; peut-être sa tante l'en avait-elle assommé, peut-être même Wes. Il en était dérouté, en colère et à la fois honteux de l'être.

« Ce n'est pas tout à fait vrai, dit-il doucement.

— Je sais que c'est vrai ; il n'y a qu'à vous entendre parler de votre maison, de la façon dont vous prétendiez que j'y étais avec vous, et tout ça... »

Elle s'arrêta dans une sorte de sursaut, qui poussa David à la regarder.

« Je suppose que c'est normal, ça ? D'installer une villa pour la montrer à une femme qui est déjà mariée à quelqu'un d'autre ?

— Annabelle, si j'ai inventé toutes sortes de choses, à notre sujet..., c'était simplement afin de survivre. Je ne croyais évidemment pas à la réalité de mes imaginations, ni que vous viviez avec moi dans cette maison. Certains se réfugient dans la boisson, d'autres dans je ne sais quoi... Pour moi, c'était ça, la fuite. »

Elle le regardait fixement, et il lut sur son visage qu'elle ne le comprenait toujours pas. Aussi absurde que cela paraisse, elle semblait un peu effrayée. Quant à lui, assis au bord de sa chaise, tendu, il se surprit lui-même, contrairement à son habitude, à s'efforcer d'imprimer dans sa mémoire, afin de les emporter avec lui, les courbes les plus fines de son visage sur toute sa longueur, de la tempe au menton.

« Je ne suis pas en train de vous couvrir de reproches, David, dit-elle à sa manière un peu lente et sérieuse. Je pense à vous ; je veux vous voir heureux et menant une vie normale. »

Il émit un vague bruit.

« Je vous aime, et c'est cela qui me rend heureux.

— Comment est-ce possible ?... Encore votre imagination !... Et maintenant, voici une jeune fille parfaitement adorable, cette Effie Brennan, qui vous aime de tout son cœur, et vous ne pouvez pas la voir !... Pourquoi ne pas essayer ?

— Mais je n'en veux pas !...

— Je vous en prie, faites un essai. Pour moi, David. C'est moi qui vous le demande.

— C'est à croire que vous ne me comprenez absolument pas. »

Il se passa la main sur le front, vit son regard déconcerté, presque fâché, et sut que son propre regard devait refléter la même expression.

« Annabelle, ça ne peut pas continuer comme ça », dit-il.

David se mit alors à parler, et il pensait sincèrement tout ce qu'il disait.

« Je ne peux pas le supporter. Lorsque je suis avec vous, vous ne pouvez savoir comme je suis détendu, et quand vous ne me comprenez pas ou me demandez de faire quelque chose d'impossible, vous n'imaginez pas quelle torture cela représente pour moi. »

Il était incapable de s'arrêter ; elle essaya vainement de placer un mot de temps à autre. Il pensait que ce qu'il disait et sa façon de s'exprimer ne pouvaient sembler trop affreux ou trop bizarres, puisqu'il parlait sur un ton très bas. Le garçon le regardait ? Au diable, le garçon ! Peut-être ses phrases n'étaient-elles pas grammaticalement bien construites, mais les mots étaient tous là, tous les mots susceptibles de lui expliquer ce qu'elle représentait pour lui. Puis, comme elle avait répété plusieurs fois la même phrase, il s'arrêta.

« Mon travail ? Qu'est-ce qu'il a mon travail ?

— Je ne sais pas. J'ai dit « peut-être » ; peut-être êtes-vous surmené ?

— Je suis « sous-mené ». J'aimerais un peu plus de tension... Vous ne goûtez pas le vin ? »

Elle prit son verre. Il sourit, prit le sien et le leva.

« J'ai bien fait ce geste avec vous, mille fois au moins..., avant. »

Elle but, mais ne sourit pas.

Il essaya de se rappeler ce qu'elle lui avait dit, quelque chose au sujet des ennuis supplémentaires dont il s'accablait.

« Je n'ai aucun ennui, dit-il. Rien ne pourrait m'inquiéter sérieusement... sauf si vous me disiez que vous ne tenez pas à me revoir ou quelque chose de ce genre. Je crois que j'en mourrais.

— Je ne vous dirais pas cela, David » murmura-t-elle doucement en baissant les yeux vers la table.

Du coup, il sourit de nouveau. De sa main gauche, il serra la petite boîte carrée, dans sa poche de veste, qui contenait la broche en brillants qu'Annabelle lui avait renvoyée. Au bon moment, il la lui offrirait pour la seconde fois. Et il n'y aurait pas de Gérald aux alentours pour la lui faire refuser.

Elle dit qu'il lui fallait absolument être de retour à la maison pour quinze heures quinze. Il était quinze heures douze quand David tourna dans sa rue.

« Annabelle, dit-il, tout heureux, voulez-vous m'épouser ? »

Elle rit comme si elle était surprise.

« Vous ne pouvez prétexter, ajouta-t-il, que ma proposition soit inattendue.

— Oh ! David, je ne sais vraiment pas ce que je vais faire de ma vie.

— Attaquons-nous à ce problème ensemble. Quand est-ce que je peux vous revoir ? Il m'est possible d'être ici à temps pour dîner, n'importe quel soir, vous savez. »

Il pressa la petite boîte entre ses doigts, à travers son manteau ; il était prêt à la sortir d'une minute à l'autre.

« Je ne sais pas. »

Et soudain Annabelle parut légèrement angoissée ; sa main chercha la poignée de la portière.

« Eh bien, réfléchissez. Lundi ? Mardi ? Demain ? C'est dimanche, demain.

— Je pars pour *La Jolla.*

— Quand ? Combien de temps y resterez-vous ?

— Je ne sais pas. J'avais l'intention de partir mardi. »

Elle ouvrit la portière et descendit. Il sortit de son côté et vint se tenir devant elle, sur le trottoir.

« Vous m'écrirez, n'est-ce pas ? Vous me direz combien de temps vous comptez rester là-bas ? »

Si cette absence devait se prolonger, il pourrait l'y rejoindre, pensa-t-il.

« Bien sûr, David. »

Elle le remercia pour le déjeuner avec des formules qu'il détestait entendre et auxquelles il ne répondit que par un sourire.

« Je vous appellerai demain, dit-il. Vous ne m'avez toujours pas dit quand je peux vous revoir.

— Il ne me reste plus beaucoup de temps, David, si je pars mardi. Je partirai même peut-être lundi.

— Disons que nous dînons ensemble demain soir.

— Ce n'est vraiment pas possible ; j'ai encore tant de choses à faire ici... Au revoir, David ! »

Il la regarda courir le long de la petite allée qui menait à la maison. Il pensa au paquet, dans sa poche, dont il avait refait l'emballage et récrit la carte ; mais il se dit qu'il était trop tard, qu'elle n'aurait le temps ni de l'accepter ni même de le glisser dans sa poche avant de monter l'escalier en courant.

Mais cela n'empêcha pas David de siffler en revenant à sa voiture, de se sentir merveilleusement riche, avant même d'avoir commencé à revivre les trois heures et quart passées avec elle et à les redécouvrir. Quand Annabelle et lui se séparaient, il était toujours un peu comme assommé sur le moment, et, pendant quelques minutes, il conservait le sentiment qu'elle était encore là. Puis il lui arrivait de parler à quelqu'un ou de s'occuper d'un détail pratique, et l'impression de présence à ses côtés s'évanouissait alors peu à peu.

Il lui téléphona le dimanche. Elle partait pour *La Jolla* le lendemain, pour un temps indéterminé ; un ami allait s'occuper de sous-louer son appartement pour elle. Elle semblait pressée, et il ne voulut pas la distraire, à ce moment de ses occupations en lui annonçant qu'il pourrait peut-être se rendre, lui aussi, à *La Jolla,* dès que ses dernières trois semaines à Cheswick seraient terminées.

Il fallait que David montre le fonctionnement de l'usine à son remplaçant ; c'était un homme brillant mais simple : il avait une femme et trois enfants ; il n'avait qu'un objectif : la paie. Le travail était fait sur mesure pour lui, pensa David.

Le lundi, il reçut une réponse de Dickson-Rand. Son offre les intéressait, et ils le convoquaient pour une entrevue, dans cinq jours.

NEUF jours plus tard, David reçut une lettre de sa tante, Edie, lui annonçant qu'Annabelle n'était pas à *La Jolla* et que ses parents ignoraient même qu'elle eût l'intention d'y venir. Il s'effondra sur son lit ; pendant quelques secondes, un voile d'incrédulité le protégea : c'était probablement par méchanceté que la mère d'Annabelle ou l'un de ses frères avait répondu qu'elle n'était pas là. Il se releva, encore mal à l'aise, comme s'il avait reçu un coup au creux de l'estomac. Puis il pensa à toutes ces journées au cours desquelles il aurait pu lui parler, peut-être même la voir, si vraiment elle était restée à Hartford, alors qu'il la croyait à cinq mille kilomètres. L'idée soudaine de l'appeler à Hartford lui coupa les jambes ; si elle était chez elle, c'est donc qu'elle avait essayé de l'éviter. Il pensa aux trois lettres qu'il avait écrites et envoyées à *La Jolla ;* il se demanda si quelqu'un de la famille les avait ouvertes ou si l'on avait été assez correct pour les envoyer à Hartford.

Il mit son manteau et descendit. Mme Mac Cartney, traversant l'entrée en direction de la salle à manger, lui fit un petit signe de tête avec une crispation des lèvres en guise de sourire. M. Muldaven, ouvrant la porte de sa chambre, qui donnait à droite dans l'entrée, resta courbé sur sa clef et ne dit rien. Qu'ils aillent tous au diable ! pensa David ; encore neuf jours et il serait parti. C'est que, deux jours plus tôt, la police de Beck's Brook avait laissé tomber une petite bombe sur la pension : ils avaient téléphoné à Mme Mac Cartney pour lui demander si David Kelsey vivait toujours chez elle et, peu satisfaits que cela leur soit confirmé, ils avaient eu avec la directrice un brin de conversation. Ils lui avaient appris que la mère de David Kelsey était morte quatorze ans plus tôt et qu'ils tenaient ce renseignement d'une ancienne amie de David, originaire de la même ville que lui, en Californie. Ils n'avaient cependant pas mentionné son nom. Mme Mac Cartney avait avalé, régurgité et s'était mise à ruminer tout cela ; elle avait cependant déclaré à David qu'elle considérait que ce n'était qu'un mensonge absurde. Elle leur avait répondu que sa mère était bel et bien vivante et que David allait la voir, à chaque week-end, depuis deux ans qu'il habitait sous son toit, mais ils ne l'avaient pas crue. David l'avait écoutée, dans l'entrée, avait fait semblant d'être aussi déconcerté qu'elle par les paroles de l'agent, et s'était échappé dès qu'il l'avait pu pour se réfugier dans sa chambre et reprendre possession de soi. Après tout, Mme Mac Cartney n'avait pas dit que la police allait rappeler ou qu'ils voulaient le voir. Dans la pension, il resterait donc fidèle à sa version de la mère malade. Et puis, au moment où il s'apprêtait, ce soir-là, à descendre dîner, il avait entendu les petits coups rapides et légers de Mme Mac Cartney à sa porte. Il avait aussitôt pensé : « Elle vient m'annoncer qu'en fait la police désire me voir. » Et c'est alors que ses nerfs avaient flanché.

« Ils m'ont dit : « S'il a encore sa mère, où est-« elle ? » Et je n'ai pas pu leur répondre, car je crois bien que vous ne m'avez jamais donné son adresse, avait glissé Mme Mac Cartney, les yeux rivés sur ceux de David. Ils ont dit ça, parce qu'elle n'est pas à la maison de Newburg ; ou, en tout cas, si elle y est sous un autre nom, vous, personne ne vous connaît là-bas. »

Alors David avait compris que, même si sa vie en avait dépendu, il n'aurait pu continuer à mentir. Il ne lui vint à l'esprit aucune maison de repos ; il ne put imaginer aucune maladie dont aurait pu souffrir sa mère ; alors il avoua qu'elle était vraiment morte. Un quart de seconde, il envisagea de faire passer cette nouvelle pour un aveu fort banal, mais deux secondes plus tard, il transpirait et se crispait comme un criminel. Il avoua aussi qu'il passait ses week-ends à New York, tout simplement afin de s'évader de Froudsburg et se trouver seul deux jours par semaine. Il ajouta qu'il avait inventé cette histoire afin d'éviter toutes obligations mondaines, qu'avec le temps il n'avait plus su comment s'en sortir, et qu'il s'était vu, au contraire, dans l'obligation d'enjoliver de plus en plus. Il regrettait beaucoup. Mme Mac Cartney avait approuvé, souri avec compréhension, avait fait demi-tour, la tête un peu plus haut dressée que d'habitude et, tel un fier navire, était sortie de la chambre, toutes voiles dehors, avec son éventuelle cargaison de linge sale. Alors, une fois de plus, David s'était dominé, était sorti et, du café habituel, avait donné un coup de téléphone à la police de Beck's Brook. Tranquillement, calmement, il leur avait raconté la même histoire qu'à Mme Mac Cartney ; les mots venant tout seuls, sans hésitation ni arrêt, il les avait priés d'excuser une confession aussi différente de celle qu'il avait faite précédemment ; mais, avait-il ajouté, il n'avait pas cru que cela avait une grande importance. A New York, il leur dit être resté tantôt chez des amis, tantôt dans un hôtel, et que parfois il ne passait qu'une journée, son seul but étant de s'évader de Froudsburg qu'il n'aimait pas. C'est au sergent Terry qu'il avait parlé, et il semblait même l'avoir amusé avec l'histoire, inventée de toutes pièces, de sa mère malade.

« Dès lors que tout cela n'est pas pour vous permettre d'être bigame, monsieur Kelsey...

— Je n'ai même jamais été marié.

— Vous étiez à New York, le jour où Delaney est mort ?

— Oui, sergent.

— Où étiez-vous descendu ?

— Je n'ai pas passé la nuit. J'ai été à un musée et au cinéma, puis je suis rentré à Froudsburg.

— Personne ne vous accompagnait ? Vous n'avez rencontré personne de connaissance, à New York ?

— Non. J'étais seul.

— Hum...mm... Vous comprenez, nous avons dit à Mme Delaney que vous nous aviez déclaré vous trouver auprès de votre mère ; là-dessus, elle nous a affirmé que votre mère était morte.

— Oui. »

David devinait ce qui s'était passé ; crispé sur le téléphone, il s'attendait à ce que le sergent ajoute que Mme Delaney leur avait dit aussi qu'il passait ses week-ends dans sa propre maison.

« Jamais vu Mme Delaney à New York, à l'occasion d'un de ces week-ends ?

— Non, jamais.

— Jamais essayé ? Vous ne lui avez jamais demandé de vous rencontrer à New York ?

— Non. »

David avait répondu si calmement, cela avait sonné faux.

« Où voulez-vous en venir, sergent ?

— Avez-vous jamais été amoureux de Mme Delaney ?

— Qu'est-ce que cela vient faire dans cette histoire ?

— Monsieur Kelsey, dit le sergent avec un petit rire, c'est la seule hypothèse qui ait un sens. Êtes-vous actuellement amoureux d'elle ? »

David hésita : ce n'était pas lui qu'il cherchait à protéger, mais le secret de son amour.

« C'est bon, monsieur Kelsey ; c'est donc pour cette raison que M. Delaney est venu vous parler... avec un revolver ?

— C'est possible.

— C'est certain. Lui avez-vous jamais adressé des menaces ?

— Absolument pas.

— En êtes-vous sûr ?

— Vous pouvez vérifier en interrogeant sa femme. La seule fois que j'ai parlé à Delaney, sa femme était présente.

— Je vois... Eh bien, une sacrée chance qu'il ne vous ait pas trouvé, ce fameux dimanche.

— C'est aussi ce que je pense.

— Bon, monsieur Kelsey... nous allons peut-être vérifier quelques petits détails avec Mme Delaney.

— J'y compte bien, sergent », dit David avec fermeté.

Lorsqu'il était sorti de la cabine téléphonique, une de ses jambes avait presque cédé sous lui. Cela s'était passé lundi. Il s'était dit : Annabelle est à *La Jolla ;* les agents n'iront pas jusqu'à lui téléphoner là-bas pour vérifier cette nouvelle déclaration ; il aurait peut-être un répit de plusieurs semaines avant que tombe le couperet.

Mais ce soir, errant à travers les rues assombries de Froudsburg, la lettre de sa tante dans la poche, il sentit que sa vie entière dépendait d'une seule réponse : Annabelle était-elle à Hartford ou non ? Et cela n'avait aucun rapport avec la conversation qu'il avait eue avec le sergent Terry. Ce qu'il fallait qu'il découvre, c'était si Annabelle lui avait menti, afin de ne plus le voir. Après avoir marché une demi-heure, il n'avait toujours pas trouvé le courage de téléphoner et d'affronter la nouvelle. Les mornes phrases de sa tante le déprimaient et l'irritaient à la fois : « Pourquoi ne renonces-tu pas à cette fille,

David ?... Ses parents disent qu'elle est comme sa grand-mère une telle, qui ne s'est jamais remariée après la mort de son époux, bien qu'elle n'ait eu à l'époque que vingt-deux ans. Cette famille n'est pas digne de toi, David... » Il continua à parcourir les rues sombres, choisissant les plus obscures, comme si les ombres les plus épaisses pouvaient lui redonner un peu d'aplomb et lui permettre d'aller jusqu'à sa cabine téléphonique habituelle.

Il aperçut une horloge dans une blanchisserie mal éclairée : dix-neuf heures dix. C'est-à-dire seize heures dix en Californie. De quoi s'agissait-il ? Pourquoi l'évitait-elle ? Est-ce qu'elle aussi jouait un jeu ? Est-ce qu'un jour elle se précipiterait dans ses bras, riant, pleurant tout à la fois, lui avouant qu'elle l'aimait, qu'elle l'avait toujours aimé ? Il souffla sur ses mains froides, releva son col de manteau et enfonça de nouveau les mains dans ses poches. Tous les hommes qu'il voyait portaient des paquets de provisions et rentraient chez eux, chez leur femme. David se demanda s'il réussirait à trouver une maison du genre de celles qu'il aimait, à une distance normale, en voiture, de Dickson-Rand. Cette fois-ci, ce serait pour y vivre sept jours sur sept ; plus de vie coupée en deux, de schizophrénie ; il n'aurait plus à jouer à cache-cache avec la moitié du monde. Et peut-être, dans trois ou six mois, Annabelle accepterait de vivre avec lui. Il était fou de penser qu'elle l'épouserait moins d'un mois après la mort de son mari. David se sentit brusquement redevenir si calme et si raisonnable que la perspective de l'appeler à Hartford et de l'entendre au bout du fil ne lui parut plus aussi horrifiante.

Un peu en avant de lui, un panneau indiquant un téléphone se balançait devant la brasserie *Chez Michel*. La cabine était au fond de la salle, directement sous la télévision, qui n'existait pas la dernière fois que David était venu et qui, pour le moment, crépitait des fusillades et des galops de chevaux d'un western. Il entra, hésita un peu, répondit au signe de tête d'Adolf, puis se dirigea vers la cabine, bien déterminé à faire plus de bruit et à montrer encore plus d'animation que n'en dispensait l'écran de télévision. De toute manière, qu'est-ce qui pouvait être idéal ? Qu'est-ce qui pouvait être parfait ? Annabelle ne serait pas dans une longue chemise de nuit rose ou bleue, telle qu'il se plaisait à l'imaginer ; bien plus probablement, elle aurait sur les genoux un bébé tout bavant.

« David... Comment vas-tu ? » dit Wes d'une voix surprise.

Il était assis dans un box, en face d'une femme aux cheveux blonds à mèches brunes.

« Assieds-toi, David. Je te présente Hélène. »

La première idée de David — pas très intelligente, il s'en rendit compte aussitôt — avait été que c'était Laura qui se trouvait là, dans ce box, et il était déjà prêt à fuir. Encore troublé, il bégaya :

« Comment allez-vous, Hélène ? »

Et, en même temps, il ne savait pas comment faire pour se débarrasser de Wes, qui l'avait saisi par son poignet gauche.

« Hélène, voici mon collègue le plus distingué, quelqu'un qui nous rapportera un jour le prix Nobel, M. David Kelsey, ingénieur en chef des usines Cheswick, mais qui va nous quitter afin de viser plus haut et pour une plus grande gloire. Assieds-toi, David, mon vieux. »

Hélène eut un petit rire. Ses lèvres, plaquées de rouge, s'entrouvrirent, puis sa main glissa en avant sur la table, prête à reprendre celle de Wes.

« Je vais donner un coup de fil, dit David.

— Tu le donneras, d'accord, mais moi, je te commande un verre. Allez, assieds-toi, vieux. »

Il tira David par le poignet. En souriant, David tordit son bras, mais Wes tint bon, avec cet entêtement des ivrognes.

« Non, non... mon coup de fil, c'est tout, dit David.

— Est-y pas joli garçon ? dit Hélène, aussi soûle que Wes.

— Tu téléphones à cette fille ? » demanda Wes avec un clin d'œil.

David, d'un coup sec, se libéra le poignet, et Wes s'étala de tout son long sur le plancher. David le releva aussitôt et le remit sur la banquette ; pendant un instant, la surprise et la colère se disputèrent le terrain, chez Wes, puis il eut un sourire vague.

« Bon Dieu ! dit Hélène, en s'écartant.

— David, mon vieux, tes nerfs sont en train de prendre le dessus. Je te dis de t'asseoir et de prendre un verre. Alors, tu lui téléphones, à cette fille, c'est ça, hein ? Est-ce qu'elle va t'épouser ? Je l'espère bien. »

David ne pouvait ni parler ni s'en aller ; en outre, il n'avait pas une idée très claire de ce qu'il voulait leur dire. Rien, peut-être. Il se détourna et entra dans la cabine. Comme il composait le numéro de la téléphoniste, la porte s'ouvrit brusquement.

« Ne fais pas ça, David ! Tu commets une erreur, dit Wes. Je suis sérieux ; j'ai parlé avec Effie, et elle dit que...

— Laisse-moi tranquille », dit David.

Il essaya de refermer la porte, mais Wes tenait la poignée, et la porte ne bougea pas. David se leva d'un bond du siège, sortit de la cabine, réprima une envie de se servir de ses poings et ramena Wes, toujours en train de parler, jusqu'à son box. Hélène, le regard vide, leur souriait. Wes assis, il revint aussitôt à la cabine.

« Allô ! quel numéro demandez-vous, s'il vous plaît ? » disait la téléphoniste.

David le lui donna. Bzzz... clac... dring, dring, dring, dring... Puis David, raide comme une barre de fer, regardant fixement la pièce de monnaie qui restait sur la planchette, attendit la voix, qui, à Hartford, ferait taire la sonnerie. Onze coups, qu'il ne voulait pas compter ; mais il ne put s'en empêcher.

« Allô ?

— Annabelle ?... C'est David... Alors vous êtes vraiment là ?

— Oui, David... c'est-à-dire... mes projets concernant *La Jolla*...

— N'importe. Je suis bien content que vous soyez si près d'ici. Comment allez-vous ? Je vous ai envoyé trois lettres à *La Jolla*. Les avez-vous reçues ?

— Oui... Je suis un peu essoufflée... Je viens de grimper l'escalier en courant... Vous n'êtes plus pour longtemps à Froudsburg, n'est-ce pas ?

— Encore neuf jours. Annabelle, mon prochain week-end, je vais le passer dans la région de Troy. Je vais me mettre en quête d'une maison. J'espérais que vous pourriez venir avec moi. Samedi au moins. Je pourrais vous reconduire samedi soir, si vous le préférez. »

Il y eut un silence.

« Je veux que vous visitiez les laboratoires, Annabelle. J'y suis allé il y a quelques jours pour une entrevue ; les terrains qui les entourent sont merveilleux. Je vous ai dit dans mes lettres qu'on m'a accepté.

— Je ne vois pas comment cela me serait possible, David.

— Alors, laissez-moi passer vous voir en y allant. »

Elle trouva des excuses ; il l'interrompit sur un ton suppliant : peut-être pourrait-il s'arrêter en revenant ; il lui dirait alors s'il avait trouvé une maison ou non ; qu'elle lui permette seulement de passer, il ne resterait qu'un quart d'heure. Il avait un petit cadeau pour elle, lui annonça-t-il, sans toutefois lui dire ce que c'était ; aussitôt, il le regretta ; elle allait penser qu'il se sentait obligé de l'allécher. Il finit par abandonner tout espoir pour ce week-end et lui demanda quand il pourrait la voir... n'importe quand, n'importe quel soir.

« Vraiment je ne *sais* pas. »

Cela lui sembla très étrange qu'elle ne *sache* pas,

mais plus étrange encore l'espèce d'angoisse qu'il sentit dans sa voix.

« Y a-t-il quelqu'un avec vous, là ?

— Oui. »

Un silence. Il ne crut pas vraiment qu'il y eût quelqu'un avec elle, puisqu'elle venait de dire qu'elle avait grimpé l'escalier en courant.

« David, j'espère que vous trouverez le genre de maison que vous cherchez. Je penserai à vous. Il faut que je vous quitte, j'entends le bébé qui appelle. »

Il serra le téléphone, cherchant frénétiquement des mots.

« Ne vous en allez pas comme ça, aussi brusquement... Est-ce que je peux vous appeler demain ?

— D'accord, David, mais je ne sais pas quand je serai à la maison ; j'ai des courses à faire... et puis je sors demain soir. »

Et qu'allait-elle faire demain soir ? Il ne voulait le savoir que pour penser à elle pendant ce temps-là.

« Bon. Alors je vous appelle samedi. Dès que j'ai trouvé une maison. Est-ce que cela vous dérangera ? »

Elle dit que non, cela ne la dérangerait pas. Ils échangèrent les salutations habituelles, ces clichés sinistres qui mettent fin aux échanges de paroles. David resta assis, s'efforçant de retrouver une respiration lente, avant de risquer une nouvelle rencontre avec Wes. Une main sur une cuisse, le coude projeté vers l'extérieur, Wes le regarda et fit un signe de tête comme s'il avait tout entendu et tout compris.

« Alors... est-ce qu'elle t'épouse ?... Est-ce qu'elle accepte même de te voir ? »

Hélène rit stupidement. David n'avait rien de sûr ni de précis à rétorquer. La déception, due au coup de téléphone, prit soudain d'énormes proportions devant lui, comme un nuage noir qui va grossissant. Wes allongea le bras pour lui attraper le poignet. David recula.

« Ne me touche pas ! »

Il se dirigea vers la porte et l'ouvrit d'un coup de poing.

Lorsqu'il rentra à la pension, il trouva un message lui disant qu'Effie Brennan avait téléphoné et lui demandait de la rappeler. David roula le papier en boule et le jeta dans la corbeille.

A LA pension, on avait sans doute soupçonné David d'aller voir une fille à New York ; mais dans les vingt-quatre heures, Effie Brennan avait affirmé à Mme Mac Cartney qu'il était amoureux d'une certaine personne, qui habitait loin, en Nouvelle-Angleterre ; elle pensait même qu'en fait cette personne allait au collège dans le Maine ; quant à lui, il était « si amoureux qu'il n'en regardait pas d'autre ». Effie aurait pu servir elle-même de témoin, pensait David, un témoin séduisant, consentant, et qu'il n'avait même pas honoré d'une invitation au cinéma. Elle rappela encore David, pour lui raconter ce qu'elle avait avoué à Mme Mac Cartney et lui demander si elle avait dit ce qu'il fallait. C'était d'abord Mme Mac Cartney qui l'avait appelée pour essayer de savoir si elle était au courant de ce que faisait David, pendant ses week-ends à New York.

« Merci. C'était exactement ce qu'il fallait dire. »

Pour la première fois, David était reconnaissant à Effie, reconnaissant de ne pas avoir dévoilé Annabelle aux gens de la pension.

Ce qui fit le plus de peine à David, le mit à la torture même, ce fut que Mme Beecham sache qu'il n'avait plus sa mère, que les liseuses qu'elle avait tricotées, les fleurs en pot, les napperons faits au crochet, et la boîte de papier à lettres, datant du Noël précédent, n'avaient pas eu de bénéficiaire. David était monté chez elle, lui avait présenté ses excuses, avait essayé de lui expliquer, et cela avait été une des rares fois, depuis qu'il avait dépassé ses quatorze ans, que des larmes lui étaient venues aux yeux ; il supposa qu'ayant en outre mis un genou à terre devant elle, au fond il s'était ridiculisé. Pourtant, Mme Beecham était la seule personne de la maison qui comptait aux yeux de David, et c'est ce qu'il essaya de lui faire comprendre. Elle n'avait pas dit grand-chose, avait simplement paru ahurie. En revanche, pensa David non sans humour — sa mère, qui n'était plus de ce monde, avait envoyé à Mme Beecham un bon nombre de cadeaux.

Il n'avait pourtant été question que d'une fille, mais toute l'attitude des pensionnaires avait changé d'une manière étonnante. David devina ce qu'ils pensaient : non pas qu'il avait commis quelque chose de mauvais ou de mal, mais qu'il était, comme eux tous, un homme aux pieds d'argile, un homme amoureux d'une femme qu'il n'avait pu encore, pour une quelconque raison, épouser, et qu'il ne voyait même pas très souvent ; somme toute, un homme comme la plupart des autres, et non un saint asexué. Maintenant, lorsqu'ils regardaient sa figure, leurs yeux étaient flous, comme troublés. Ils faisaient penser à des enfants, lorsqu'une de leurs légendes vient d'exploser en mille morceaux.

Samedi, au courrier de dix heures, David reçut une lettre d'Annabelle. Il espéra qu'elle aurait changé d'avis au sujet de la promenade et de leur recherche d'une maison, mais il n'en était même pas question. Il la lut rapidement dans l'entrée et éprouva un sentiment de honte, comme s'il avait reçu une gifle en public, bien qu'il n'y eût personne pour le voir ; puis il enfonça le papier dans sa poche et sortit. Il avait préparé sa route et se concentra là-dessus, pendant quelques minutes, en conduisant. Il roulait sur l'ennuyeuse autoroute du Nord. Cette lettre lui revint à l'esprit avec ses reproches. Annabelle lui demandait de ne pas insister pour la voir ces temps-ci : elle avait tant à faire avec l'enfant et toute la maison sur les bras. C'était même pire que ça ; il n'avait pas le courage de se rappeler les phrases exactes. Aucune allusion à des questions posées par la police. Cependant, la froideur même de la lettre laissait penser qu'elle avait été interrogée, qu'elle leur avait peut-être signalé qu'il avait été, lui aussi, propriétaire d'une maison ; peut-être avait-elle mentionné leur correspondance ? Annabelle n'était pas du genre à écrire tout cela dans une lettre. Par contre, la police n'aurait-elle pas essayé de le voir aussitôt, si Annabelle lui avait raconté tout ce qu'elle savait ? Ne serait-il pas plus logique de penser qu'elle essaierait plutôt de minimiser cet aspect de l'affaire, afin que Gérald ait moins l'apparence d'un tueur ? En fin de compte, David n'en savait rien. Mais il prit une grande résolution : changer d'attitude vis-à-vis d'Annabelle, se montrer moins importun, plus prévenant, plus patient. Il lui enverrait le petit cadeau, une écharpe tissée à la main, qu'il avait découverte dans un magasin de la grand-rue, et aussi la broche de brillants. A Troy, il chercherait des partitions de Mozart, Schubert, Chopin, à son intention, et éventuellement, d'autres choses susceptibles de lui plaire.

Sur les cinq maisons qu'il visita ce samedi, celle qu'il préféra fut éclipsée par une autre, découverte le dimanche après-midi, une maison de deux étages, en briques rouges et blanches, diaprées et patinées jusqu'à ressembler à du vieux tissu, avec une cheminée en pierres grises à chaque extrémité. A l'intérieur, les parquets et plusieurs des murs étaient faits de madriers de vingt-cinq centimètres de large sur quinze centimètres d'épaisseur, à en croire l'agent qui lui fit visiter la villa. Deux des chambres du haut avaient des plafonds en pente et des fenêtres ébrasées. La maison était située à une vingtaine de minutes en voiture des laboratoires Dickson-Rand. L'habitation la plus proche était à quatre cents mètres et invisible. Cette villa n'était inoccupée que depuis deux mois ; tout était donc en bon état. On en demandait dix-huit mille dollars, mais l'agent pensait qu'on pourrait l'obtenir pour quinze mille.

« Alors, prenez-la-moi pour quinze mille, dit David.

— Comme ça ? Vous ne voulez pas réfléchir jusqu'à demain ? »

David fit signe que non ; il souriait ; il était heureux. Vingt minutes plus tôt, il était découragé, persuadé qu'il faudrait choisir une maison qui n'avait tout de même déclenché en lui aucun enthousiasme. Si cet agent n'avait pas eu son bureau chez lui, de manière à pouvoir être touché même le dimanche, David n'aurait peut-être jamais trouvé cette villa. Il déclara pouvoir faire le premier versement immédiatement, que son chèque serait mis au courrier le soir même. Puis il repartit. Sa direction générale était le sud. Il ne savait s'il téléphonerait à Annabelle, irait la voir à Hartford ou ferait livrer ses meubles à la maison avant de lui en parler. En arrière-plan de ses pensées, il conservait l'image de la villa, bordée de bois d'un côté et donnant, d'autre part, sur une pelouse qui avait été assez bien soignée ; c'était quelque chose de concret, une ancre, son chez-soi. Pourquoi Annabelle ne l'aimerait-elle pas ? Il n'y avait pas trouvé un seul défaut. Des escaliers larges, des placards nombreux, de hauts plafonds ; une maison vieille de trente ans, d'un style peut-être un peu bâtard, si on tenait à jouer les snobs en architecture, mais une maison sans prétention, qui avait davantage l'air d'être américaine qu'anglaise, et qui n'était ni solennelle ni ridicule. Il décida de lui en parler au téléphone. Il serait gai, mais pas trop... ni trop quoi que ce soit d'ailleurs. L'essentiel était de ne pas considérer comme évident qu'elle habiterait cette maison avec lui... ni qu'elle n'y habiterait pas. Après son coup de fil, il descendrait au meilleur restaurant qu'il trouverait sur la route et s'offrirait un bon dîner, précédé d'un Martini, ou de deux Martini, dont l'un pour Annabelle.

Il était environ dix-sept heures quand il s'arrêta devant une pompe à essence ; pendant qu'on remplissait son réservoir, il téléphona à Annabelle. Personne ne répondit, et il abandonna après plus de vingt coups de sonnerie. Il essaya de nouveau vers vingt et une heures, quand il fut rentré à Froudsburg ; elle n'était toujours pas chez elle. Il décida alors qu'il ferait mieux de lui écrire.

Il lui donna une description assez détaillée de la maison. Puis, de bonne humeur, il tapa une lettre à sa tante.

... Je ne sais pas pourquoi vous êtes tellement sombres, là-bas ; ne pouvez-vous donc pas vous laisser imprégner par le soleil de Californie ? Je bavarde assez souvent avec Annabelle et je la vois aussi. Evidemment, à cause de Gérald, son moral est assez bas, mais, chez les gens normaux, le chagrin finit par s'estomper. La grand-mère dont vous parlez devait être une névrosée pour avoir passé sa vie à se désoler. Je vais déménager ; j'habiterai une maison merveilleuse, que je viens d'acheter aujourd'hui, une affaire qui vaut son prix. Et je déménage pour une raison très simple : je quitte enfin mon travail. D'une certaine manière, je vais continuer mes études, mais je serai payé pour ça. Je vais travailler aux laboratoires Dickson-Rand. Ce sont eux qui signalent les tremblements de terre en Californie avant même que les Californiens sachent qu'il y en a eu. Mon chef direct sera le docteur Wilbur Osbourne, dont vous n'avez peut-être pas entendu parler, mais qui a une réputation internationale de géophysicien et qui est très « original », à ce qu'on m'a dit ; puisqu'il paraît que je le suis aussi, nous nous entendrons peut-être très bien...

Puis il écrivit une lettre à la compagnie du garde-meuble « La Flèche rouge », de Poughkeepsie, demandant qu'on livre tout ce qui avait été déposé au nom de David Kelsey, à la maison à côté de Troy ; et il joignit à son mot une petite carte que lui avait donnée l'agent immobilier. A contrecœur, il signa William Neumeister, espérant que c'était la dernière fois qu'il employait ce nom.

Deux jours se traînèrent ; il attendit le mercredi à midi pour téléphoner à Annabelle. Elle sembla très gaie, le félicita pour avoir trouvé sa villa si rapidement, mais quand il essaya de lui fixer un rendez-vous pour qu'elle vienne la visiter avec lui — et ç'aurait pu être n'importe lequel de ces sept merveilleux jours de congé que lui accordait Dickson-Rand pour s'installer — Annabelle évita toute réponse nette et remit à plus tard. Elle avoua même qu'elle envisageait d'aller à *La Jolla.*

« J'avais vraiment l'intention d'y aller, il y a trois semaines, David, mais le bébé avait de la fièvre et je n'ai pas osé le laisser. Je ne vous en ai pas parlé parce que je sais que les bébés ne vous intéressent pas, mais moi... il faut bien !... Et puis, je voulais voir M. Neumeister, si c'était possible.

— L'avez-vous vu ?

— On ne peut toujours pas le joindre. L'agent qui s'occupe de sa maison a déclaré que Neumeister lui avait dit devoir partir en voyage ; mais il n'a pas quitté le pays, car un des agents de Beck's Brook a vérifié aux passeports... au service des passeports et de je ne sais quoi. Pour le moment, ils vérifient les références que Neumeister avait données à cet agent immobilier. Cela devrait bien les amener quelque part. »

La culpabilité créait en David un sentiment semblable à de la colère.

« Est-ce qu'ils ont fait passer quelque chose dans les journaux ? Peut-être le devraient-ils ?

— Pas que je sache. Je suppose que cela n'a pas

une telle importance. Cela n'a d'importance que pour moi.

— Mais que croyez-vous donc qu'il puisse vous dire, Annabelle, qu'il n'ait pas déjà dit à la police ? »

Elle ne répondit pas.

« David, le sergent Terry m'a appelée la semaine dernière. C'est un des agents de Beck's Brook.

— Ah ! oui ? A quel sujet ?

— A votre sujet surtout. Il m'a demandé s'il y avait quoi que ce soit entre nous. Je lui ai dit que non, David. Je n'ai pas cru que cela arrangerait les affaires... enfin il m'a semblé... Je leur ai dit que Gérald était du genre jaloux, mais qu'en ce qui vous concernait, il n'aurait eu aucune raison de l'être, car s'il y avait eu quelque chose entre nous, c'était fini depuis longtemps. Au fond, c'est bien la vérité, et j'ai cru que ce serait mieux... pour Gérald, et pour vous... et pour moi. Vous n'êtes pas d'accord ?

— Oui, murmura David.

— Je leur ai dit que Gérald avait pas mal bu... ce qu'ils savaient déjà. Je ne leur ai pas parlé de vos lettres, cela n'aurait pu que compliquer les choses et rendre la situation plus grave qu'elle n'est. »

La situation... La situation...

« Pensez-vous qu'ils vous aient crue ? demanda David.

— Pourquoi ne me croiraient-ils pas ?

— C'est vrai, pourquoi ?

— David, tout ceci ne doit pas vous fâcher.

— Je ne suis pas fâché », dit-il.

Et pourtant il l'était.

« Ils m'ont dit que vous leur aviez affirmé vous être trouvé à New York ce dimanche. C'est vrai, David ?

— Oui, j'y étais.

— Et que vous alliez toujours à New York en week-end. Ça. ce n'est pas vrai, n'est-ce pas ? La plupart de vos week-ends, vous les passiez dans votre maison ?

— Oui », dit David.

Chaque question était comme un clou qu'on enfonce.

« Pourquoi avez-vous menti, David ? Pourquoi mentez-vous ?

— Cette maison était la vôtre, et maintenant elle ne l'est plus. Je refuse d'en discuter avec qui que ce soit. J'ai acheté une nouvelle maison et je... Mes affaires vont arriver samedi ; ce sera évidemment un beau fouillis, mais j'aimerais bien que vous puissiez la voir, ma chérie, même si rien n'est en place. Vous savez, j'ai un piano ; je crois ne jamais vous l'avoir dit, n'est-ce pas ? C'est un Steinway, un crapaud.

— Vraiment, David ? Vous jouez maintenant ?

— Oh ! je plaque quelques accords... simplement pour qu'il ne reste pas tout le temps inactif. C'est pour vous que je l'ai acheté. »

Silence. La gorge serrée, il enchaîna :

« Je veux aussi que vous voyiez l'endroit où je vais travailler. Nous pourrions y être en vingt minutes, en partant de ma maison. Il faut que vous me laissiez vous emmener pendant ce week-end, Annabelle. »

Il attendit.

« Annabelle, vous arrive-t-il de penser à nous, ensemble ? Est-ce que vous croyez parfois que nous pourrions... ?

— Quelquefois... peut-être... J'y pense. »

Elle promit de lui envoyer une carte postale au sujet de ce week-end, et ce fut un David rayonnant qui sortit de la cabine téléphonique. Il se sentit très optimiste pendant cinq minutes environ, jusqu'à ce que l'affaire Neumeister recommençât à le tracasser. Ainsi, on vérifiait les références de Neumeister... N'en aurait-il donc jamais fini avec Neumeister ? David voulait l'oublier, comme un jeu idiot, un mauvais rêve, une satisfaction égoïste qui lui faisait honte à lui-même. Et maintenant, à cause d'un simple caprice d'Annabelle, qui voulait lui parler, on vérifiait ses références !... On ne pourrait d'ailleurs pas les trouver non plus ; et alors, qu'est-ce qui arriverait ? Jean Atherley, ou bien était-ce Asherley ? Et Richard Patterson ? David commença à siffler très fort... comme un enfant, pensa-t-il, un enfant qui a peur, dans un cimetière sombre.

Vendredi, il fit ses adieux à vingt ou trente personnes de Cheswick ; certains de ses camarades étaient jaloux de lui, pensa-t-il ; il faisait ce qu'ils souhaitaient, eux, avoir le courage de faire. D'autres avaient aussi entendu dire que David avait inventé et entretenu un étrange mensonge au sujet d'une mère malade. C'était inévitable : la secrétaire de M. Lewissohn avait vérifié son questionnaire, sur la demande de la police ; elle avait parlé à quelqu'un du coup de téléphone des agents, et, finalement les quelques rares personnes qui, comme Wes Carmichaël, l'avaient invité à passer chez eux, au cours de week-ends, et dont il avait décliné les invitations sous prétexte qu'il devait aller voir sa mère, firent le rapprochement et se souvinrent. Derrière les plaisanteries et les sourires de Wes, David devinait qu'il était un peu inquiet, parce que cette affaire s'étalait au grand jour.

« Ecoute, murmura Wes, dans le bureau de David, à tout hasard, tu n'as jamais rencontré la femme de Delaney... dans cette maison, je veux dire ?

— Quelle maison ?

— Celle de Newmester, dit Wes en prononçant le nom de la manière qui faisait toujours croire à David, pendant un instant, qu'on parlait de quelqu'un d'autre.

— Je t'ai dit que je ne le connaissais pas, dit David.

— Bon, ça va... une idée qui m'est passée par la tête, c'est tout. On est assez amis, non ?... Tu me le dirais ?... Si c'était vrai, et que je le sache... Oh ! je n'ai aucun intérêt personnel dans cette histoire, tu sais, ajouta-t-il, en reculant devant l'expression de David. Excuse-moi de t'en avoir parlé.

— Je n'ai jamais rencontré la femme de Delaney... je n'ai jamais rencontré Delaney, dit David d'une voix qui se cassait.

— Alors, où allais-tu en week-ends?

— Je ne tiens pas à répondre, c'est simple. La plupart du temps j'allais à New York. Mes occupations de week-ends devraient être mes affaires, non ?

— D'accord, David », dit Wes sur un ton conciliant.

Mais il était en colère. David savait qu'il avait parlé avec colère, lui aussi, mais cela lui était égal.

« Retournons nous joindre aux autres », dit Wes.

Chez Mme Mac Cartney, ce fut une autre chanson : dîner spécial, avec dinde et assortiments, offert par Mme Mac Cartney et partagé par tous les pensionnaires ; il y eut même du porto, pour commencer, servi dans des verres à pied très épais. Tout le monde lui posa des questions sur son nouveau travail. Il expliqua comment on prenait des spécimens témoins du sol de la terre et du fond des océans, et fut stupéfait qu'on puisse trouver réunies plus d'une douzaine de personnes conscientes, dont une ou deux seulement avaient entendu parler de ces fameux témoins.

Lorsqu'il sortit de la salle à manger, en compagnie de M. Muldaven, Effie Brennan était assise dans le fauteuil droit de l'entrée. Elle se leva et l'accueillit avec un sourire.

« Je vous ai enfin retrouvé, David.

— Tiens, bonsoir ! Pourquoi ne nous avez-vous pas rejoints ?

— Je savais que c'était un dîner spécialement offert en votre honneur. Je ne suis plus de la maison maintenant. J'espérais que vous pourriez passer chez moi pour une ultime conversation, David », dit-elle en tournant vers lui des yeux implorants.

David se rendait compte qu'il lui devait beaucoup, mais, à ce moment précis, monter à l'appartement d'Effie était bien la dernière chose qu'il eût envie de faire.

« J'allais rendre visite à Mme Beecham, dit-il ; elle m'attend.

— D'accord ; j'attendrai », dit Effie en souriant. La pointe de son nez retroussé était rose et brillante à cause du froid.

« Elle va bientôt se coucher, n'est-ce pas ? ajouta-t-elle ; vous devriez faire vite.

— Effie, j'ai encore pas mal de choses à faire... bagages à finir... etc., vous comprenez ?...

— Mais cela est très important, David, vraiment. » Elle s'approcha tout contre lui, soudain grave et tendre.

« Je veux vous parler. »

Il aurait été plus facile pour David de se débarrasser d'un buldog et de ses crocs enfoncés dans son poignet.

« Entendu, je vais prévenir Mme Beecham. »

Comme il n'avait pas de rendez-vous avec la vieille dame, il fut content de voir Effie se diriger tranquillement vers la porte d'entrée, d'où elle ne pouvait apercevoir le haut du premier étage. David entra dans sa propre chambre, passa quelques minutes à faire des riens, prit son manteau et redescendit.

IL repassa la porte sous l'enseigne du docteur... « Aiguille »..., le dentiste « sans douleur ». L'appartement d'Effie, où David revenait pour la deuxième fois, lui parut plus petit et plus encombré. Un gâteau rond, d'une couleur rose tirant sur l'orangé et au milieu duquel était dessiné un grand D chocolaté, attendait sur un guéridon.

« C'est pour vous ! » annonça Effie.

Elle accrocha son manteau dans le placard du vestibule.

« C'est moi qui l'ai fait... Wes viendra peut-être ce soir... C'est même presque certain... Dans une demi-heure à peu près... »

Elle était si tendue qu'elle haussait le ton presque avec frénésie. Cette nervosité finit par le gagner. Il ouvrit bêtement les bras pour dire :

« Eh bien, c'est très gentil à vous, tout ça... Café, gâteau...

— Je suis prête à parier que Wes, lui, ne prendra ni l'un ni l'autre. Pour lui, ce sera du scotch... Mais pour vous... Pour vous, j'ai une bouteille de sauternes. »

« Mon Dieu !... » pensa-t-il, mais il se traita d'ingrat et sourit.

« Quel honneur !...

— Asseyez-vous, David... »

Il attendit qu'elle soit assise dans le fauteuil avant de s'installer lui-même sur le canapé.

« Avant que Wes soit là, je voulais vous dire... Annabelle m'a téléphoné aujourd'hui.

— Pourquoi ?

— Et pourquoi pas ? A titre amical, simplement.

— Mais pour quelle raison vous a-t-elle téléphoné, à vous ? »

Qu'elle ait appelé Effie et non lui, le blessait.

« Pour ma part, je trouve ça bien, très bien même, cette attitude amicale de la part d'une femme dont le mari est allé se faire tuer dans la maison où je lui avais dit, moi-même, de se rendre.

— C'est bon. »

Il détourna les yeux du visage d'Effie.

« Ce que je voulais vous dire, c'est que la police, celle de Beck's Brook, ne va pas arrêter ses recherches pour retrouver Newmester.

— Ah ?... Et qu'est-ce qu'ils font pour le moment ?

— D'après Annabelle, ils contactent toutes les personnes ainsi nommées, mais ils n'ont toujours trouvé ni journaliste ni personne de ce nom qui ait une trentaine d'années et réponde à son signalement. »

David ne put s'empêcher de sourire.

« Il doit bien y avoir quelque part un William Neumeister qui y réponde.

— Vous semblez très détaché, David.

— Bon, Effie, merci de m'avoir renseigné. Mais cessez donc de vouloir m'inquiéter ; je n'ai rien à craindre. »

Il se leva.

« Je crois que si. J'ai l'impression que si Annabelle était au courant, elle serait perdue pour vous. Elle ne tiendrait plus à vous voir. Ça, je le sais ! »

Encore ce chantage qui recommençait !...

« Moi, je n'en suis pas si sûr.

— Allons donc !... Et, en attendant, vous comptez sur moi comme garantie, et vous considérez cette garantie comme acquise. »

Une envie incroyable, hystérique, de pleurer gonflait sa voix.

« Et d'ailleurs, je vous ai garanti en effet, et de la police... et de Wes. »

Il la regarda, mal à l'aise.

« Je vous ai déjà dit que ce qui est arrivé dans cette maison, c'était un accident... Et qui est-ce que cela regarde, si j'ai voulu m'acheter une villa sous un nom d'emprunt ?

— J'essaie même de persuader Annabelle d'arrêter les recherches pour retrouver Newmester, dit Effie. Mais est-ce ma faute si la police s'en est mêlée ? Quant à Annabelle, elle est certaine que Newmester a voulu tuer son mari pendant la bagarre. Peut-être par autodéfense, mais enfin, il y a réussi. Voilà pourquoi il reste planqué, après avoir sans doute pris un nom d'emprunt. »

David se mit à rire.

« Vous avez de la chance, David.

— C'est plutôt Neumeister qui en a. Seulement il est arrivé au bout de son rouleau, et il a disparu pour toujours.

— Annabelle m'a dit aussi qu'on est en train de vérifier les références que vous aviez données lors de l'achat de la maison de Ballard. Elles ne résisteront pas à l'examen, n'est-ce pas ? »

Il haussa les épaules.

« Pas si l'examen est serré.

— Avez-vous pensé à vous assurer un alibi solide ? Avec une maison qui existe vraiment ? Ou une personne qui serait censée avoir été avec vous pendant ces week-ends ?

— Vous ? » demanda-t-il en souriant.

Elle se leva et resta près de la fenêtre, dans l'ombre, à regarder dehors. Dans le silence qui régnait soudain, il put entendre le tic-tac d'une pendule dans la chambre. Il fut pris d'une envie nerveuse de rire et ne parvint que difficilement à se maîtriser. Il serra même les lèvres pour retenir une plaisanterie.

« Je regrette, Effie, dit-il.

— Oh !... Allons plutôt ouvrir la bouteille de sauternes... »

David passa avec elle dans la cuisine, pour l'aider, et, à cause du tire-bouchon, il s'ensuivit tout un petit jeu de frôlements dont il accepta de se divertir. Il n'avait guère le choix.

« C'est l'idée de ce nouvel emploi qui vous réjouit tant ? Je ne me rappelle pas vous avoir déjà vu de si belle humeur.

— C'est l'attitude que je compte avoir désormais. »

Un peu de gris était visible dans les cheveux d'Effie : deux ou trois cheveux gris que la lumière crue de la cuisine mettait en évidence. Il y trouva une sorte de réconfort.

Elle prit un verre de vin, mais lui assura que le reste de la bouteille était pour lui. Le fait que le sauternes soit du vrai vin de France, et fort bon, le toucha.

« Vous avez trouvé une maison, Wes m'a dit... Où est-elle située ?

— Je ne sais pas comment vous expliquer... Près de Dickson-Rand, qui est à côté de Troy.

— Mais quelle est l'adresse ? Où pourrai-je vous écrire ?

— A Dickson-Rand, Troy, New York.

— Oh ! David, comme vous allez me manquer !... »

Elle s'était permis un ton sentimental ; alors elle fila droit sur le gâteau, en faisant mine de vouloir le découper. Mais comme elle ne trouva pas de couteau, elle dut aller en chercher un dans la cuisine. Elle revint le poser sur l'assiette, d'un geste maladroit, puis s'assit.

« C'est un de ces ridicules couteaux à pâtisserie, qu'on acquiert moyennant l'envoi de quatre couvercles d'emballage de je ne sais quoi et de cinquante cents. Il faudra vraiment que je me mette à collectionner de l'argenterie un de ces jours. »

Il avait l'impression que les yeux d'Effie s'asséchaient peu à peu, et le côté vaguement comique de la situation lui apparut de nouveau. Elle mit un disque sur le phono, en assurant qu'elle ne le ferait pas jouer fort. Et est-ce que ça lui serait égal d'entendre un disque français ? David le possédait aussi, mais ne le lui dit pas. Il se rappela être entré dans un magasin de disques avec l'intention d'en acheter un autre ; il avait opté finalement pour celui-ci, après avoir entendu un certain passage au piano, qui lui parut alors devoir plaire à Annabelle.

Effie revint s'asseoir et prit une autre cigarette.

« Est-ce que vous verrez souvent Annabelle, quand vous serez à Troy ? J'ai l'impression que ce sera moins loin de Hartford que Froudsburg.

— Il doit y avoir à peu près la même distance... Oui, je compte bien la voir, répondit-il. De toute façon, je crois qu'elle doit quitter Hartford prochainement.

— Non !... Pour aller où ?

— Je ne sais pas encore.

— Et... vous êtes toujours très amoureux d'elle ?

— Bien sûr. »

Le sourire d'Effie, soudain teinté de mélancolie, presque tragique, effaça le sourire confiant qu'il avait arboré, et, la prenant en pitié, il détourna les yeux. Il se versa de nouveau un demi-verre de vin. Effie n'avait presque rien bu.

« Quand est-ce que vous serez fixé, David ?

— A quel sujet ?

— Au sujet de votre mariage éventuel ?

— Je le suis déjà. Elle m'épouse ; peut-être pas le mois prochain, mais...

— C'est pourquoi je vous demande : quand ?

— Je ne vois pas ce que cela changerait de connaître la date ! »

On sonna à la porte. De la cuisine, Effie appuya sur un bouton. Retrouvant toute sa nervosité, qui contrastait tellement avec le calme d'Annabelle, elle prépara la boisson de Wes dans un grand remue-ménage de glaçons.

Wes fit son entrée en exhibant un large sourire, caressa Effie sous le menton, puis, son pardessus enlevé, accepta le verre de scotch.

« Je ne pensais vraiment pas que tu viendrais ce soir, David. Compliments, Effie !

— Je n'ai pas eu à me donner beaucoup de mal, il est venu comme un agneau. »

Pas tout à fait, se dit David. Elle l'avait attiré en prétendant avoir une nouvelle importante à lui communiquer : cette histoire « Neumeister ». Mais elle ne lui avait rien appris qu'il ne sût déjà ou qu'il n'eût été en mesure de prévoir tout seul.

David eut l'impression que la bonne humeur de Wes sonnait faux. Il se rendit compte soudain que la dernière visite de son camarade dans sa chambre, chez Mme Mac Cartney, remontait à plusieurs semaines. Il se prit à évoquer leur court dialogue, aujourd'hui, à l'usine, et l'incident à la brasserie ; Chez-Michel. Il se sentit honteux et mal à l'aise ; il regretta d'avoir fait tomber Wes et se sentit gêné à la pensée de quitter Froudsburg sans même avoir essayé de raccommoder les choses. Effie et Wes venaient de se servir un deuxième verre, et, pour leur être agréable, David accepta le scotch à l'eau qu'on lui offrait avec insistance. Il avait déjà bu plus de la moitié du sauternes. Il observa le visage de Wes, dont le flot de paroles était ponctué, à intervalles réguliers, par le rire niais d'Effie. Il tripota son bracelet-montre, sous sa manche, et, au moment où Wes terminait une histoire dans un grand éclat de rire, il se mit debout.

« Prends ma montre ! » dit-il.

Il la lui tendit. Wes le regarda, interloqué.

« Qu'est-ce que tu veux dire ?

— Il me plairait que tu l'aies. Elle te fait envie, non ? »

Il savait qu'elle était à son goût, car Wes lui avait déjà confié qu'il la trouvait très belle.

« C'est une montre qui coûte cher, mon vieux, dit Wes en hésitant à la prendre.

— David..., dit Effie avec reproche. Cette montre est merveilleuse.

— C'est justement pour ça que je veux la lui donner, dit-il en ouvrant les bras et en les laissant retomber. Qu'est-ce qu'il y a de si drôle ? J'en achèterai une neuve.

— Une Vacheron-Constantin ? Sur ton salaire à venir ? L'alcool lui est monté à la tête, Effie.

— Je tiens à ce que tu l'aies, dit David. Moi, pour être franc, je l'ai assez vue... tandis qu'à toi, elle te plaît. C'est une montre très précise, et l'aiguille des secondes est bien utile.

— Non, David.

— Prends-la ! Je ne comprends pas pourquoi tu fais tant d'histoires ! » cria-t-il.

Mais il sourit aussitôt en voyant l'expression saisie d'Effie. Il y eut alors un grand silence. Puis, avec sérieux et gravité :

« Eh bien, merci, David, dit Wes. Et si jamais tu veux la reprendre.

— Je ne veux plus jamais la revoir. Je m'en achèterai une neuve. »

Il s'amusa de leur ahurissement et de leurs échanges de regards perplexes.

« Mets-la !... Mais mets-la donc !...

— Deux bracelets-montres, l'un sur l'autre ? »

Tout en parlant, Wes ajustait le bracelet en peau de crocodile.

« J'ai toujours rêvé d'être assez riche pour arborer deux bracelets-montres à la fois. »

David rit, mais soudain, tristement ; il se sentit déçu. Puis il se rassit. Wes s'éclaircit la voix et but longuement.

« Si l'heure est aux cadeaux d'adieu, dit-il enfin, pourquoi n'emportes-tu pas l'esquisse qu'Effie a faite de toi ? C'est pour te l'offrir qu'elle l'a fait encadrer. »

Effie prit l'air effaré. David la regarda avec curiosité.

« Je regrette, je dois avouer que je l'ai détruite.

— Vraiment ? demanda Wes. Détruite ?

— Oui.

— Pourquoi ? »

Effie se leva et passa dans la cuisine sans répondre. Plutôt soulagé, car cela le dispenserait d'avoir à exhiber son portrait, David la suivit dans la cuisine. Il avait pensé pouvoir l'aider, mais elle ne faisait rien.

« Est-ce que je pourrais boire quelque chose ? » demanda-t-il.

Il s'attendait à lui voir l'expression d'agréable surprise habituelle chez les gens à qui il redemandait à boire, ou de qui il acceptait un verre. Mais, au contraire, la visage d'Effie se rembrunit.

« Il serait peut-être plus sage que vous en restiez là, David.

— Comment ? Je parie que je pourrais finir cette bouteille sans qu'il y paraisse. Jamais je ne m'en ressens, et ça ne se voit jamais.

— Ah ! c'est bien la meilleure ! dit Wes qui venait d'entrer.

— Tu veux parier ?

— Non, non, je n'y tiens pas. »

Et Wes jeta un coup d'œil vers Effie, comme s'ils avaient un secret en commun.

« Dans ce cas, je ne prendrai qu'un verre, si cela ne vous gêne pas. »

David s'empara de la bouteille pour se servir généreusement... mais sans exagérer, pensa-t-il. Environ trois doigts. Il reposa la bouteille et la poussa vers Wes dont le verre était vide. Puis il fit tomber deux cubes de glace dans son scotch avant d'y ajouter un peu d'eau du robinet. Pendant ce temps-là, Effie et Wes ne le quittaient pas des yeux ; on aurait cru que c'était la première fois qu'ils voyaient quelqu'un se servir à boire. Après quoi, Wes se mit en devoir de remplir son propre verre à moitié, sérieux comme un pape, avant d'y laisser choir aussi les morceaux de glace et... un petit centimètre d'eau gazeuse, à titre symbolique. David lui adressa un sourire ; Wes ne le lui rendit pas et reprit le chemin du salon.

« David, chuchota Effie en venant vers lui, je regrette ce que j'ai dit au sujet du croquis. Il est toujours intact, et il est à vous, si vous le voulez. C'est seulement que j'avais pensé le détruire. »

Les sentiments complexes dont elle voulait faire état ne l'intéressaient pas.

« Je vois, dit-il poliment.

— J'avais pensé que si jamais ces gens de la police de Beck's Brook venaient ici et le voyaient... Voilà pourquoi je ne l'ai pas accroché. Il est au fond d'un tiroir. Il pourrait faire identifier Newmester, n'est-ce pas ?

— En tant que Newmester ? demanda-t-il ironiquement. Oui. Et alors ? Tout ça, c'est du passé. Pourquoi tellement dramatiser ? »

Elle gardait une expression grave et paraissait même choquée.

« Entendu, David. Espérons que c'est du passé. »

Après deux de ses hochements de tête si personnels, elle s'en retourna vers le salon.

David leva son verre et, fermant les yeux, avala trois grandes gorgées... Neumeister... Cela faisait longtemps qu'il n'avait pas pensé à lui... Jusqu'à ce soir... Et, pendant ce temps-là, voilà que la petite Effie conservait jalousement son secret... Neumeister avait rempli sa mission, dominant avec sérénité les flots tumultueux, emporté par les mouvements descendants, puis ascendants, jusqu'au sommet de la crête. Vaisseau robuste, toutes voiles dehors, Neumeister, lui, n'avait jamais perdu une bataille !... Dommage qu'Annabelle n'ait jamais fait sa connaissance !... Bien qu'en un sens, Neumeister ait cohabité avec elle... Mais David avait fait le tour du problème, et la conclusion froide et terrifiante à laquelle il était arrivé, c'est que, s'il apprenait à Annabelle que Neumeister et lui ne faisaient qu'une seule et même personne, non seulement elle ne s'en remettrait jamais, mais jamais elle ne pourrait croire que la mort de Gérald avait été accidentelle. Bon... Neumeister n'était plus là ; c'était comme s'il était mort, lui aussi, et enterré. David chaloupa un peu en contournant le buffet de la cuisine ; mais il prit garde de marcher droit en entrant dans le salon.

Effie et Wes cessèrent de murmurer en le voyant apparaître. Effie alla placer d'autres disques sur le phono, et Wes et elle se mirent à danser. Mais Wes prétendit que le rythme était trop lent ; il commençait à ne plus pouvoir cacher qu'il avait beaucoup bu. Quand il voulut aller remplir son verre à la cuisine, il tâcha de s'emparer aussi du verre de David. Sans succès. David n'en voulait plus.

« N'insistez pas, dit Effie, s'il n'en veut plus.

— Il se vantait de pouvoir boire tout le contenu de la bouteille ! »

Wes avait retrouvé son sourire bonasse ; David accepta de lui confier son verre.

Ensuite, pendant une heure environ, tout lui parut un peu flou ; il s'étonna de l'effet obtenu avec une si petite quantité d'alcool. Mais, apparemment, seule sa vue était affectée. Wes, par contre, se désagrégeait. Il tournait sans grâce, avec Effie, faisant de temps à autre quelque geste extravagant ou lançant quelque affirmation insensée.

« Je suis content que vous ayez détruit ce croquis de David. Vraiment content Effie. C'est un grand pas en avant. Jamais plus on ne verra la pure jeune fille attendre à la maison, pendant que son bien-aimé galope à la poursuite de... d'un mythe. »

David fit celui qui n'entendait pas. Les yeux levés, il fixa un coin de la pièce ; puis, se laissant aller en arrière contre le dossier du canapé, il écouta le piano, au phono.

Effie prononça soudain le nom de Wes, d'une

voix larmoyante. David la vit qui appuyait ses mains l'une contre l'autre, dans un geste de désespoir vraiment risible, donnant à penser que tout, la soirée, ses invités, tout avait fini par lui échapper. Wes vint vers lui, titubant, avec un sourire équivoque et tendant le doigt.

« Est-ce que ce n'est pas vrai, mon vieux ?

— Attention, Wes ! Laisse David tranquille !

— Je n'ai même pas entendu ce qu'il a dit ! lui lança David, très détendu.

— Je disais : tu ne veux pas d'une fille que tu peux avoir, mais tu veux celle qui ne veut pas de toi. C'est un signe de névrose. »

Le ton était celui de la bonne humeur ; Wes se balançait sur ses talons, gardant les mains dans ses poches.

« Je veux ton bien, continua-t-il. J'essaie de te donner de bons conseils. Ça m'est égal... qui c'est, la personne qui... l'autre...

— David, ce n'est pas du tout de cela que je lui parlais ; vous pouvez me croire. Je ne voudrais pas que cela vous... »

Elle se précipita pour sauver un verre sur le guéridon, mais Wes réussit à le renverser quand même ; c'était le sien, et il était vide. David le contempla sans s'émouvoir.

« Tu ne sais même pas ce que tu racontes, alors cela me ferait bien plaisir si tu... »

Mais on n'arrêtait pas Wes aussi facilement. Les conseils mi-ennuyeux, mi-facétieux se mirent à pleuvoir. Cette jeune personne..., pas de nom..., cette certaine personne qui faisait sa dernière année de collège ou quelque chose dans ce genre... est-ce qu'elle le rendait fou au point qu'il éprouve le besoin de se soûler chaque week-end ? Et peut-être même en compagnie d'une autre fille ?

David prit une cigarette et la lança sur le guéridon sans l'avoir allumée. Il garda son calme, mais les mots lui tombaient sur les épaules, sur le crâne ; il avait l'impression qu'ils lui collaient à la peau, aux cheveux. Même Effie suppliait Wes de s'arrêter.

« Vous ne comprenez pas », murmura-t-il entre ses mains.

Il entendit le rire de Wes.

« Effie m'a raconté, dit Wes en guise d'explication. Elle te plaint beaucoup. Elle a le sentiment que c'est sans espoir pour toi.

— Je n'ai pas exactement dit que c'était sans espoir », dit Effie d'une voix chevrotante.

David se leva et s'enquit en souriant :

« Vous me plaignez ?

— C'est ce que vous avez dit, Effie. Pourquoi le nier ? »

Alors David alluma sa cigarette. Il lui était facile de saisir pourquoi Effie considérait que c'était sans espoir. Sans doute était-il amoureux sans espoir ?... Oui, et cela expliquait qu'il n'ait jamais pu accorder d'attention à Effie... Bien sûr...

« Je compte épouser cette jeune fille, c'est tout. C'est un peu gênant de voir les autres discuter de votre vie privée, mais puisque c'est vous qui avez soulevé la question...

— Je n'avais pas l'intention de te « gêner », David..., c'est seulement que cela m'intéresse..., que cela nous intéresse, Effie et moi... parce que nous t'aimons bien... Et Effie..., elle t'aime... plus que bien... »

Et Wes le gratifia d'une légère tape sur l'épaule.

« Il ne me plaît pas, à moi, que celle que je compte épouser fasse l'objet de discussions, quels que soient ceux qui en discutent. J'espère qu'un jour vous la connaîtrez... Mais ce sera chez moi, chez nous. Nous serons mariés d'ici quelques mois... peut-être même plus tôt... Et si quelqu'un soutient le contraire, cela prouve simplement qu'il ignore de quoi il parle. »

David éteignit vivement sa cigarette dans le cendrier. Son cœur battait fort, jusqu'à lui troubler la vue.

« Pour moi, il n'a jamais fait aucun doute que je l'épouserais. »

Il poursuivit sans même en avoir envie. Il fit un pas vers Wes qui recula. Il continua longtemps, longtemps ; ce fut un discours sans fin, malgré toutes les vaines tentatives de Wes pour le couper, et malgré les excuses que Wes lui présenta. Il continua comme si la mince silhouette, vêtue d'un complet marron, celle de Wes, représentait un obstacle entre Annabelle et lui, obstacle qu'il lui fallait broyer, disperser avec des mots. Puis il vit son propre bras se balancer soudain, en direction de Wes, et celui-ci qui l'esquivait en sautant en arrière. A vrai dire, il s'en fallait d'au moins trente centimètres que le poing de David ne l'atteigne, mais celui-ci n'avait pas eu vraiment l'intention de le frapper. Alors, soudain, son discours s'arrêta. Le visage courroucé et médusé de Wes se mit à osciller un peu, puis se détourna. Effie s'accrocha au bras de David, tout en parlant ; il aurait voulu lui dire que tant de sollicitude était superflue, mais, pris dans une sorte d'étau, il lui fut impossible de bouger ou d'articuler un mot ; son corps devint rigide et se mit en même temps à trembler.

« A l'avenir, abstenez-vous définitivement de me parler d'elle. C'est tout. »

Sa voix tremblait de fureur. Il saisit son verre, le vida et regarda dans la direction du visage renfrogné de Wes.

« Mes enfants, mes enfants », dit Effie, dans une tentative de sourire.

Elle se dirigea vers la cuisine.

« Je m'en vais vous faire du café. »

David garda les yeux rivés sur Wes, dans l'attente de représailles quelconques, en gestes ou en paroles.

« Eh bien, comment est-on censé réagir quand un individu vient d'essayer de vous flanquer un coup de poing ? »

David ébaucha un sourire.

« Un peu de café ? » dit-il.

Mais le visage de Wes gardait tous les signes du ressentiment.

« Laisse-moi te dire. A supposer même que tu puisses l'avoir, tu seras incapable de lui faire quoi que ce soit. Tu es dans un tel état... Tu ne t'en doutes pas, mon vieux, mais tu n'es qu'un paquet de nerfs. »

David eut du mal à en croire ses oreilles. Quand le sens de ces paroles lui devint clair, ce fut comme une décharge électrique.

« Sale menteur ! » grinca-t-il entre ses dents.

Dépassant Wes, il marcha jusqu'au placard du vestibule, sans même comprendre les paroles d'Effie, derrière lui. Il entendit seulement une sorte de gémissement, poussé sur un diapason élevé, qui lui fit l'effet d'un rasoir lui raclant la cervelle.

« Bonsoir et merci, Effie ! » dit-il très vite.

Il plongea les bras dans son pardessus et ouvrit la porte lui-même. En claquant derrière lui, elle rendit un son délicieusement définitif. L'injustice, la stupidité de tout cela !... La vulgarité !... La fausseté !...

« Reprends ta montre, David ! »

Wes appelait du haut de l'escalier. Cette fois-ci, ce fut la porte de l'immeuble que David fit retentir.

La colère de David ne le quitta pas de plusieurs jours : source de chaleur et d'énergie, elle l'empêchait de dormir. Tandis qu'il se tournait et se retournait dans son lit, il s'efforçait de neutraliser sa colère, ressassant les paroles de Wes au point que, vidées de tout contenu émotionnel, elles n'avaient plus aucune signification. Malgré tout, sa colère ne cédait pas. Ce bouillonnement d'énergie, il l'employa à des fins domestiques : sa deuxième nuit d'insomnie se passa en aménagements qui s'imposaient dans sa nouvelle maison. Mais il n'en continua pas moins à retourner dans son esprit tout ce qui avait été dit lors de cette soirée. Effie avait prétendu qu'il avait de la chance ?.. De la chance, lui, David Kelsey ? C'était peut-être William Neumeister qui en avait !... Effie se tracassait parce que les recherches pour retrouver Neumeister continuaient. Mais sa chance n'allait pas s'arrêter là, brusquement. Il eut comme l'impression d'un défi. Cela lui donna envie d'appeler la police de Beck's Brook et de leur faire le compte rendu des faits et gestes de Neumeister depuis qu'il avait soi-disant disparu. L'Orégon, l'Etat de Washington, le Texas, la Californie... Qui sait jusqu'où la vocation journalistique de Neumeister pouvait l'avoir entraîné ? Avec une ébauche de sourire il fit un geste vers le téléphone, sans toutefois mettre son projet à exécution, car, en même temps, l'idée lui vint que les policiers de Beck's Brook insisteraient très certainement pour qu'il aille les voir.

David, très calme, se changea pour revêtir le complet gris qu'avait porté William Neumeister, ce fameux dimanche après-midi. Il manquait les boutons de manchettes frappés au monogramme « N », car il s'en était débarrassé avant de déménager. Mais le chapeau était le même, et il se souvint de la cravate qu'il avait portée ; toutefois, il choisit d'en mettre une autre. Prévoyant que l'on voudrait éventuellement voir son permis de conduire, aux fins d'identité, il le retira de son portefeuille. Il se demanda comment il pourrait établir qu'il était William Neumeister : il n'avait plus aucune facture, aucun reçu où figurait ce nom. Après avoir cherché en vain, il décida d'y aller au culot, De deux choses l'une : ou l'entrevue écarterait définitivement tout soupçon, ou ce serait la fin. Il était d'humeur à tenter l'expérience. Jugeant que le moment était venu d'agir, il ne voulut pas attendre d'avoir une pièce officielle établie au nom de Neumeister, cela pourrait encore demander un jour ou deux... Oui, au culot !... Et sans oublier de rentrer les épaules !... Il était à environ cent cinquante kilomètres de Beck's Brook. Il y arriva, le dimanche après-midi, vers seize heures quinze. Il n'y avait qu'un seul agent de garde au poste, et David ne l'avait encore jamais vu. Il dut se lancer dans de longues explications pour lui faire comprendre qui il était. « Bon signe », se dit-il. L'homme décrocha enfin le téléphone et demanda le sergent Terry. David espérait qu'il ne serait pas chez lui, mais il y était.

« Il vient. Il veut vous voir. »

David remercia et s'assit. Il lui fallut combattre l'espèce d'arrogance qui l'habitait depuis qu'il s'était résolu à cette expédition ; elle prenait de l'ampleur. Il convenait de prendre un air grave, un peu déprimé même, et surtout de paraître désireux de coopérer. Après un quart d'heure d'attente, il vit venir le sergent Terry, à pas lents et pesants.

« Monsieur Newmester, je suis content de vous voir. »

David s'était levé.

« Comment allez-vous ? dit-il d'un ton aimable. J'étais justement dans le coin, et je me suis rappelé que je n'avais toujours pas rendu visite à madame... cette personne de Hartford... Je n'ai même pas son adresse... Delaney, n'est-ce pas ? Mais le prénom de son mari ?

— Gérald... Où avez-vous été vous promener ?

— Je reviens de Californie. Pourquoi ?

— Eh bien, Mme Delaney voulait avoir un entretien avec vous, et nous avons essayé de vous joindre par tous les moyens.

— Je n'en savais rien. Il a quelque chose qui ne va pas ?

— Rien du tout. Mais Mme Delaney tenait beaucoup à avoir une conversation avec vous ; elle voulait vous rencontrer et savoir exactement comment les choses s'étaient passées. »

Il y avait comme un reproche dans sa voix.

« J'ignore dans quels journaux vous écrivez, continua-t-il, mais ce ne sont pas des journaux de la région. »

David esquissa un sourire.

« Eh bien, c'est-à-dire... quelques-uns, si !... Mais mon travail consiste surtout à fournir de la copie aux éditorialistes scientifiques, qui s'en servent pour leurs articles. Il est rare que paraisse quoi que ce soit sous ma signature.

— Je vois. »

La méfiance du sergent ne diminuait pas ; il semblait encore mécontent.

« En tout cas, Mme Delaney voudrait vous entendre, vous. »

Il passa derrière le bureau où l'autre agent était resté à les observer, derrière son journal. Il ouvrit un tiroir et retira une feuille d'un dossier pour relever quelques indications qu'il nota sur un morceau de papier.

« Je vous remercie », dit David.

C'était l'adresse d'Annabelle et son numéro de téléphone que le sergent venait de lui remettre.

« Où habitez-vous en ce moment, monsieur Newmester ?

— Je n'ai pas de domicile fixe. Je compte rester quelque temps à New York avant de partir pour l'étranger... sans doute dans un mois. »

Il venait de se rappeler ce qu'il avait dit à M. Willis au sujet de ses voyages.

« C'est ce que nous a dit l'agent immobilier... Savez-vous que nous n'avons même pas pu entrer en rapport avec les deux personnes dont vous nous aviez donné les noms en guise de références ? Il y avait un dénommé Patterson ; l'autre s'appelait comment, déjà ?... »

David tenait sa réponse toute prête.

« John Atherley. »

Brusquement, il fut certain que le nom était Atherley et non Asherley. Sous le coup d'une inspiration audacieuse :

« Avez-vous essayé l'Amérique du Sud ? demanda-t-il.

— Non, répondit le sergent sans broncher.

— J'ai reçu une lettre de John, il y a deux mois. Ils sont tous les deux à Cali, en Colombie, où ils font un travail d'organisation pour une entreprise minière. Ils sont conseillers industriels.

— Ah !...

— Mais enfin, qu'est-ce qu'il y a ? Pourquoi vouliez-vous entrer en rapport avec eux ?

— Pour qu'ils nous aident à mettre la main sur vous.

— Eh bien, si j'avais su que vous vous donniez tant de mal !... Les journaux n'en ont pas parlé, il me semble ; je les lis toujours très attentivement.

— Non, nous n'avons rien fait passer dans les journaux. »

Le sergent, tout en le regardant, hochait lentement

sa tête grise comme s'il n'arrivait pas à se faire une opinion.

« Simplement, ajouta-t-il, nous avons pensé que vos deux répondants sauraient où vous étiez. Quand on s'est aperçu qu'on ne pouvait pas les trouver non plus, ça nous a paru un peu bizarre. »

David sourit, l'air surpris.

« Cela m'ennuie vraiment que vous ayez rencontré tant de difficultés... C'est bien ma faute, d'ailleurs. Il aurait fallu que j'aille voir Mme Delaney le jour même où votre collègue m'a recommandé de le faire, ce jour où je faisais mes malles. Pour tout vous dire, je n'y tenais pas tellement ; j'ai remis cette corvée à plus tard, et ensuite, cela m'est complètement sorti de la tête... J'étais persuadé qu'elle aurait une crise de nerfs ; je m'attendais même à ce qu'elle me tienne pour responsable... Ce fut bien sa réaction, n'est-ce pas ? »

Sa voix était anxieuse.

« Je n'en ai pas l'impression. C'est une femme qui a la tête sur les épaules. Tout ce qu'elle veut, c'est entendre, de la bouche d'un témoin — vous, en l'occurrence — un récit détaillé des faits.

— Bon, elle l'aura », dit David d'un air résigné.

Il regarda le sergent se diriger vers le téléphone et pensa que si on lui demandait de parler maintenant à Annabelle, il devrait prétexter un rendez-vous urgent.

« C'est à cause de cette histoire Delaney que vous êtes parti si vite ?

— Non. J'avoue que j'étais ennuyé et que cela m'a peut-être incité à partir plus tôt que je ne l'aurais fait autrement. Mais j'avais déjà projeté de faire un voyage d'études de deux ans environ. C'est pourquoi j'ai vendu la maison. »

Le sergent acquiesça d'un hochement de tête. Puis, le regardant avec attention :

« Voulez-vous lui parler maintenant ? » demanda-t-il.

David était sur le point de répondre qu'il ferait

aussi bien d'aller la voir en personne, mais le sergent avait déjà saisi le téléphone. Le dossier où figurait le numéro d'Annabelle était resté ouvert sur la table. En attendant que la communication soit obtenue, David trouva bon de laisser tomber le plus simplement du monde :

« Vous pourriez peut-être lui proposer que nous nous voyions sur rendez-vous... Demain, j'ai pas mal de temps libre. Mardi également. »

Il n'obtint pas de réponse, le sergent fronçait les sourcils comme si quelque chose requérait son attention. Les secondes, les minutes passèrent... Etait-elle sortie ? Ou bien est-ce que l'opératrice n'avait toujours pas appelé son numéro ? Le sergent paraissait armé de patience. David se courba un peu plus, mais il était tendu à en avoir mal aux épaules. Il se tourna légèrement quand le sergent dit au téléphone :

« Je vois, merci... Elle n'est pas là, ajouta-t-il en raccrochant.

— Je pourrai l'appeler demain, j'aurai le temps.

— Faites donc ça. Et, pendant que j'y pense, soyez assez aimable pour nous indiquer avec précision l'endroit où nous pourrons éventuellement vous joindre... ou, à défaut, prendre contact avec quelqu'un qui saura où vous êtes... Ceci, au cas où cette démarche vous sortirait encore une fois de l'esprit. »

David ébaucha un sourire.

« Vous savez, je n'ai pas l'habitude de disparaître comme ça... sans laisser de traces. Ce soir, je serai à l'hôtel Wellington, à New York, au coin de la 7e Avenue et de la 55e Rue. Et puis, au *Times*, il y a un certain Jason Mac Lain qui sait où me trouver dans quatre-vingt-dix pour cent des cas. Voulez-vous en prendre note ? »

Le sergent écrivit les renseignements.

« Monsieur Newmester, nous n'avons rien contre vous, et nous ne tenons pas à avoir quoi que ce soit contre vous... Mais nous saurons si, oui ou non, vous avez pris contact avec Mme Delaney... et si c'est non...

Rien d'autre ne nous intéresse. Quant à elle, c'est tout ce qu'elle demande.

— Je comprends. »

Il dut faire un effort pour endiguer le flot de son ressentiment. Après tout, il en avait presque terminé. Déjà le sergent le précédait vers la porte. David attendit qu'il lui dise au revoir le premier.

« J'appellerai Mme Delaney demain, de bonne heure, pour lui faire savoir que vous êtes venu nous voir... Au revoir, monsieur Newmester !

— Au revoir ! » répondit David avec un geste de la main.

Une fois au volant, il s'éloigna dans la direction de New York ; que le sergent soit ou non à son poste d'observation, c'était la meilleure solution. Il songea en même temps qu'il aurait intérêt à changer de voiture. En effet, peut-être le sergent avait-il remarqué celle-ci. En outre, le cas pourrait se présenter où David Kelsey aurait lui-même affaire à la police de Beck's Brook. Mais cet inconvénient n'avait guère d'importance en regard du succès de la journée. L'attitude du sergent Terry n'avait pas été dépourvue de méfiance, c'est certain, mais tout cela n'avait quand même pas été très sérieux, sinon il aurait poussé l'interrogatoire beaucoup plus loin. On aurait pu, par exemple, le garder au poste. Il n'irait pas voir Annabelle ; il lui écrirait, et sa lettre, il en était sûr, aurait le don de l'apaiser. Elle désirait, hélas ! en apprendre davantage sur Gérald, et non rencontrer « à tout prix » William Neumeister en personne. Alors, autant filer en effet jusqu'à New York pour écrire sa lettre plutôt que rentrer chez lui comme il en avait d'abord eu l'intention. De toute façon, il serait obligé d'aller à New York pour la mettre à la poste... Il se ferait même prêter une machine à écrire à l'hôtel Wellington, où il s'inscrirait sous le nom de Neumeister et où, il espérait du moins, la police l'appellerait pour s'assurer de sa présence à l'adresse indiquée. Au besoin, il pourrait lui-même téléphoner...

David se mit à siffloter, songeant qu'Annabelle recevrait peut-être sa lettre lundi, à condition qu'il y ait une distribution de courrier dans l'après-midi. Mais il était plus probable qu'elle la recevrait mardi. Et si, par hasard, la police se formalisait de ce qu'il n'eût pas téléphoné, il pourrait toujours prétexter un emploi du temps chargé.

Il arriva à New York sur le coup de minuit, et, sa voiture remisée dans un garage proche de la 8e Avenue, gagna à pied l'hôtel Wellington. Pas de bagages, annonça-t-il ; il ne restait qu'une nuit. Il demanda s'il pourrait disposer d'une machine à écrire pendant une heure. Dès qu'on la lui eut apportée, il se mit à la tâche : autant profiter des dispositions exceptionnelles où il se trouvait pour rédiger cette lettre. Après tout, pensa-t-il, ce ne serait jamais qu'une demi-duperie. Et il se mit en devoir de remplir deux pages d'une seule traite, écrivant sur le papier à en-tête de l'hôtel et laissant le moins de place possible pour la signature de Neumeister, d'une écriture obstinément renversée. Ensuite, il prit des timbres dans son portefeuille, ajouta la mention « par avion » sur l'enveloppe et la glissa dans la boîte de l'hôtel.

C'est alors qu'il sentit sa fatigue. Il s'épongea le front. Depuis seize heures, il n'avait pas cessé de mentir ; cela lui avait été d'ailleurs d'une extraordinaire facilité. Mais debout au milieu de la pièce, il éprouvait une sorte de malaise, comme s'il venait — pour la première fois — de surprendre en lui des tendances criminelles dont il avait ignoré l'existence. « C'est idiot », se dit-il en commençant à se déshabiller. Il n'avait pu faire autrement : ou il mentait, ou les autres mentaient — y compris la police — et l'accusaient d'avoir tué Gérald. C'était donc un moindre mal. Sa faiblesse devait provenir de ce qu'il s'était passé de dîner. Enfin, maintenant, il avait fini de jouer à cache-cache avec la police de Beck's Brook. Annabelle leur ferait savoir qu'elle avait reçu une lettre écrite sur papier à en-tête de l'hôtel Wellington ; cela suffirait amplement. Il se laissa tomber dans son lit.

Le lendemain matin, lundi, il prit son petit déjeuner à l'hôtel, régla sa note et partit. Il fit l'achat de quelques disques et entra voir un film italien en début d'après-midi. Il pensa ensuite jeter un coup d'œil sur des voitures, mais cela l'ennuyait ; il décida de s'en occuper quand il serait à Troy. Il se mit en route et rentra chez lui.

Mardi matin, son choix se porta sur une Dodge, couleur bleu clair, vieille de deux ans ; elle avait un an de moins que sa Chrysler bleu-noir ; on la lui livrerait le lundi suivant. Annabelle aimerait peut-être beaucoup la couleur bleu clair. Il passa le restant de la journée chez lui, et, dans la soirée, considérant que la maison était aux trois quarts présentable, il téléphona à Annabelle.

Un homme lui répondit. David demanda à parler à Annabelle.

« De la part de qui ?

— David Kelsey. »

Un instant s'écoula. Puis la voix d'Annabelle se fit entendre, animée et joyeuse.

« Bonjour, David ! dit-elle, apparemment toute contente.

— Bonjour, ma chérie ! Je vous appelle pour... pour vous donner mon nouveau numéro de téléphone. »

La présence d'un homme dans la maison le troublait.

« Vous avez un crayon ?

— Oui. Dans un instant. David, j'ai reçu aujourd'hui des nouvelles de M. Neumeister.

— Vraiment ? »

Pendant un instant, cela lui parut « vraiment » surprenant.

« Et vous l'avez vu ? demanda-t-il prudemment.

— Il m'a écrit. Une lettre très gentille. Je vous la montrerai. Il donne l'impression d'être un homme bien. Enfin, je me sens beaucoup mieux, vous ne pouvez pas savoir.

— Qu'est-ce qu'il a dit ?

— Il m'a simplement expliqué en détail comment l'accident avait eu lieu. Je n'en demandais pas plus... Il est à New York en ce moment, après un voyage en Californie.

— Ah !... Et est-ce que cela vous a appris quelque chose ?

— Bien sûr... Enfin peut-être pas, mais... j'ai été contente d'avoir des renseignements directement par lui. Il est allé au poste de police de Beck's Brook dimanche dernier ; il ignorait qu'on avait essayé de le joindre.

— Je vous l'avais dit ; si vous aviez fait passer un entrefilet dans les journaux, il se serait manifesté beaucoup plus tôt. »

Soudain, la facilité de son débit se bloqua net.

« Vous voulez bien prendre un crayon », dit-il.

Pendant que David lui donnait son numéro de téléphone et l'adresse de Dickson-Rand, il crut entendre murmurer assez insolemment l'homme qui était à côté d'elle, mais il ne comprit pas clairement ce qu'il disait.

« Je me demandais quand vous seriez libre de venir me voir ?... Moi, je suis libre toute cette semaine... et le prochain week-end. Voulez-vous que je passe vous prendre en voiture demain ?

— On croirait que j'habite à deux rues de chez vous !

— Vous n'êtes pas tellement loin. »

Mais elle était prise toute la semaine et ne pouvait rien affirmer quant au week-end : samedi, il lui faudrait absolument faire de la couture et, dimanche, elle avait du monde à dîner. David eut un pressentiment de défaite en ce qui concernait le week-end.

« Je n'ai pas d'autre temps libre, Annabelle... »

Il se tut, comprenant qu'il était inutile d'insister.

« Bien. La semaine prochaine alors ? Est-ce que je

peux vous appeler ? Ou préférez-vous me donner un coup de fil à ma charge ? A toute heure du jour ou de la nuit.

— Je m'en souviendrai. »

Il y avait un sourire dans sa voix.

« Et je vous souhaite bonne chance... et de réussir pleinement... et tout et tout... dans votre nouvel emploi... »

Il rit de la voir cérémonieuse, puis se figea dans l'attente de l' « Au revoir » qui allait tomber dans quelques secondes.

« Merci d'avoir appelé... Au revoir, David !

— Au revoir ! »

Il resta plusieurs minutes à contempler un grand avocat tout brillant qui couronnait un panier de fruits ; un avocat qui atteindrait la perfection dans un jour ou deux : il avait été destiné au déjeuner d'Annabelle.

Ce soir-là, David prit deux Martini avant le dîner ; et, pour lui tenir compagnie à table, il garda devant lui une brochure traitant de la radiation nucléaire, œuvre d'un ingénieur de Dickson-Rand. Une pensée, comme une tentation lui traversa l'esprit : s'il prenait encore une fois le nom de William Neumeister ? Neumeister était d'un commerce tellement plus agréable que David Kelsey... Et pour cause !... Il donnait l'impression d'être quelqu'un de très bien, d'après Annabelle. Cela lui serait difficile d'imaginer qu'Annabelle habitait avec lui dans cette maison, s'il devait rester simplement David Kelsey. Il n'était pas nécessaire qu'il ait acheté la maison au nom de Neumeister — et d'ailleurs il ne l'avait pas fait — mais il suffirait que, dans cette maison, il s'imagine être Neumeister, l'homme qui n'avait jamais échoué en rien... David s'arrêta net. Il avait pris la décision d'en finir avec ce jeu puéril ; il s'y tiendrait. Il s'était déjà montré trop faible en s'appuyant dessus comme sur une béquille, de la même façon que Wes qui, pour oublier de prendre une décision au sujet de sa

misérable vie avec Laura, avait recours à la boisson.
Lundi, David, se rendit à son travail. Là, tout répondit à l'idée qu'il s'en était faite : son poste dans ce laboratoire où l'on pratiquait les analyses rocheuses, la qualité des êtres aussi, et l'ambiance générale. Les jardins spacieux, bien entretenus, suffisaient à le mettre de bonne humeur, chaque matin, quand il empruntait le chemin pavé menant de sa voiture au laboratoire de géophysique. Des pins bleus élancés croissaient tout autour du bâtiment administratif. Il y avait un cadran solaire, qui était également une baignoire pour oiseaux, prise dans la glace ces jours-ci ; un court de tennis aussi, et une pergola où s'enroulait une vigne ; quelques bancs de pierre étaient disséminés ici et là, où il serait agréable de s'asseoir par beau temps et deviser avec un collègue. Le chef de David, le professeur Osbourne, était un homme de petite taille, un peu courbé, à l'œil pétillant de bonne humeur : homme sans façons, mais qui ne donnait pas pour autant l'impression de devoir verser dans l'excentricité. Or, David n'était pas là depuis cinq jours, que le professeur s'enfermait à clef dans son bureau, interdisait qu'on vienne le déranger et refusant toute communication téléphonique. Il y resta même tout le week-end, couchant la nuit sur son divan de cuir, l'esprit en proie à quelque problème. Il n'était d'ailleurs pas le seul à se montrer un peu bizarre. Ainsi un jeune ingénieur, amoureux de la pluie, avait pour habitude de rester debout, tête nue, lui dit-on, et le visage levé. Un autre amenait son chat persan au bureau. Quant au professeur Kipp, il faisait deux fois par jour, à pied, les quatre kilomètres qui séparaient sa maison du laboratoire, et par tous les temps. Les hommes, pour la plupart, comme David, n'avaient pas de bureau et travaillaient debout dans les grandes salles rectangulaires qui abritaient les tubes à air comprimé, ainsi que les spectrographes pour agglomérats et autres destinés

à l'analyse des matières. Cinq ou six étudiants d'Utica y travaillaient en vue de diplômes en physique et chimie.

Quant à David, son travail habituel consistait à veiller au bon fonctionnement des appareils permettant la séparation de la substance rocheuse, et des spectrographes ; également de recueillir les particules de matière produites par les appareils, d'inscrire les poids, d'apposer les étiquettes... Il travaillait aussi sous la direction du docteur Osbourne à deux ou trois projets, nés de la dernière expédition du *Darwin*, un bateau appartenant en propre à Dickson-Rand. David n'aurait pu souhaiter emploi mieux dédié au service d'autrui : le laboratoire de Dickson-Rand recevait annuellement des centaines d'éléments de roches ou de terre, et les analyses pratiquées étaient offertes gratuitement à des particuliers, ou à des maisons de commerce. C'est dire qu'on était loin des coutumes des établissements Cheswick et Cie.

Effie Brennan lui fit cadeau d'une nappe de toile grise avec quatre serviettes gris foncé, et quatre dessous de plats de bambou, accompagnés d'une carte portant ces mots : « Soyez heureux dans votre nouvelle maison. » L'ensemble était de bon goût, de la qualité qu'appréciait David, et il était certain qu'Annabelle l'apprécierait aussi.

Annabelle, cependant, fut dans l'impossibilité de lui fixer un rendez-vous pour un jour de sa deuxième semaine dans la maison. Il en fut déprimé et inquiet. Deux fois déjà, le soir, il avait téléphoné chez elle. D'abord, personne n'avait répondu, ensuite, il l'avait eue au bout du fil alors qu'elle était sur le point de sortir ; elle n'avait pas eu le temps de lui parler, sinon pour lui dire qu'elle n'avait pas une soirée libre, de toute la semaine, et qu'elle ne pourrait non plus le voir pendant le week-end.

On en était maintenant au samedi 7 mars. Ce soir-là, David devait dîner chez le professeur Wilbur Osbourne, dont il avait accepté, la veille seulement, une invitation qui lui avait été faite huit jours plus tôt. Il avait déjà décliné une première invitation du professeur, espérant alors rencontrer Annabelle... A la deuxième, David, dans une réponse embarrassée, s'était excusé, prétextant qu'il ne pourrait pas savoir avant jeudi s'il serait libre ou non, s'étant fixé ce jour, au hasard, pour téléphoner à Annabelle, dans un ultime espoir de la voir.

« Je ne me doutais pas que vous aviez tant de succès », avait dit le professeur avec bonne humeur.

Après une légère hésitation, David décida de porter un pantalon de toile, des mocassins et une veste de tweed. L'absence de cérémonie était coutumière à Dickson-Rand. Pour se rendre chez le docteur Osbourne, il n'eut qu'à suivre le plan qu'avait tracé le professeur sur un morceau de papier à dessin. Il arriva devant une maison massive de deux étages, qui se dressait au fond d'une pelouse sombre. Une lampe s'alluma dans l'entrée ; le professeur vint à sa rencontre et lui serra la main. Une femme de chambre de couleur prit son pardessus. Après quoi, ils entrèrent dans la salle de séjour, pièce d'aspect solide, d'une autre époque, avec un feu dans la cheminée. Mme Osbourne, une femme un peu grassouillette, aux cheveux gris bouffants, les attendait, assise dans un canapé, cassant des noix dans une coupe. Elle accueillit David comme s'ils se connaissaient depuis toujours.

« Bonjour, David ! Excusez-moi de rester assise, mais une fois que je suis enfoncée dans ce coin... Ah ! oui, mon mari a raison, vous êtes vraiment très grand... Qu'est-ce que vous allez boire ? »

Et le casse-noix d'argent se remit à fonctionner. D'emblée, David la trouva sympathique et se sentit à l'aise. Il refusa la boisson offerte, et ni l'un ni l'autre ne s'en offusqua ni n'insista. Pendant que ses hôtes prenaient respectivement un bourbon et un cherry, David resta sur un gros pouf, devant le feu, où on l'avait invité à s'asseoir. Mme

Osbourne ne parvenait pas à comprendre que des gens puissent s'habiller de coton par un temps pareil.

« En ce qui concerne ce garçon, c'est la chaleur cérébrale qui lui sert de combustible, dit M. Osbourne.

— Bah !... »

Le dîner, fort consistant, fut servi dans de lourds plats d'argent. Lesdits plats étaient frappés aux initiales du nom de jeune fille de Mme Osbourne ; cela fit l'objet d'une plaisanterie à laquelle David ne prêta guère attention. Puis, s'adressant à sa femme, M. Osbourne se mit à énumérer les succès que David avait obtenus à son collège de Californie ainsi que ses bonnes notes au collège d'Oakley. David, que ce genre d'appréciation mettait en général mal à l'aise, fut au contraire flatté que Mme Osbourne sût déjà à quoi s'en tenir sur lui ; il fut aussi reconnaissant au professeur de le placer si haut dans son estime, en considérant que le laboratoire avait eu de la chance de s'adjoindre ses services.

« J'espère y rester toute ma vie.

— A propos, Wilbur disait que vous aviez déjà acheté votre maison. De quel côté est-elle ? »

David lui donna toutes indications, ajoutant qu'elle avait appartenu à des gens du nom de Twilling.

« Twilling ? La propriété Twilling, Wilbur ; tu aurais dû me dire que c'était la propriété Twilling.

— Je ne le savais pas, ma chère.

— C'est que je la connais bien, cette maison. Mme Twilling est une de mes amies, et j'avais l'habitude d'aller la voir... Il se trouve que Wilbur ne la prise pas beaucoup. Mais cette considération ne m'émeut pas outre mesure. »

Elle termina dans un sourire.

« Twilling est un idiot, décréta le professeur, tout en versant du vin dans le verre de David et dans le sien. Gardez-vous de fréquenter les idiots ou leur femme, la vie est trop courte.

— Pour en revenir à cette maison, reprit Mme Osbourne, elle a beaucoup de charme, n'est-ce pas ? Et vous ne pourrez pas vous plaindre de manquer de place. N'allez-vous pas vous sentir un peu seul ?

— Pourquoi veux-tu qu'il se sente seul ? Sans compter qu'il est peut-être déjà condamné à se marier. C'est probablement ce que tu voudrais savoir. »

Tout en parlant, le professeur parcourait la table des yeux, comme s'il cherchait quelque chose. Ce ne pouvait être la salière, que David lui avait déjà passée au début du repas.

« Mais c'est ce que je souhaite : que le mariage fasse un jour partie du décor. »

A ces mots prononcés par Mme Osbourne, David se redressa.

« Il en est justement question. Mais à quelle date exactement ? Je n'en sais rien. En tout cas, sûrement avant la fin de l'année. Avant la fin de l'été. »

Il avait terminé sa phrase avec une grande conviction.

« Toutes mes félicitations, David. Où est-elle ? Comment s'appelle-t-elle ? »

Il hésita soudain, se demandant s'il n'était pas allé trop loin ; mais les regards restaient braqués sur lui, en attente.

« Elle est dans le Connecticut. Elle s'appelle Annabelle. »

Rien que d'avoir prononcé ces mots, il reprenait confiance. Il était plus heureux, plus assuré. Ces gens-là étaient des amis. Il se prit à souhaiter que Mme Osbourne rencontre Annabelle. Oui, c'était ce qu'il désirait le plus. Il ajouta avec un sourire :

« Je suis sûr que vous la trouverez sympathique.

— Bah !... Ça, par exemple, dit le professeur. C'est justement quand vous êtes sur le point de vous marier, que vous renoncez à une situation bien rémunérée pour en prendre une qui ne l'est pas ?...

— Oui... mais comme je vous l'ai expliqué dans ma lettre, je n'ai jamais pu me faire à mon travail dans cette usine de matière plastique.

— Alors, pourquoi l'avoir accepté au départ ?

— A ce moment, je croyais avoir besoin d'argent. Pour pouvoir me marier justement. »

Il se sentit devenir tout rouge, de colère ou d'embarras.

« Avec la même jeune fille ?

— Oui, monsieur.

— Et vous avez gardé cette situation pendant deux ans ? Elle n'arrive pas à se décider ? Qu'est-ce qu'elle attend ?

— Wilbur... protesta sa femme. David n'a peut-être pas envie de répondre à toutes ces questions. »

Les glaces étaient maintenant sur la table, plaisamment décorées des noix que Mme Osbourne avait ouvertes.

« Mais non. C'est très bien. Je ne vois aucun inconvénient à y répondre, dit-il ouvertement.

— Est-ce qu'elle s'intéresse à ce que vous faites ? demanda le professeur.

— Eh bien...

— Parfait. »

Mme Osbourne se mit à parler d'autre chose, et la rougeur quitta peu à peu les joues brûlantes de David. Mais le silence persistant du professeur indiquait assez qu'il s'interrogeait sur la question à laquelle David n'avait pas répondu... c'est-à-dire la situation.

L'intelligence de premier ordre du professeur habitué aux conceptions nettes, essayait, afin d'arriver à mieux le connaître, d'assembler les deux ou trois données concrètes qu'il avait pu glaner, concernant David Kelsey. Celui-ci, soudain pris de panique, s'attendait presque à le voir bondir en tonitruant : « Bon sang, mon garçon ! vous voulez dire que vous avez été assez obnubilé pour rester plus de deux ans à vous débattre dans une telle situation ? Sans espoir ? »

De la part du professeur, il n'aurait pas pu le supporter, ses nerfs auraient craqué. Mais, pensa-t-il, l'expression « sans espoir » n'était jamais qu'un écho des réflexions idiotes d'Effie ou de Wes.

« Est-ce que la chaleur vous incommode, David ? demanda Mme Osbourne. Voulez-vous que nous allions dans l'autre pièce ?

— Non, Ça va très bien, merci, madame. Mais je me disais que je n'ai pas répondu à l'une des questions de votre mari... et je ne voudrais pas avoir l'air de cacher quoi que ce soit... La question était : « Qu'est-ce qui nous arrête, Annabelle et moi ?... Eh bien, voilà : Annabelle a eu des ennuis de famille. Un décès, deux, même. C'est ce qui a tout retardé. Rien d'autre, monsieur. »

Un silence effrayant succéda à ces mots, tandis que le professeur, avec son air de tout savoir, faisait peser sur lui un regard incrédule.

Mme Osbourne fit une nouvelle tentative pour dissiper l'horrible gêne à l'aide d'une phrase courtoise, marquant sa compréhension. Elle ne fut pas plus heureuse que la première fois. L'atmosphère s'alourdit encore. Est-ce que le professeur le considérait comme un excentrique, se demanda-t-il ou comme un vrai fou ?

Ils prirent le café, accompagné d'une fine, dans le salon où David eut le malheur de manquer s'asseoir sur le chien, un Sealhyam. Il réussit à passer les trois quarts d'heure qui suivirent sans explosion extraordinaire, mais il était visiblement tendu, il manquait de naturel. Même les deux petits verres de fine ne furent d'aucun effet. Enfin, l'heure vint pour lui de prendre congé de ses hôtes. Ils se dirent au revoir dans l'entrée, où Mme Osbourne lui demanda de revenir les voir. Elle se retira peut-être plus vite qu'il n'eût fallu, probablement afin de le laisser en tête à tête avec son mari, qui avait quelque chose à lui dire.

Le professeur rejeta la tête en arrière, d'un mouvement qui lui était habituel, quand il parlait gravement.

« Il ne faut pas m'en vouloir, David, d'avoir mis une telle insistance à vous interroger sur des questions d'ordre strictement personnel. C'est seulement que je m'intéresse à la façon dont vous abordez votre travail. Voyez-vous, les problèmes personnels peuvent exercer une action désastreuse sur ce qu'on fait et brider l'imagination... Mais je n'ai pas besoin de vous l'apprendre, n'est-ce pas ?

— En effet, monsieur..., mais... je n'ai pas conscience d'avoir de problème... Je veux dire, si j'en ai un, il n'affecte en rien mon travail ; j'en sais quelque chose, vous pouvez me croire. Ce sont là deux domaines nettement séparés ; il en a toujours été ainsi avec moi. »

Le professeur approuva d'un mouvement de tête, mais ce n'était pas sans réserve.

Pour rentrer chez lui, David prit le même chemin, toujours d'après la carte que lui avait donnée le professeur, mais en sens inverse. Il se retrouva bientôt sur sa route habituelle. Récapitulant les événements de la soirée, il pensa qu'après tout, son comportement n'avait pas été si gauche. Certaines phrases de leur dialogue lui revinrent à l'esprit. Qu'est-ce qu'il y avait eu de grave ? Un choc pénible ? Un certain manque de naturel ?... C'était dans son imagination. Il avait toujours tendance à dramatiser, quand la moindre chose allait de travers, comme si les gens ne voyaient plus que ça ; alors qu'en réalité, ses conflits n'étaient pas visibles pour les autres. Cette pensée était réconfortante. Il remisa sa voiture au garage et pénétra dans sa maison chaude et confortable. Une lampe à pied était restée allumée dans le salon et éclairait en plein le téléphone, sur la petite table, au bout du divan. Annabelle avait-elle appelé dans la soirée ? Avait-il manqué son coup de fil ?

C'est l'impression que lui donnait la vue du téléphone tout illuminé. Vivement il regarda l'heure : 22 h 50. Il y avait peu de chances pour qu'elle rappelle. Et si c'était vrai, qu'elle l'eût appelé ?... Elle avait si peu tendance à le faire que, l'ayant manqué une fois, elle ne retrouverait plus l'inspiration... pensa-t-il. Mais d'où tirait-il cette certitude qu'elle l'avait appelé dans la soirée ? Cela n'avait pas de sens, attendu que, jamais encore, elle n'avait essayé de le joindre dans cette maison.

Vingt fois, croyant entendre la sonnerie, il avait manqué se casser le cou en dégringolant l'escalier, ou encore en se précipitant dans la maison, alors qu'il était dans le jardin pour s'apercevoir, au moment où il allait décrocher l'appareil qu'il n'y avait pas de sonnerie. Il alla se coucher, mais, sans doute à cause du café et de la fine, il ne put s'endormir. Il désespéra d'y arriver ; il se sentait très éveillé. Et puis il avait ce sentiment troublant que quelque chose n'allait pas : Annabelle devait être souffrante ou avoir été victime d'un accident. Il voulait l'appeler... Mais à supposer qu'il ne se soit rien passé... Il ne ferait que l'ennuyer, surtout en la réveillant. Elle penserait que ses « prémonitions » dénotaient un esprit un peu dérangé. Quelle que soit son envie, il se garderait de téléphoner ce soir.

Passant une robe de chambre, il se rendit au salon et écrivit le nom et l'adresse de Mme Beecham, chez Mme Mac Cartney, sur une enveloppe, avant de commencer sa lettre. Il parla de son travail et décrivit sa maison : la cuisine qui regardait à l'est, ainsi que la salle de séjour et la chambre à coucher, ce qui était excellent pour les plantes. Il promettait de lui apporter un bégonia, de l'espèce appelée bégonia priant, dont il venait de faire l'acquisition, car il ne se rappelait pas en avoir vu dans sa chambre. Il se sentait envahi du désir de la voir, de causer longuement avec elle, tout en sachant que cette humeur pourrait bien n'être que passagère. L'idée lui traversa l'esprit, aussi, qu'il pourrait l'inviter à passer une journée chez lui, allant la prendre en voiture et la reconduisant le soir, mais il n'en fit pas mention. Après tout, il avait tourné la page : « David Kelsey, rien à cacher. » Il ferma l'enveloppe et la posa sur la table dans l'entrée.

Il se sentit mieux, presque content. Il alla prendre une bière dans le réfrigérateur, pensant que cela l'aiderait à s'endormir. Tandis qu'il se mettait au lit, muni de sa bière et d'un livre, l'idée lui vint de ne pas appeler Annabelle avant une dizaine de jours. Il ne l'avait que trop importunée déjà, du fait qu'il avait envie de lui montrer sa maison et du fait qu'elle était maintenant libre. Elle n'avait jamais pu supporter ça. Mais qu'il s'abstienne de lui faire signe pendant quelque temps..., elle serait bien contente d'entendre de nouveau le son de sa voix. Il la vit en pensée, juste avant de s'endormir ; elle était dans le salon de sa maison, à Hartford ; il devinait les lignes de son corps, alors qu'elle se tournait, occupée à quelque tâche domestique. Il en eut un coup au cœur.

Exactement dix jours plus tard, un mardi, il téléphona. Il était dix-neuf heures. Une voix d'enfant répondit :

« Allô ?

— Annabelle n'est pas là ?

— Non, elle est sortie... avec Grant.

— Avec qui ?

— Grant... Barber... Ils sont allés au cinéma, et ils rentreront tard.

— Tard ? C'est-à-dire ? »

Mais l'enfant avait raccroché. Il resta assis sur le divan pendant une minute, en proie à un sentiment de frustration. Grant... Ce nom évoquait pour lui le visage d'Ulysse S. Grant : barbe, casquette, cigare, rien n'y manquait. Il pensa encore à un char se déplaçant à l'aide de chenilles grossières. Il se leva.

L'homme s'appelait Barber ? Ou était-il coiffeur [1] ? Il haussa les épaules. Annabelle avait-elle déjà prononcé ce nom devant lui ? Peut-être... Mais en quelles circonstances ? Il rappellerait le lendemain. Un jour à attendre, ce n'était pas le diable.

1. Barber, en anglais, signifie : coiffeur.

Le lendemain, il eut Annabelle au bout du fil. David s'était bien préparé. Prenant un ton léger et plein d'entrain, il lui proposa de venir déjeuner avec lui le samedi suivant. Il irait la chercher et la ramènerait...

« Je n'ai pas l'impression de pouvoir m'absenter tout ce temps-là, dit-elle avec un soupir.

— Moins longtemps alors ?... Sans déjeuner ? »

Déjà il devenait morose... Le silence se prolongeant, il fut soudain pris de panique.

« Mademoiselle... vous nous avez coupés ?...

— Non, non, David, je suis toujours là.

— Annabelle, je vous en supplie... »

Il n'était plus question d'attitude ni de retenue.

« Cela fait maintenant des semaines que... Tout ce que je demande, c'est... mettons : quatorze heures. »

Sa voix était devenue geignarde ; il en était mortifié.

« Enfin... si vous ne pouvez pas...

— Entendu, David... vers quinze heures... Ça vous va ?

— Vous voulez dire... Je pourrai vous prendre à quinze heures ? Et je vous emmène chez moi ? »

Non, ce n'est pas ce qu'elle avait voulu dire. Elle n'aurait pas le temps de s'éloigner de Hartford, ce dont elle s'excusa. Et le bébé ? Il fallait bien qu'elle s'en occupe !... Ils trouveraient un endroit à Hartford... La victoire de David était mitigée.

« Nous irons où vous voudrez, Annabelle. Je vous prendrai à quinze heures.

— Un peu plus tôt peut-être. Quatorze heures ? Est-ce possible ? »

En raccrochant, David se dit qu'il arriverait peut-être à la persuader de venir jusque chez lui, et, qui sait ? peut-être même de rester dîner samedi soir. Et s'il fallait quelqu'un pour garder bébé, cela pourrait s'arranger par téléphone. Et pourquoi ne pas emmener bébé ? Mais il y renonça aussitôt.

Les mains dans les poches, il fit à plusieurs reprises le tour de la maison, monta deux fois à l'étage, évaluant chaque objet du point de vue d'Annabelle. Au téléphone, il avait commencé à lui parler du piano, mais sans insister. Elle était au courant, et il ne pouvait se permettre de l'appâter avec des objets matériels (mais un piano entrait-il dans cette catégorie ?), et il avait honte d'y songer. Il était resté sans lui écrire, ces derniers temps ; cela avait-il servi à quelque chose ?

« Oh !... et puis, au diable ! » se dit-il soudain, redescendant pour prendre une bière. Il croyait que la bière calmait les nerfs. En outre, elle avait une valeur nutritive. Depuis quelque temps il n'avait plus d'appétit. Il maigrissait.

Le téléphone se fit entendre. David accourut. La voix de la standardiste était en train de dire :

« Soixante-quinze *cents*... »

Il s'empressa de faire une mise au point :

« S'il vous plaît..., dites-lui que c'est à mon compte. »

Mais les pièces tombaient déjà avec un bruit métallique.

« Annabelle ?

— David ?... C'est Wes à l'appareil.

— Ah !... Allô ! Wes.

— C'est juste pour prendre de tes nouvelles. Effie est là, avec moi, ainsi que deux autres personnes. Alors, comment ça va ?

— Bien, merci. Et toi ?

— Tout à fait bien. Bons souvenirs de Chez-Michel... Pourquoi es-tu resté tout ce temps sans téléphoner ?

— Je ne sais pas.

— Tu parais sombre, ce soir. Veux-tu que je te passe Effie ? »

Il fut sur le point de dire non, mais ne répondit pas.

« Comment ça va, David ? dit Effie.

— Très bien, merci... et merci pour votre cadeau. J'aurais dû vous envoyer un petit mot. C'est très joli. Je mets les dessous de plats à chaque repas.

— Mais vous m'avez envoyé un mot, voyons. Un mot très gentil. Vous ne vous rappelez pas ? dit-elle en riant.

— Non. J'ai dû oublier.

— Annabelle est allée vous voir ?

— Oui, bien sûr. »

Il parla si fort, cela résonna dans ses propres oreilles.

« Elle est venue deux fois. La maison lui plaît. Vous n'avez pas eu l'occasion de lui parler ? »

Il posait la question par politesse ; la seule idée qu'elles aient eu l'occasion de bavarder lui était haïssable.

« Non. Cela ne s'est pas trouvé... Alors vous êtes en meilleurs termes avec elle ? Tant mieux.

— Oh ! nous sommes en très bons termes.

— Voulez-vous que je vous repasse Wes ? dit-elle avec un léger tremblement dans la voix. Le voici.

— Dis donc, vieux, c'est qui, Annabelle, ou Mirabelle, ou je ne sais quelle Belle ?

— Euh !... ma voiture.

— Elle est bien bonne... Ce ne serait pas plutôt la personne en question ? La fameuse jeune fille ?

— Absolument pas.

— Allons, allons...

— Veux-tu me passer de nouveau Effie ? »

Wes ne prêta aucune attention à cette demande. Il le questionna sur son nouveau travail. Puis il ajouta qu'Effie était désireuse d'aller lui rendre visite... avec lui, si... Wes hésita, et David entendit sa respiration tout contre l'appareil.

« David, je regrette ce qui s'est passé l'autre jour. Je crois que nous avions un peu bu, tous les deux, non ? Moi, en tout cas, c'est certain.

— Sans importance. On efface tout, tu veux bien ? »

Les souvenirs qu'il gardait de leur dernière soirée ensemble étaient vagues ; mais une chose était certaine : il tenait à l'amitié de Wes.

« Cela me ferait plaisir que tu viennes, Wes. Mais il faudrait que je te dessine un plan pour te permettre de te repérer. Je pourrais t'en envoyer un.

— Bonne idée, David. Tout de suite, pour ne pas risquer d'oublier.

— Entendu.

— Est-ce que je pourrai amener Effie ? demanda-t-il, adoptant un ton plus bas. Elle ne peut pas m'entendre.

— Ça change l'atmosphère, qu'elle soit là. Peut-être un autre jour... » Wes comprit. Il promit de venir bientôt seul. Si ce pouvait être un samedi, ajouta David, il n'aurait qu'à rester la nuit. Cette perspective eut l'air de plaire à Wes.

« N'en parle pas à Effie, dit David, du moins pas cette fois-ci. »

La conversation terminée, il eut la curieuse impression qu'elle n'avait jamais eu lieu. D'abord, il avait peine à croire qu'il eût jamais prononcé, même par accident, le nom d'Annabelle en parlant à Wes. Ce souvenir le remplit de honte. Et Wes avait, lui aussi, prononcé le nom d'Annabelle. David frémit à la pensée qu'Effie se laisserait peut-être arracher l'aveu qu'Annabelle Delaney était celle qu'il aimait, et qu'elle lui révélerait éventuellement toutes sortes d'autres choses. Ou bien pouvait-il lui faire confiance ? De toute façon, Wes ne se souviendrait-il pas qu'Annabelle était le prénom de Mme Gérald Delaney ? Cette idée l'effrayait, de même que l'image de Wes, assis à côté de lui, dans son salon. « Mais pourquoi, diable, David Kelsey ? Quel mal, quel danger pouvait-il y avoir à cela ? Et pourquoi attacher tant d'importance à ce qu'Annabelle soit la première à pénétrer ici ? Et puis, après tout, peut-être seraitelle tout de même la première... Avant Wes, qui sait ? » David ne devait-il pas la voir samedi prochain ?... A la perspective de ce samedi, il se sentit ragaillardi, presque optimiste.

Il s'assit et entreprit de dessiner le plan qui servirait à guider Wes de Troy à sa maison. Il fut incapable d'écrire le mot qu'il aurait aimé y joindre. Il n'avait rien à lui dire et l'humeur n'y était pas.

Il roula sur Hartford si rapidement, le samedi suivant, qu'il dut ensuite passer une heure à flâner en ville. Il laissa sa voiture devant un compteur de stationnement, descendit à pied une des rues commerçantes et regarda les vitrines des bijoutiers. Il s'aperçut pour la première fois, qu'il n'avait jamais encore pensé au genre d'alliance qu'il offrirait à Annabelle. Celle qu'il lui connaissait était un simple anneau d'or, solide, convexe, un peu trop banal à son goût. Sa préférence allait aux minces anneaux d'argent incrustés de minuscules brillants bleus et blancs. Quand il atteignit l'immeuble de briques rouges, il aperçut Annabelle, debout sur les marches, qui l'attendait. Elle lui fit un signe de la main et vint à sa rencontre ; David sauta de la voiture et se dirigea vers elle.

« Chérie, bonjour ! A l'heure tous les deux ! »

Il effleura sa joue d'un baiser, toucha son bras, mais il fut conscient de montrer une certaine gaucherie tandis qu'il le serrait pour garder l'équilibre. Il remarqua le léger mouvement de recul d'Annabelle et se sentit mortifié. Elle portait un manteau en drap noir qu'il n'avait jamais vu, ainsi qu'un chapeau ressemblant à un gros béret.

« Je sais à quoi ils me font penser, vos yeux : des étoiles de saphir ! »

Elle sourit et détourna en même temps son visage.

« C'est à vous, cette voiture ? demanda-t-elle, surprise.

— Oui, c'en est une nouvelle ; une autre je veux dire. J'ai troqué l'ancienne contre une décapotable. »

Il lui ouvrit la portière.

« Je ne crois pas... que je puisse... monter en voiture, David ; le temps me manque. Il y a justement un restaurant chinois au coin de la rue.

— Montons quand même. J'aimerais que vous l'essayiez. »

Elle secoua la tête. Elle semblait curieusement tendue. Avec regret, il claqua la portière, s'y prenant à deux fois.

« Entendu, marchons. »

Et il sut qu'il n'y avait aucun espoir qu'elle vienne chez lui.

Le restaurant s'appelait *Le Dragon-d'Or*. La salle en était petite, toute peinturlurée, mais du moins pouvait-on y être tranquillement assis derrière une séparation en bois de forme semi-circulaire. David espéra qu'elle n'avait pas encore déjeuné. Espoir déçu.

« Mais vous-même, vous n'avez pas encore déjeuné. Commandez donc quelque chose », dit-elle.

Il avait faim, mais il ne commanda que du thé pour deux. Ça l'aurait déprimé d'être seul à manger. Il s'aperçut alors qu'elle ne portait plus d'alliance. Qu'est-ce que cela signifiait ?

« Voulez-vous prendre un verre après votre thé ? Ou peut-être un peu plus tard ?

— Rien d'autre, merci, David. J'aime beaucoup le thé de Chine. »

Elle ne le regardait pas ; elle attendait patiemment l'arrivée du thé. Ils étaient déjà venus ici, pensa-t-il, se souvenant de déjeuners vers lesquels il s'était hâté avec confiance. Pour le moment, il avait l'impression de se trouver devant un jeu d'échecs un peu fou ; un pas en avant, et aussitôt un autre en arrière... Il sortit de sa poche une enveloppe :

« J'ai voulu vous montrer quelques photos de la maison... »

Il avait eu l'espoir de s'en embarrasser inutilement, les emportant pour le cas où elle refuserait de l'accompagner chez lui. Il s'était traité de défaitiste, à prévoir ainsi le pire, et pourtant... voilà... Et les photos, c'était mieux que rien. Parmi elles, il y avait deux vues d'intérieur dont l'une montrait le piano, entièrement ouvert.

« C'est absolument... spectaculaire ! » s'exclama-t-elle, visiblement impressionnée.

David se mit à rire.

« C'est pour vous. Il faut que ce soit très beau... Mais quand viendrez-vous vraiment la voir, cette maison ? »

A quelques centimètres de sa main, celle d'Annabelle, d'où l'alliance avait disparu, était posée sur la banquette tendue de rouge, et David s'en empara, avec douceur, mais comme un affamé. Après un long soupir où il sembla exhaler son dernier souffle, il resta comme vidé, inanimé.

« David, il vaut mieux que je ne la voie jamais. »

Elle continua, très vite, sans lui laisser le temps de placer un mot :

« Je ne sais pas comment le dire autrement..., mais de quelque façon que je m'y prenne, c'est mal... je le sais...

— Eh bien !... »

Il balbutia et lâcha sa main, puisqu'elle le voulait ainsi.

« Ce sera plus dur pour vous, si j'y vais avec vous. Voilà ce que je veux vous dire. Je sais qu'elle est très belle, votre maison, et que vous y avez mis beaucoup d'argent... »

Il poussa une sorte de gémissement.

« J'espérais que vous l'aimeriez... et que, moi aussi,

vous m'aimeriez... Je crois que ce serait possible, si seulement vous m'accordiez une chance..., mais vous ne m'en accordez aucune... Vous me concédez si peu de temps !... Nous ne sommes jamais ensemble..., alors comment voulez-vous savoir ? Je veux dire : regardez-nous en ce moment, raides comme des piquets..., dit-il avec un petit rire. Est-ce que c'est vraiment indispensable, cette attitude ? Est-ce que vous n'aviez pas la possibilité de venir en week-end, à de nombreux week-ends ?... Avec le bébé, s'il le fallait ?

— Mais cela ne se fait guère, vous savez, qu'une femme aille en week-end chez un homme seul.

— Quelle bêtise !... »

Le ton de sa voix parut l'avoir choquée. Il reprit plus doucement :

« Le bébé nous aurait chaperonnés... C'est encore possible. Qu'est-ce que vous en dites ? »

Elle hocha la tête, repoussa de l'index une mèche qui lui barrait le front depuis qu'en enlevant son chapeau elle s'était un peu décoiffée, puis resta en contemplation devant sa tasse de thé à moitié vide, qu'elle remuait doucement.

« Voulez-vous lire la lettre de M. Neumeister ? demanda-t-elle enfin.

— Naturellement. »

Elle sortit la lettre de sa poche et la lui tendit. David l'ouvrit et se mit en devoir de la lire rapidement, non sans intérêt cependant, presque comme s'il n'en connaissait pas le contenu. Les deux erreurs de frappe qu'il avait faites exprès — car il tapait fort bien — puis corrigées au crayon, retinrent son attention un instant.

« C'est une fort gentille lettre, dit-il en la lui rendant.

— Cela m'a fait un tel bien de la recevoir !... Je compte la conserver. »

Ses yeux s'emplirent de larmes, et David murmura doucement :

« Je suis content que vous l'ayez... J'aimerais savoir — excusez-moi — j'aimerais savoir quand vous croyez pouvoir venir voir ma maison.

— Oh ! David... Il m'est tellement difficile de vous parler !... »

David se récria :

« Mon Dieu ! comme je le regrette !... Mais qu'essayez-vous donc de me dire ?... Si je pouvais vous aider !...

— Je crois qu'il vous faut couper tous les liens avec moi... sentimentaux et autres... Vous vous rappelez m'avoir dit que, Gérald mort, je serais à même de me rendre compte !... Vous l'avez peut-être dit d'une autre façon, mais... »

Elle gardait les yeux fixés sur sa tasse. Une larme glissa sur sa joue, et David sortit son mouchoir.

« Chérie... »

Mais elle prit un Kleenex dans son sac.

« Eh bien », rien n'a changé, dit-elle.

— Et vous aimez encore Gérald ? »

La question était venue facilement, car il n'avait jamais cru vraiment qu'elle aimait Gérald.

« Vous n'allez pas rester veuve toute la vie ? ajouta-t-il.

— Non ! dit-elle d'un ton catégorique.

— Alors... combien de temps devrai-je attendre ?

— Voilà... C'est cela... C'est justement cela... J'ai peur que cela ne soit jamais possible, nous deux... C'est si difficile à dire... parce que vous ne pouvez pas comprendre... Moi-même, j'ai du mal à comprendre. »

Des larmes dans ces beaux yeux. Elle semblait souffrir plus que lui. David se rapprocha d'elle et lui entoura la taille. Il ressortit son mouchoir.

« Chérie, je ne peux pas supporter de vous voir dans...

— David, s'il vous plaît... »

Elle le repoussa, alors qu'il n'avait voulu que lui essuyer les yeux, comme à une enfant qui pleure.

« Je crois que c'est moi que vous ne comprenez pas, Annabelle... mes sentiments pour vous, des sentiments profonds, durables. »

Elle ne répondit pas. Les larmes débordaient toujours. Elle finit par les essuyer avec le mouchoir de David.

« Préférez-vous que je vous ramène chez vous maintenant ? Voulez-vous vous reposer un peu et que je repasse vous prendre plus tard ? »

Il ne savait que dire.

« Je vais être occupée toute la soirée... Mais qu'il est donc difficile de se faire comprendre, David !... Avez-vous la moindre idée de ce que je m'efforce de vous dire ? »

Il fit un petit signe de la tête sans pouvoir articuler un mot.

« Qu'il sera inutile désormais de me téléphoner...; que je ne veux plus vous revoir, ne serait-ce même qu'à titre d'ami, car l'amitié vous est impossible avec moi. »

Le flot des paroles se précipitait.

« Je sais tout ce que vous avez dû endurer, je le sais fort bien... et, croyez-moi, je ne suis pas sans cœur, David.

— Vous, sans cœur ? Une telle idée ne... »

Il s'arrêta net. Il avait la sensation de foncer, tête baissée, contre un mur de ciment. Il eut peur et ferma les yeux.

« J'ai l'impression que vous me comprenez... »

Il y avait une grande douceur dans la voix d'Annabelle, alors qu'elle prononçait toutes ces paroles terribles. David s'efforça de sourire. Puis il se mit en devoir de verser du thé dans les tasses.

« Votre tante de *La Jolla* m'a écrit. Elle s'inquiète à votre sujet.

— Ma tante Edie ? Qu'est-ce qui lui prend de vous écrire ?

— Elle m'a parlé de vous et de vos sentiments pour moi. Je lui ai répondu.

— En lui disant quoi ? demanda-t-il d'un air renfrogné.

— Rien d'autre que ce que je vous ai dit : que je sympathise, que tout cela me désole, mais que... je n'y peux rien... Voyez-vous, David, je vais être franche jusqu'au bout : peut-être me remarierai-je un jour, mais ce dont je suis certaine, c'est que ce ne sera jamais avec vous... J'ai peut-être tort. En tout cas, c'est comme ça.

— Vous avez quelqu'un d'autre en tête ?

— Oui.

— Grant ?

— Comment savez-vous ?

— Qui est-ce ? demanda-t-il, de plus en plus sombre.

— Il habite Hartford. Il est comptable. C'est un voisin. Cela fait déjà quelque temps que je le connais, ajouta-t-elle comme pour s'excuser.

— Barber... Ne serait-ce pas le fils de cette vieille femme qui avait commencé à me prendre à partie chez vous ? »

Il paraissait interloqué.

« Ce n'est pas comme ça...

— Un comptable !... »

Il sourit vaguement tandis qu'elle se mettait à rougir.

« J'ai dit que nous sortions ensemble, c'est tout.

— Plus exactement, que vous songiez à l'épouser.

— Et alors ? »

Ses mains crispées sur le rebord de la table, on aurait pu croire qu'elle allait bondir vers la porte. Quant à David, son sens du comique était battu en brèche par le sentiment d'un danger imminent.

« Qu'est-ce que cela signifie ? Que vous avez eu l'occasion de le voir souvent. Eh bien, je vous demande de me laisser courir ma chance, à moi aussi. Ou bien serait-ce que vous tenez tellement à réintégrer la grisaille de votre vie, comme une ombre, sans le moindre désir d'en sortir ?

— Il a beaucoup d'affection pour le bébé... et il est très bon... Je regrette d'avoir mis la conversation sur ce sujet, David.

— Je le regrette aussi. »

Il s'adossa à la banquette et eut un petit rire.

« Moi, je vous connais si bien, Annabelle. Dommage que ce ne soit pas réciproque. »

Sans répondre, elle jeta un regard circulaire, comme si elle cherchait le garçon.

« Annabelle... que diriez-vous d'habiter Troy pendant quelque temps ? Avec le bébé ? Je peux vous y trouver un appartement.

— Assez, David ! »

Il ne se laissa pas gagner par la colère. Il était surtout dominé par le côté comique de la situation. Il imaginait merveilleusement bien le fils de Mme Barber... Et, en outre, il avait peine à croire qu'Annabelle puisse commettre une deuxième fois l'erreur que déjà...

« Un dernier point, David », dit-elle en ouvrant son sac à main.

Elle lui tendit l'écrin contenant la broche en brillants qu'il lui avait envoyée une quinzaine de jours auparavant.

« Cela peut attendre, dit-il.

— Reprenez-la, David... s'il vous plaît. »

Il la prit d'un geste lent. Par une bizarre association d'idées, il pensa au piano ; celui-ci apparut soudain, en miniature, sa masse sombre réduite aux proportions du petit écrin.

« Cela aussi, ça attendra, comme tout le reste.

— Excepté moi

— Vous inclus.

— David, voulez-vous que nous sortions d'ici ?

— Comme vous voudrez... Garçon !... »

Mais dehors, il fut pris de nausées ; l'air lui donna une sensation de froid sur le front. Il aspira profondément par deux fois et les nausées disparurent. Annabelle marchait vite et en silence. David avait à cœur de se montrer décontracté et d'une sérénité à toute épreuve, comme si les paroles d'Annabelle l'avaient à peine effleuré. Et, en fait, elles ne l'avaient pas sérieusement ébranlé. Il n'en était pas moins vrai qu'elle allait rentrer dans son appartement, que la porte se refermerait derrière elle et qu'il resterait dehors... Il n'osait même pas lui demander quand il pourrait l'appeler au téléphone ni quand il la reverrait.

« Est-ce qu'Effie a visité votre nouvelle maison ? demanda-t-elle.

— Non.

— Vous n'avez pas l'intention de lui demander de venir ?

— J'avoue que je ne me suis pas encore posé la question. »

Il avait les mains moites. Il ne se sentait pas dans son assiette. Il décida qu'un steak haché, sur le pouce, avant de reprendre la route, le remettrait d'aplomb.

Quelques instants plus tard, il arrêtait sa voiture, commandait un double Martini... et fut carrément malade... Avant de repartir, il demanda un verre d'eau au garçon. En passant devant une glace, il adressa un sourire au visage pâle qui s'y reflétait... Grant Barber !... Rien que ce nom, c'était une provocation : c'était comme un défi ; l'envie le prit de le relever. Mais vraiment, que de ridicule dans ce défi à un rival imbécile !...

Mercredi 25 mars 1959.

Ma Chère Annabelle,

C'est exprès que j'ai laissé passer tout ce temps. Quatre jours pour certains, ce n'est pas long... mais cela dépend de l'emploi qu'on en fait... Chaque fois que je vous vois, mon sentiment, en ce qui nous concerne, vous et moi, se trouve renforcé. S'il m'est arrivé d'éprouver du ressentiment à l'égard de M. Barber, ou d'en laisser paraître, ce n'était que l'effet d'une humeur passagère. Mais ne vous servez pas de lui, ma chérie, comme d'un paravent dressé entre nous, je vous en prie. Si vous avez besoin de plus de temps pour réfléchir, je vous l'accorderai ; tout le temps que vous voudrez. Ce n'est certes pas moi qu'un quelconque pantin mâle fera battre en retraite. Je ne vous téléphonerai pas, si vous n'y tenez pas. J'attendrai que vous m'appeliez (TYLER. 5-0934). Naturellement, la communication devra être à mon compte. Ou bien envoyez-moi un mot.

Il commence à faire meilleur... Le bébé grandit... La vie a encore quelques aspects souriants, non ? Cet été, la maison sera encore à sa place, et plus jolie que jamais. C'est seulement vers la mi-juillet que doit appareiller le Darwin, le bateau de Dickson-Rand. Son départ a été retardé pour nous permettre de nous procurer les instruments dont nous avons *besoin. Je pense être du voyage, qui doit durer deux mois ou un peu plus. N'allez pas imaginer que je veuille vous acculer à une décision, ma chérie, mais j'avoue que si notre mariage pouvait avoir lieu avant juillet, cela comblerait tous mes vœux. Etant donné l'état d'esprit qui règne au laboratoire (chacun se croit l'objet d'un traitement de faveur), j'ai l'impression que rien ne s'opposerait à ce que vous veniez aussi avec nous. La mer de Chine, l'océan Indien..., est-ce que cela vous dirait ? Un de nos hommes a déjà obtenu la permission d'emmener sa femme. Un jeune.*

Téléphonez-moi, ma chérie ; un seul appel de vous éclairerait toute ma fin de semaine. Wes doit arriver samedi matin. Je crois vous avoir déjà parlé de Wes Carmichaël. Nous sommes amis depuis que nous avons travaillé ensemble à Cheswick. Voilà. J'ai pensé que cela vous ferait plaisir de savoir que je ne vis pas en ermite. J'ai eu les Osbourne à dîner, un soir. Ils ont été épatés que je fasse si bien la cuisine. Qu'est-ce que vous attendez pour venir vérifier ?...

Avec toute ma tendresse, et à jamais, votre

David.

Elle recevrait sa lettre samedi, sinon vendredi, à condition qu'il la mette à la poste le lendemain matin, se dit-il, pensant aussi qu'Annabelle l'appellerait plus volontiers en fin de semaine, si elle savait Wes avec lui.

Le téléphone retentit le lendemain soir, alors qu'il prenait sa douche. Il se rua dans l'escalier après avoir saisi une serviette. Il avait gardé l'oreille tendue pour surveiller la sonnerie ; il avait coutume de laisser les portes de sa chambre et de la salle de bain ouvertes pour être sûr de l'entendre.

C'était Wes. D'une voix rogue, il annonça qu'il ne lui serait pas possible de venir samedi.

« Que se passe-t-il ?

— C'est la faute de Laura. Elle fait un foin du diable à cause d'Effie.

— Après tout ce temps ?

— Ce n'est pas drôle, David. Je risque de perdre ma place, et Effie la sienne. J'étais complètement noir l'autre soir, et j'ai passé toute la nuit chez elle. La femme de son portier l'a raconté à ma femme. Je me demande même comment elle a su qui j'étais !... Ah ! que c'est donc agréable d'habiter une bourgade ! Non ?...

— Elle ne veut pas divorcer, en fin de compte ? »

David était enclin à croire que si les jeux étaient faits, ce serait désormais au tour de Wes de vouloir empêcher le divorce.

« Rien d'aussi sympathique !... Tout ce qu'elle veut, c'est nous couvrir de ridicule, Effie et moi, et que toutes les populations le sachent. Heureusement, Effie le prend très bien.

— Cette brave vieille Effie !...

— J'aimerais te voir, David. Toi, au moins, tu es compréhensif. Cela me changerait de tous les esprits bornés qui foisonnent par ici.

— Eh bien, tu n'as qu'à venir, Wes.

— Impossible. Je dois rester pour tâcher d'apaiser Laura... Effie, elle, a fait ce qu'elle a pu ; elle a téléphoné à Laura pour lui raconter ce qui s'était passé : je me suis endormi sur le canapé, un point c'est tout !... Mais je ne suis pas rassuré en ce qui concerne Cheswick.

— Qui est allé raconter cette histoire à Lewissohn ?

— Laura !... répondit Wes d'une voix bien sonore. C'est à la femme de faire ça, tu penses !... Mettre en danger la source même de ses revenus !... ajouta-t-il en riant.

— Viens donc ici, Wes... Tu ne pourras rien faire là-bas en fin de semaine.

— Je ne peux pas venir ; je dois voir Lewissohn demain, pour une explication... Ha ! on se croirait sous le règne de la reine Victoria, hein ? Et dire que je ne l'ai même pas frôlée, pendant que j'étais chez elle, sur le canapé !... J'aurais tout aussi bien pu coucher chez ma sœur... »

David réitéra son invitation, affirmant que le réfrigérateur était bourré de victuailles. En tout cas, si Wes ne pouvait absolument venir cette semaine, il comptait sur lui la semaine prochaine.

« Si tu perdais ta situation, tu pourrais peut-être entrer chez Dickson-Rand. Veux-tu que je fasse un sondage ? »

La téléphoniste coupa court à la conversation. Wes fit glisser quelques pièces de monnaie dans l'appareil avant de reprendre.

« J'attendrai de voir comment ça tourne. Avec Laura, tu peux t'en douter, j'ai besoin de gagner davantage.

— Bah ! ce serait une habitude à prendre.

— Tu es de bien bonne humeur aujourd'hui. Où en es-tu avec Annabelle ? »

Le coup parvint à David, mais assourdi, comme par l'effet d'une réaction à retardement. Wes continua :

« David... C'est bien la femme de Delaney, non ? »

Il ne répondit pas.

« Qu'est-ce que tu as ? Je me suis simplement posé la question... Tu la connais, n'est-ce pas ?

— Non. »

Cette dénégation n'avait pas de sens, et David le savait. Il savait aussi que Wes ne serait pas dupe.

« David, reprit Wes après un silence prolongé, ce n'est pas que je sois contre... Mais je m'en suis bien douté, tu sais, l'autre soir. Tu la connais bel et bien. C'est elle, la fille ? Et tu connais aussi ce type, Newmester, n'est-ce pas ?

— Jamais de la vie ! »

Pendant quelques instants, David essaya de trouver les mots qui anéantiraient les soupçons de Wes, mais il n'y arrivait pas. De toute façon, il ne les aurait pas prononcés...

« Très bien. »

Dans ces deux petits mots, dits à voix basse, David crut discerner du dépit et de la rancune, ainsi que le refus de s'en laisser accroire.

« Effie.

— Effie ne sait rien ! lança David.

— D'accord, David !... Eh bien, je te rappellerai probablement pour l'autre week-end. »

Il donnait l'impression de ne plus avoir très envie de venir, pas plus que David n'avait envie de le revoir, d'ailleurs. Effie avait dû le mettre sur la voie. Sans compter le fait que Wes l'avait vu entrer chez Neumeister... Soit !... Encore une ou deux réponses affirmatives de la part d'Effie, et Wes saurait tout. Malheureusement, Wes, lui, n'était pas quelqu'un de sûr. Il lui suffirait d'avoir quelques verres dans le nez — même pas, peut-être — pour appeler Annabelle et lui apprendre que David Kelsey et William Neumeister n'étaient qu'une seule et même personne.

Puis, faisant volte-face, il ne put accepter l'idée que Wes agirait ainsi, à moins qu'il n'en veuille terriblement à David. Et de quoi donc ?... Mais il songea aussi qu'à eux deux, ils pourraient peut-être en venir à quelque action concertée ayant pour but de mettre un terme à l'amour impossible de David, par exemple en instruisant Annabelle...

« Qu'ils aillent au diable, tous les deux !... » décida-t-il enfin, scandant fortement sa désapprobation. Et il acheva de s'habiller. Il mangea sans appétit, ce soir-là ; il les voyait déjà téléphonant à Annabelle !... Et Annabelle l'appellerait, lui, ou, plus vraisemblablement, la police ; il y aurait de quoi intéresser ces messieurs de Beck's Brook !...

Cependant, il y avait peu de chances que Wes passe la soirée avec Effie : il avait à arracher le pardon de Laura. N'était-ce pas méprisable, cette façon de se laisser intimider à la première contre-attaque sérieuse de Laura, et de s'accrocher, tout penaud ? Du moment qu'il prétendait avoir besoin d'un salaire élevé, c'est qu'il avait l'intention de rester marié avec elle.

Il ne but pas de café : il passerait une nuit suffisamment mauvaise sans cela. Vers vingt et une heures, pendant qu'il essayait de lire, il fut pris du désir de téléphoner à Effie, pour faire une mise au point ; son amour-propre l'en empêcha. Le mieux était encore de partir de l'idée que, cette fois-ci, Effie avait tout raconté à Wes.

Le téléphone ne sonna pas de la soirée. Il n'y eut qu'une fausse alerte vers vingt-trois heures moins le quart ; il se précipita dans l'escalier inutilement. Le réservoir des toilettes résonnait curieusement, en se remplissant, et David s'y était laissé prendre plusieurs fois. Cette nuit-là, il ne dormit pas du tout, mais il eut une espèce de rêve éveillé qui avait toutes les allures d'un cauchemar. Il s'agissait de tortues, de petites tortues rampant sur le carrelage d'une pièce assez obscure. Un flot de tortues se déversait en diagonale, et David prenait toutes sortes de précautions pour éviter de leur marcher dessus. Le lit dans lequel il avait dormi chez Mme Mac Cartney se trouvait dans un coin de la pièce. Il distinguait les contours d'un corps de petite taille sous les couvertures minces. Les rejetant, il vit le corps d'une petite fille nue, extrêmement belle. C'était Joan, la jeune fille dont il avait été amoureux vers l'âge de dix-sept ans. « Je vous aime encore, dit-elle, je crois que je vous aimerai toujours... — C'est ça, l'amour », assura-t-il. (Pourtant, Joan n'avait jamais eu de sentiment pour lui ; mais, curieusement, tout le temps que dura cette partie de son rêve, il eut conscience d'avoir déjà rêvé d'elle, d'où l'impression de réel qu'il éprouva.)

Un défilé d'images s'ensuivit : une grosse corolle blanche s'épanouit en forme de toile d'araignée géante, ou en forme de cage, si on la tenait par la base. David s'extasia de tant de beauté. Mais il ne parvint pas à faire en sorte que les trois autres personnes dans la pièce (deux hommes et une femme) partagent l'intérêt qu'il y trouvait. En scrutant l'intérieur de la cage blanche, il découvrit des sortes de petits animaux de couleur sombre ; cela grouillait. C'étaient des tortues. L'une d'elles, plus grande que les autres, avait eu un accident, comme si on lui avait marché sur le dos. L'écaille était brisée, le sang en jaillissait. Dans un sursaut de pitié, il essaya d'imaginer le meilleur moyen de mettre fin à cette souffrance, interpellant les trois autres personnes avec fébrilité. Puis il s'efforça de faire rentrer le sang dans la bête et de redonner une forme à la carapace. « Vous savez fort bien ce qu'il faut faire ! » lui lança l'homme d'un ton brutal. Alors, la tortue se mit à vomir horriblement, sans bruit, ce qui paraissait être son estomac. Et, soudain, la carapace fut vide. David, épuisé par la vision de cette scène, demanda à l'homme d'emporter toute l'écaille et de l'enterrer. Il ramassa ensuite ce qui avait été rejeté et le tint sous le robinet avant de l'examiner, dans un but scientifique plus que par simple curiosité. Il y avait trois parties : l'une avait la forme d'une tête de tortue ; une autre était composée de tissus de poumons, gras et rosés ; puis, sous la taille, une autre partie comportait beaucoup de gras. Soudain, tout cela se mit à se tortiller comme pour s'échapper, et David, horrifié, s'aperçut qu'il tenait la tortue tout entière entre ses mains, corps et âme, et non pas seulement un organe sans vie. Il s'éveilla ahanant et ruisselant, son cœur battant de plus en plus vite, à l'évocation de l'affreux phantasme.

La fin de semaine s'étira avec lenteur. Vers le milieu de l'après-midi du dimanche, il était abattu et, à la fois, un peu angoissé ; il aurait dû se passer quelque chose, mais l'attente se prolongeait. Sa maison lui semblait être une scène où tout était préparé pour l'action, et qui restait vide, inanimée. Il ne pouvait rien faire, rien d'autre qu'attendre. Annabelle avait bien dû recevoir sa lettre samedi, une lettre empreinte de bonne humeur, où il la priait de l'appeler. On était maintenant dimanche. Se pouvait-il qu'elle soit restée toute la journée avec ce Grant Barber ? Il aurait aussi voulu savoir comment Wes s'en était tiré vendredi, avec sa situation en jeu. Cette idée que Wes savait tout au sujet d'Annabelle ravageait son esprit. Et c'était même autrement plus important que l'existence de Grant Barber, qui restait encore dans le domaine des choses vagues et énigmatiques.

Dans cette maison, c'était la première fois qu'il était préoccupé au point de ne pouvoir se concentrer sur un livre. Le professeur Osbourne lui avait demandé d'en lire un pendant ce week-end, composé en grande partie de tableaux et de graphiques d'analyses radiocarboniques. David fit l'effort de s'y plonger, à quatre ou cinq reprises, mais, chaque fois, ses pensées revinrent à Annabelle. En ce moment même, Wes devait lui raconter l'histoire de William Neumeister ; il avait bu. Ou bien c'était Effie qui lui en faisait le récit, avec une gravité charmante... « Il fallait que vous le sachiez, Annabelle... » Et David la maudit de toutes ses forces, cette Effie Brennan.

Ce même soir, il l'appela au téléphone. La colère avait eu raison de son amour-propre. Si elle s'était trouvée près de lui, et s'il avait eu la conviction qu'elle avait effectivement révélé l'identité de William Neumeister à Annabelle, il l'aurait frappée. Après une dizaine de sonneries, David, désespérant qu'elle réponde, était sur le point de renoncer, quand elle décrocha enfin, tout essoufflée.

« David Kelsey à l'appareil !

— David ? Comme c'est gentil... Ouf !... J'ai grimpé l'escalier en courant. Il me semblait bien entendre sonner chez moi... Comment allez-vous ?

— Bien, merci, et vous ?

— Ça va. Wes a dû vous raconter l'histoire idiote qui nous est arrivée ? »

La question s'accompagnait d'un rire niais.

« En effet, du moins en partie. Il a conservé sa situation ?

— Oui. Moi aussi. Mon patron ne s'est pas offusqué. Il a vu le côté drôle de l'aventure. Ce n'est quand même pas une catastrophe qu'un homme se trouve mal chez vous et passe la nuit sur votre canapé. Il fallait que ce soit Laura pour embêter ce pauvre Wes.

— Je suis d'accord avec vous... Mais ce n'est pas seulement pour cela que je vous ai appelée. J'aimerais savoir ce que vous avez raconté à Wes au sujet d'Annabelle. »

Sa voix était tendue.

« Rien du tout, David ! s'exclama-t-elle. Je vous avais promis de ne rien dire. Vous ne vous rappelez pas ?

— Si, si ! seulement il se trouve que Wes connaît son nom et sait qui elle est.

— Il connaît son nom parce que vous l'avez prononcé vous-même l'autre soir au téléphone ; il me l'a dit. J'en ai été très surprise, d'ailleurs. Vous attendiez un coup de téléphone d'Annabelle ce soir-là ?

— Et vous, vous vous êtes empressée de dire : « Oui, c'est elle », n'est-ce pas ? Et quoi encore ?

— Je vous assure, je n'ai jamais rien fait de semblable, David. Wes a deviné tout seul. C'est lui qui m'a demandé : « Est-ce que la femme de Delaney ne s'appelle pas Annabelle ? » Et moi, j'ai répondu : « Je n'en sais rien. » Mais Wes a sauté sur cette idée, et ensuite il s'est rappelé ce qu'il avait lu dans les journaux. Je vous jure. Je ne lui ai même jamais dit que j'avais vu Annabelle. Une fois, devant lui, j'ai avoué que je connaissais la fille dont vous étiez amoureux, et j'ai ajouté qu'à mon avis elle n'accepterait jamais de vous épouser. Il a dû comprendre qu'il s'agissait d'Annabelle. Et ensuite, vous, l'autre jour...

— Ça va, ça va !...

— Ne soyez pas fâché, David.

— Je ne suis pas fâché.

— Moi, je n'ai rien dit. Jamais. Wes a tiré ses propres conclusions... « Cela explique pourquoi Delaney « en voulait tellement à David... » Et il a pensé aussi que Newmester devait être un très bon ami à vous, pour avoir, à son idée, pris votre défense devant Gérald Delaney. Il croit que vous étiez dans la maison de Newmester ce jour-là. Que vous ayez pris un autre nom, cela ne l'a même pas effleuré. Et ce n'est pas moi, en tout cas, qui lui apprendrai quoi que ce soit.

— Merci... Merci !... »

Il était vaguement soulagé, mais plein de rancune envers Effie, pour en avoir tant appris elle-même, en se mêlant de ce qui ne la regardait pas.

La conversation terminée, il attaqua le livre sur les radiocarbones qui, cette fois, retint son attention près de deux heures. Il feuilleta rapidement les pages et se concentra ensuite sur ceux des chapitres que le professeur Osbourne avait marqués d'une croix dans la table des matières. Puis il eut sommeil.

Quand il repensa à Effie et Wes, leur souvenir lui parut très estompé, comme s'ils étaient loin. Bien entendu, si Wes ignorait tout de l'histoire Neumeister, il n'était guère en mesure d'en parler à Annabelle. Quant à Effie, elle ne le trahirait pas. Apparemment, il pouvait se fier à elle. Ainsi, William Neumeister — ce bon vieux Bill — s'en était bien sorti encore une fois. Que n'était-il, lui aussi, David Kelsey, également chanceux dans toutes ses entreprises !... En haut de l'escalier, il jeta un coup d'œil dans la chambre ; il eut soudain une vision singulière : Annabelle, couchée sur le lit, le visage dans l'oreiller qu'elle encerclait de ses bras. Mais une des lampes était restée allumée, et, au deuxième regard, il put voir que le lit n'était même pas défait ; la surface en était toute lisse. Il avait été le jouet d'une illusion. David se demanda si elle résultait d'une fatigue musculaire des yeux ou si son cerveau avait subitement déraillé. Etait-ce l'esprit ou la matière qui était en cause ?... Il n'était pas métaphysicien.

Toute une semaine s'écoula sans qu'Annabelle l'appelât au téléphone. Il traîna toutes ses soirées à la maison, sauf une fois, quand il alla dîner chez Kenneth Laing, un homme de trente-cinq ans, physicien attaché à son service, Et, tous les soirs, il fut repris du même besoin de téléphoner à Annabelle, surtout quand il revint de chez les Laing. Pourquoi ne pas l'appeler en disant avoir entendu la sonnerie au moment où il rentrait ; il aurait voulu simplement s'assurer que le coup de fil ne venait pas d'elle. Mais Annabelle ne manquerait pas de trouver ce prétexte lamentable. Elle l'appelait si rarement !... Pas une seule fois depuis qu'il avait emménagé !... Peut-être ne lui téléphonerait-elle plus jamais !...

Cette idée le projeta hors du fauteuil où il essayait de lire ; il jeta violemment son livre sur l'oreiller. A quoi cela rimait-il de se dire des choses pareilles et de jouer à ce genre de petit jeu ?... Comme lorsqu'il retenait son souffle aussi longtemps que possible, en pariant — contre qui ? — que le téléphone se mettrait à sonner avant sa prochaine inspiration ! Cela n'avait pas de sens non plus de dégringoler l'escalier chaque fois qu'il tirait la chasse d'eau. Et cependant, se dit-il, s'il ne descendait qu'une fois sur deux, comment saurait-il s'il ne manquait pas justement une vraie sonnerie ? Qu'est-ce qu'il pouvait faire en la circonstance ? Que ferait William Neumeister ? Eh bien..., William Neumeister, lui, irait tout bonnement la chercher chez elle. Il ferait la valise d'Annabelle et il l'emmènerait, bon gré, mal gré..., et tout autre homme en ferait autant. Là-dessus, David s'arrêta de marcher de long en large, descendit l'escalier et courut au téléphone.

Une voix de femme qu'il ne reconnut pas, une femme d'âge mûr, répondit à son appel.

« Elle n'est pas là. Qui est à l'appareil ? »

David sentit la colère l'envahir ; il venait de comprendre qui était au bout du fil.

« C'est un ami ! dit-il hargneusement. Vous pouvez me dire quand elle doit rentrer ? Je rappellerai.

— Ils sont allés au cinéma, vous savez ; après ils iront certainement prendre une tasse de café ou quelque chose chez le pâtissier. »

Elle gloussait de joie.

« Comme c'est touchant !... Bien entendu, il s'agit de Grant et d'elle ?...

— Oui..., répondit-elle d'une voix satisfaite et vulgaire. Mais dites donc, vous !... Ecoutez voir...

— Madame Barber, c'est à vous de m'écouter. Je vous conseille de dire à votre fils de garder ses distances avec Annabelle. Je n'approuve pas qu'elle fréquente certaines gens. Votre fils est de ces gens-là, madame Barber !

— Ah !... C'est vous... le David en question ?... Je m'en doutais... Eh bien, vous allez un peu fort !... Oser appeler cette jeune femme et recommencer à lui faire des histoires, après tous les ennuis qu'elle a déjà eus par votre faute !... Je m'en vais appeler la police... Je vais...

— Vous allez fermer votre grande gueule d'idiote !... Prenez un message pour Annabelle ! »

Mais elle avait raccroché. David fit de même, rageusement. « Salauds », murmura-t-il. Puis il partit d'un long fou rire, mis en joie soudain à l'idée de Mme Barber appelant la police pour se plaindre de lui. Il était détendu, ravi de son accès de mauvaise humeur, quand il avait enjoint à cette vieille mégère de la fermer. C'était si parfaitement mérité... Mais qui d'autre osait lui dire ses vérités ? se demanda-t-il. Cela ne devait pas arriver souvent, sinon elle ne se serait pas permis d'étaler de la sorte un contentement de soi invraisemblable, ahurissant !... Elle était du genre de bonne femme à irradier d'aise toutes les fois que revenait le jour des Mères, en se targuant d'avoir mis bas un avorton de sa propre espèce. Il l'imaginait assez, se déplaçant, pleine de son importance, les jours fériés avec sa corpulence grossière, présidant une table chargée de plats de sa confection, qui sentaient le graillon, et que personne ne serait plus acharné à faire valoir qu'elle-même. Mais comme ce devait être bon aussi, d'être à ce point convaincu d'une supériorité incontestée, de se

croire sans égal, sous tous rapports, pensées, sentiments !...

Bon Dieu !... s'exclama-t-il, au comble de l'exaspération. Sa fureur remontait de nouveau, reprenait le dessus.

Il eut alors l'idée de prendre la voiture et de filer sur Hartford. Avec un peu de chance, il y serait à minuit. Mais, à cette heure-là, Annabelle serait couchée, et elle lui en voudrait certainement de la déranger. Quelle idée !... Où l'avait mené sa passivité, son manque d'action, jusqu'à ce jour ? Lui ou quiconque, d'ailleurs ?

Dix minutes plus tard, il roulait, et de telle sorte qu'en arrivant dans le Connecticut, il fut arrêté pour excès de vitesse par un agent ! mais celui-ci se contenta de lui donner un avertissement, malgré l'air parfaitement indifférent de David. Comme, ensuite, les routes étaient peu encombrées, David se retrouva, à minuit moins dix, dans la rue qu'habitait Annabelle. Il y avait de la lumière à l'une des fenêtres du troisième étage, qui lui sembla justement être celle de la chambre d'Annabelle ; simple supposition, d'ailleurs, puisqu'en fait il ignorait de quel côté était sa chambre ; il n'y était encore jamais entré. Sans l'ombre d'une crainte, il appuya sur le bouton de la sonnette. Après une attente assez longue, il appuya de nouveau. La porte s'ouvrit alors comme un ressort et la voix d'Annabelle retentit.

« Qui est-ce, s'il vous plaît ?

— David !... Vous êtes seule ? »

Déjà il grimpait les marches, deux à deux.

« Je ne suis pas seule.

— Parfait. Grant est là ? »

Il lui sourit, arrêté devant elle, sans oser lui prendre la main, qu'elle se gardait de lui donner.

« Oui, il est là. Mais qu'est-ce que vous lui voulez ? Nous pouvons parler ici. Qu'y a-t-il ?

— Il y a que je suis venu vous chercher. Mais j'ai aussi deux mots à dire à ce Grant. »

Et David se dirigea vers la porte restée entrouverte. Il se trouva devant Grant Barber, un garçon presque aussi grand que lui, mais plus lourd. David lui trouva l'air un peu bête, avec ses cheveux noirs, taillés à la G.I., et son expression complètement ahurie.

« Eh bien, oui, c'est moi, David... Comment allez-vous ? »

Il le dépassa et entra dans la chambre.

« Si vous ne pouvez pas vous tenir tranquille, monsieur Kelsey, je vous avertis encore une fois que je vais appeler la police ! »

C'était Mme Barber qui l'interpellait, furieuse et marchant vers le téléphone. David se tourna vers elle et, les poings sur les hanches :

« Je n'ai pas d'arme sur moi, madame Barber. Pour qui me prenez-vous ? »

Sa voix était comme fêlée. Il se tourna alors du côté de Grant.

« Aujourd'hui, c'était votre dernier rendez-vous avec Annabelle ; alors j'espère que vous en avez bien profité.

— Où voulez-vous en venir ? A mon avis, vous feriez mieux de déguerpir, monsieur Kelsey. Vous êtes chez Annabelle, et elle ne veut pas de vous ici.

— Je n'ai aucune sympathie pour vous, mais je ne suis pas venu pour vous insulter. Seulement pour vous dire qu'Annabelle sera bientôt ma femme et que je ne vois pas d'un trop bon œil ses rencontres avec des hommes de votre espèce. Compris ?

— Non, mais vous avez entendu ça ? »

La vieille mégère évoquait tout un poulailler, bruissant et battant des ailes.

« Je vous accorde une minute, monsieur Kelsey, pour sortir d'ici ; après quoi, vous aurez affaire aux représentants de la loi.

— Vous, bouclez-la ! lui intima David.

— David, je vous en prie !... Il est inadmissible que vous veniez ici provoquer tout le monde.

— Chérie, pardonnez-moi, mais je ne peux faire

autrement... Et maintenant, je vous demande de préparer vos bagages.

— David... »

Rejetant la tête en arrière, elle eut un geste de désespoir que David lui voyait pour la première fois. Il la prit par les épaules.

« Annabelle !...

— Bas les pattes ! » cria Barber.

David se tourna brusquement et lui expédia un coup de poing en pleine mâchoire. Si Barber ne fut pas terrassé, il alla cependant trébucher contre un petit guéridon, renversant deux tasses que David ramassa. Pendant ce temps, Mme Barber caquetait furieusement. Annabelle voulait retenir Grant et l'empêcher de foncer, les poings en avant. Mais David l'imaginait difficilement passant aux actes. Barber avait plutôt l'air apeuré et encourageait sa mère à appeler la police. Elle décrocha le téléphone.

« Vous êtes ennuyeuse, dit David en le lui enlevant des mains doucement mais fermement.

— David, je vous supplie de vous en aller..., si vous avez le moindre sentiment pour moi ! » dit Annabelle.

Grant marmonnait nerveusement, plus pour lui-même que pour Annabelle, qu'il n'en avait pas peur.

« Grant, reprends ce téléphone ! » lui ordonna sa mère.

Comme David le tenait à deux mains, et qu'il paraissait difficile à Grant d'obtempérer, elle lui intima l'ordre de descendre et d'appeler. Sinon, elle descendrait elle-même. Par-dessus le vacarme, David se mit à crier pour se faire entendre d'Annabelle, à qui il enjoignit d'aller faire ses bagages et de quitter tout ce beau monde. Puis ce fut au tour du bébé, dans la chambre à coucher, de se faire entendre en pleurant à tue-tête. Mais cela ne comptait guère, dans tout ce concert de cris, accompagnés des coups frappés au mur par les voisins. C'est pourtant à ce moment-là que David commença à se sentir en perte de vitesse et eut le pressentiment de sa défaite. Il saisit le poignet d'Annabelle et l'entraîna vers la chambre, lui enjoignant de nouveau de rassembler ses affaires, puisqu'elle devait quitter cet appartement. La bouche ridée et hideuse de Mme Barber s'offrit, toute proche, comme une invitation à frapper ; mais son dégoût d'avoir à y toucher s'avéra le plus fort. Et le fils voulut s'interposer à son tour ; Barber le prit par une épaule. David tourna rapidement sur lui-même ; cette fois, la détente de son poing fut efficace, et le contact avec la mâchoire de Grant rendit un son pleinement satisfaisant. Faute de lui décoller la tête, le coup fut assez fort pour envoyer Barber contre le mur. Mme Barber lança un cri strident, puis le tumulte s'arrêta soudain, comme pour mieux faire ressortir le cri que poussa Annabelle en se couvrant le visage de ses mains :

« David !...

— C'est pourtant simple, ce que je veux de vous, Annabelle ! Je vous demande de venir avec moi ! »

Il avait hurlé ces mots pour qu'elle comprenne enfin. Mais Annabelle le regardait avec terreur.

« Vous avez perdu la raison ! » lui lança-t-elle.

David jeta un regard autour de lui. Mme Barber était accroupie à côté de son fils, qui commençait à remuer un peu, sans toutefois avoir la force de se relever. D'un geste lent, David ramassa une lampe à pied qui s'était renversée — une lampe d'une laideur !...

« Maintenant il faut partir », dit-il doucement à Annabelle.

Des coups résonnèrent dans la porte.

« Madame Delaney, que se passe-t-il chez vous ? »

Annabelle se précipita et appela quelqu'un à la rescousse.

David ferma les yeux pour éviter la vision de Mme Barber brandissant son poing au bout d'un avant-bras flasque et montrant la porte de sortie. Ainsi retranché en lui-même, il essaya de se fermer aussi aux cris et glapissements. Puis, rouvrant les yeux, il vit un homme au front barré, aux cheveux noirs striés de gris, qui semblait ne pas vouloir se servir de ses poings.

« Mme Delaney vous demande de partir, dit-il. Sinon, nous devrons appeler la police.

— Et qu'est-ce qui vous empêche de l'appeler ? Je voudrais justement qu'on me débarrasse de ces deux-là, dit David en montrant les Barber.

— Croyez-vous qu'il soit ivre ? »

A cette question qui lui était posée, Annabelle répondit non ; puis, s'adressant à David :

« Tout cela n'a que trop duré. Il est temps que vous sachiez, une fois pour toutes, que je compte épouser Grant ! Et vous n'y pourrez rien. Rien !... »

David la regarda comme s'il n'en croyait pas ses oreilles. Sa colère avait disparu. Il était troublé par la perspective d'un nouveau retard apporté à l'accomplissement de ce qui, à ses yeux, était inéluctable. Il était médusé. Ses yeux se portèrent sur le visage renfrogné du nouveau venu, comme pour y trouver une réponse. L'homme semblait raidi, comme dans l'attente d'une attaque éventuelle. Alors, David regarda Grant, que sa mère aidait à se relever. Rien de plus facile, songea-t-il, que d'en venir à bout : il suffirait de lui faire sauter la tête ; cela le mettrait hors de course pour épouser Annabelle... ou quiconque, d'ailleurs. Mais ce ne serait pas sans présenter quelques inconvénients, et puis ce serait salissant ; assez répugnant somme toute, pour un être civilisé !... Il éclata de rire.

« Ce n'est pas sérieux, Annabelle. Vous me dites ça pour que je m'en aille bien gentiment.

— C'est ce que tout le monde souhaite, commenta le voisin.

— David, dit Annabelle, il faut vous en aller ; il est tard. Les gens ont été suffisamment dérangés.

— Eh bien, si je m'attendais à celle-là !... »

David ne contint plus son indignation. Il explosa.

« Qu'est-ce que vous voulez que cela me fasse,

d'avoir « dérangé » les gens ? Moi, c'est ma vie tout entière qui a été dérangée ! Et en plus, il faudrait que j'accepte de vous voir gâcher la vôtre une deuxième fois ?

— Je sais ce que j'ai à faire de ma vie, David. Et je commence à être excédée de vos façons d'agir, croyez-moi !... Dieu sait si j'ai fait preuve de patience et de compréhension jusqu'à présent !... J'ai accepté toutes vos insultes, mais je ne mettrai plus de gants...

— Mes insultes ? »

Tout en avançant vers Annabelle, comme attiré par sa beauté qui l'émouvait tellement, David avait relevé ce mot parmi toutes ces paroles qui le déroutaient.

Et c'est alors que l'autre homme fonça sur lui, le prenant par surprise. David se rejeta sur Grand Barber, qu'il chercha à atteindre d'un coup définitif. Son geste tourna court, car l'homme au front barré empoigna son bras et le tint serré.

« Et maintenant, vous allez filer », cria-t-il.

Grant entra dans la lutte à son tour, et David se vit réduit à l'impuissance. Il avait les deux bras maintenus, et il était entraîné vers la porte que Mme Barber ouvrait déjà. Il essaya de ramasser ses forces et de s'opposer de toute sa résistance, en s'arc-boutant à la porte. Dans un dernier effort, il se retourna contre Grant et, d'une détente du corps, voulut l'envoyer au tapis ; mais cette ruade eut pour effet de le projeter, lui, tête baissée contre le mur. Il en resta tout étourdi et se sentit entraîné sur le palier ; il avait vaguement conscience de continuer à se débattre, en une vaine résistance, tout le long du chemin. Dans l'escalier, des hommes, agrippés à lui, le tiraient dans tous les sens pour le jeter dehors. En outre, il luttait désespérément pour combattre l'image de Mme Barber, une image démultipliée qui le cernait de tous côtés. En bas des marches, il alla rouler par terre, avec deux hommes accrochés à lui. Puis il fut soulevé, emporté, ses pieds raclant le carrelage. Et il continuait d'entendre les voix des autres, à l'étage, parmi lesquelles celle d'Annabelle. Entraîné sans ménagement, il se retrouva dehors, devant sa voiture, où on le hissa. La portière heurta sa tête, puis se referma sur lui. Il resta à moitié couché sur la banquette, les yeux fermés, sans bouger, livré tout entier à la rage qui se déchaînait en lui.

Un peu plus tard, après s'être péniblement rapproché du volant, auquel il s'était agrippé, il s'appuya involontairement sur le klaxon, qui éclata bruyamment dans la nuit. Mais, jetant un coup d'œil vers les étages, il constata que tout était noir ; la maison entière était plongée dans l'obscurité. Il était maintenant trois heures moins dix au cadran illuminé de sa montre. Il se mit en route.

Il éprouva des élancements à une dent de devant ; mais, en y mettant la langue, il sentit que la dent était toujours là ; elle n'était même pas ébréchée.

« Bon ! Et alors ?... Et puis après ?... »

Conclusion qui traduisait tout à fait l'espèce de haine généralisée dans laquelle il englobait tous ceux qu'il laissait derrière lui.

Le lendemain, lundi, David jugea bon de ne pas se montrer au laboratoire ; il téléphona vers neuf heures pour expliquer à Rosalie, la secrétaire, qu'il devait garder la chambre encore vingt-quatre heures, à cause d'un virus intestinal. En fait, il souffrait de voir l'aspect qu'avait son visage, lardé de coupures, avec sa lèvre inférieure tuméfiée, sans mentionner le magnifique cocard violet qui lui donnait, bien sûr, un air intéressant. Et il souffrait également de nombreuses courbatures. Il comptait retrouver son aspect normal pour mardi... En attendant, l'idée de s'être laissé aller à des violences physiques le remplissait de confusion, d'autant qu'il avait eu le dessous ; c'était incontestable, il avait été battu à plate couture... Et Annabelle, comment avait-elle pu lui dire sans ambages qu'elle s'apprêtait à épouser Grant ? Est-ce que cela n'avait été qu'un expédient auquel elle avait eu recours pour inciter David à partir ? A cette pensée succéda le souvenir de ce cauchemar qu'il avait vécu : la vieille truie et son contact affreux, quand elle essayait de le pousser hors de l'appartement !

David arpenta sa chambre de long en large, appliquant tantôt sur l'œil, tantôt sur ses joues ou sa lèvre, une serviette contenant des cubes de glace. Il avait aussi un accroc à l'épaule de sa veste ; il se rendit à Troy pour la donner à réparer.

Enfin, le soir venu, il perdit ses illusions sur l'amélioration de son apparence, escomptée pour le lendemain. Comme il n'était guère désireux de laisser croire à ses collaborateurs, au laboratoire, qu'il s'était laissé entraîner dans une rixe — forcément en état d'ébriété — il songea à faire endosser la responsabilité de ses coups et blessures par quelque vagabond imaginaire. Mais il rejeta cette idée. Pourquoi serait-il tenu de fournir des explications ? Avaient-ils droit de regard sur sa vie privée ? Et lui, avait-il à rendre des comptes ? Gérald Delaney était bien resté toute sa vie affligé d'une lèvre inférieure encore plus proéminente que la sienne sans qu'on l'eût mis en demeure d'avoir à s'en expliquer... — c'était du moins à supposer. Et en outre, lui, il avait épousé Annabelle !...

Il y avait là de quoi faire sourire... Et la lèvre fendue de David s'en ressentit.

Après s'être couché de bonne heure, il se réveilla le lendemain comme neuf, le cerveau dégagé. « Mais qu'elle l'épouse donc, son Barber », se dit-il. Oui, qu'elle commette cette erreur fatale, s'il le fallait. Elle serait amenée à le regretter avant peu... « Mais que de mois, que d'années perdus, se dit-il encore, perdus sans profit ! » Une mesure pour rien, qui retardait d'autant son union avec Annabelle... Puis, l'idée de ce pourceau entrant dans le lit d'Annabelle lui donna des sueurs froides. Il fallait faire quelque chose. Mais quoi ?... Inutile d'écrire. Il connaissait maintenant l'efficacité limitée d'une lettre. Quant à étrangler Grant Barber, il s'en serait volontiers chargé, mais ne voyait pas l'utilité d'une action qui le conduirait, lui, en prison. Restaient la haine et le mépris qu'il leur vouait à tous et dont il tirait un peu de réconfort. Il lui aurait cependant été difficile de vraiment haïr Annabelle, pauvre victime des stratagèmes auxquels elle se laissait prendre. Mais aussi pourquoi acceptait-elle de faire le jeu des autres, se condamnant elle-même à la médiocrité, à la laideur ? Cela le confondait.

Il était d'humeur calme, en route vers le laboratoire, ce matin-là. Il éprouvait presque un sentiment d'humilité au souvenir de son explosion de violence, qui n'avait mené à rien. Avec cette conviction qu'il n'arriverait en effet nulle part par la violence, il se disposait à accueillir l'idée, la solution qui ne manquerait pas de se présenter à lui, soit aujourd'hui, soit demain ou un autre jour. Car, à tout problème il y avait une solution, quelque part dans la nature ; il ne l'ignorait pas. Il s'agissait de la chercher avec persévérance et méthode, de concentrer son attention, la relâcher ensuite, et donner libre cours à son imagination. Ainsi, aujourd'hui même, il allait se concentrer de toutes ses forces sur le travail en cours, se montrer vif et alerte lors de la réunion avec Osbourne, pendant l'après-midi ; alors, il pourrait s'attendre à ce que la lumière jaillisse, avant dix-huit heures, et il aurait ainsi trouvé la solution.

Au laboratoire, Kenneth Laing regarda discrètement David deux fois de suite avant de lui demander ce qui avait bien pu lui arriver.

« J'avais une vieille dette à régler ; je m'en suis acquitté en fin de semaine, répondit David en souriant.

— Qui a eu le dessus ? demanda Laing, en traduisant son admiration par une longue modulation sifflée.

— Moi. »

Laing en resta là. Il n'était pas du genre à se permettre des familiarités ; il gardait ses distances.

Ce même après-midi, David se laissa empêtrer dans une discussion avec le professeur Osbourne. Il avait potassé la question à l'ordre du jour, et tout alla bien jusqu'au moment où le professeur Osbourne fit une déclaration relative à l'activité radiocarbonique d'un amas de tuf qu'il avait eu l'occasion d'examiner quelque part un jour. Un instant plus tard, après un échange de répliques concernant la valeur de l'activité radiocarbonique sur les organismes vivants, David, empêtré dans un illogisme comme dans un filet, se surprit à se débattre, cherchant dans toutes les directions un moyen d'en sortir. A court d'arguments, il le prit d'un peu haut, invoqua de grands principes, fit état de ses attitudes, de ses devoirs, en tant qu'homme de science... Il comptait s'y retrancher, mais le professeur Osbourne, pour l'en déloger, fit valoir que tout cela était sans rapport avec ce qui précédait. David l'entendit, mais pas autrement qu'il n'entendait ses propres paroles. Il fut apparemment incapable de sentir la césure et enchaîna sa péroraison sur le même ton. Toujours parfaitement illogique avec lui-même, il fit le procès des hommes de science qui, se payant de mots, étaient prêts à tuer dans l'œuf tout projet se rapportant de près ou de loin à une « arme homicide » ; mais, en même temps, il jeta l'opprobre sur ceux qui désiraient pousser plus avant les recherches sur la radioactivité, sans même se soucier du point du globe où aurait lieu l'expérience... et pourquoi ? Parce qu'on venait de découvrir que le taux de radioactivité sur la surface de la terre et dans l'atmosphère était faible et peu dangereux et que, par conséquent, on pouvait multiplier les tests... ce qui aurait pour résultat d'augmenter cette radioactivité de par le monde...

« J'ai complètement perdu le fil de notre discussion, mais je m'amuse bien, décréta le professeur Osbourne en souriant.

— Je ne vais pas jusqu'à dire que j'aie d'ores et déjà une vue d'ensemble parfaitement cohérente de la question », glissa rapidement David.

En même temps, il essaya de retrouver sa rancune et son hostilité, ressenties si vivement quelques minutes plus tôt, au cours de cette discussion, et qui semblaient avoir complètement disparu.

« Je ne suis pas un homme à systèmes, expliqua-t-il, mais j'en ai moi-même inventé un, parce qu'il m'a paru susceptible de contribuer à l'élaboration d'un monde meilleur. Mon système repose sur les rapports qui existent entre l'acceptation et le refus d'acceptation. Le jour où il sera mis en pratique, son influence se fera sentir partout, tout au long de l'échelle des êtres. »

Mais David ne possédait pas encore toutes les coordonnées de ce système ; il n'avait fait que recueillir des idées fugitives, celles qui pouvaient lui venir comme ça, sous la douche ou au moment de s'endormir... (car il savait par expérience qu'au petit jour les heures n'étaient pas propices à la réflexion profonde, en dépit d'une apparente vivacité dans le jeu des idées...).

Il poursuivit ainsi longuement, tandis que le professeur écoutait, sans sourciller, le menton dans la main.

« Il faut savoir quoi accepter, quoi rejeter, conclut David.

— Personne ne viendra vous contredire !... Eh bien, quand tout cela sera un peu clarifié dans votre esprit...

— Vous devez bien vous faire une idée de ce que je veux dire ! s'exclama David, dans un regain de confiance.

— Mon cher ami, êtes-vous bien certain que votre combat de l'autre jour ne vous a pas un peu traumatisé ? Ou bien auriez-vous eu recours à ce réconfort qu'on puise au fond d'un verre ?.. Moi, cela m'est égal, remarquez... mais je trouverais intéressant de savoir... »

David s'était levé, avec l'impression qu'on se moquait de lui.

« J'avais le sentiment d'exposer une théorie se rapportant au sujet de notre conversation.

— Vous êtes malheureusement très loin de compte. Je serais même bien incapable de dire quelle tangente vous avez eu la fantaisie de suivre... Mais n'ayez crainte, David, je suis sans rancune. »

Le professeur riait, et pourtant, David se sentait observé.

« Qu'il me fasse une seule observation, se dit-il, ayant trait à ma vie privée, rien qu'une, et je sors de ce laboratoire pour ne jamais y revenir... et plus jamais je n'adresse la parole à qui que ce soit d'ici. »

Mais le professeur ne fit pas la moindre remarque. Il se contenta de petits hochements de tête, qui semblaient signifier — mais seulement pour lui-même — que tout cela était absolument dans l'ordre qu'il avait prévu. Son sourire assez déplaisant témoignait d'une satisfaction intime et d'une grande conviction de sa supériorité. Il fit un geste et désigna la chaise que David avait occupée.

« Je regrette, David. Et maintenant, si vous voulez bien, nous pourrions reprendre la discussion de notre problème... ou préférez-vous en rester là ? »

David trouva la question embarrassante, attendu qu'il n'avait justement pas d'opinion sur ce problème.

« Nous pourrions aussi bien la continuer demain, n'est-ce pas ? Qu'en dites-vous, David ? »

Il se leva, souriant toujours.

« Nous avons tous nos bons et nos mauvais jours, ajouta-t-il. Et puis, il y a ce sacré vent qui n'arrange rien. »

Il enfonça ses pouces dans ses poches de veste et pivota sur lui-même pour regarder par la fenêtre.

« Merci, monsieur ! »

David sentit soudain le poids de sa lèvre inférieure... Il ajouta :

« Si vous voulez bien m'excuser...

— Mais comment donc, David... Ici, vous savez bien, il n'y a jamais de travail urgent. Il ne faut pas vous sentir sous pression. »

David fit alors une expérience, jusqu'alors inconnue de lui, celle de rester une heure entière sans pouvoir accomplir la moindre chose. Et le travail qu'il avait à faire était justement très simple, à la portée d'une secrétaire, si elle avait su où chercher : il s'agissait de calculer, sur un mois, la moyenne des graphiques établis. Il ne put faire que la moitié du travail, et quand il essaya de s'atteler à une tâche un peu plus délicate, ce fut pire encore. Confus de donner aux autres l'impression qu'il perdait son temps, il alla dire à Laing qu'il se sentait un peu souffrant et lui demanda d'en faire part au professeur Osbourne, si celui-ci choisissait justement ce moment pour vouloir s'entretenir avec lui. David était presque sûr que c'était ce qui se produirait. Laing, au contraire, à en juger par l'expression de son visage, trouva cette remarque plutôt curieuse.

Pendant tout le temps que dura son trajet en voiture, David fut désagréablement incertain de ce qu'il devait faire : retourner au laboratoire ou téléphoner à Annabelle pour lui assener quelques vérités impossibles à éluder ou à ignorer ? Mais alors, ne serait-il pas préférable qu'il aille directement à Hartford, sans se hasarder à téléphoner ?

Rentré chez lui, il fit un peu de ménage et passa l'aspirateur dans toutes les pièces. C'était superflu, car la maison n'était pas sale ; de toute manière, cela ne lui prit pas longtemps, et il y trouva une petite satisfaction : il n'avait pas perdu sa journée à ne rien faire. Ensuite, il alla voir s'il avait du courrier ; d'habitude, c'était en revenant de son travail qu'il s'en occupait. Il s'affubla d'un imperméable et sortit voir ce qu'il y avait dans la boîte, au bout de la petite allée. La boue le faisait glisser. Tout lui apparut sombre et mystérieux, non pas sombre au point de ne plus y voir, mais comme si de l'encre avait été déversée dans l'atmosphère. Il y eut un lourd vol d'oiseaux au-dessus de sa tête. Puis au moment même où sa main se posait sur la boîte aux lettres, un coup de tonnerre retentit. Un présage ? se demanda-t-il. Il força la boîte pour l'ouvrir. Une lettre attendait... une lettre de son oncle Bert... qui ne suscita de sa part aucun intérêt.

Rentré dans la maison, il récupéra sous l'évier une paire de souliers qu'il nettoya. Puis il ouvrit la lettre, qui lui apprit en vrac des nouvelles sans importance de la famille. Il sut, entre autres, que Louise avait un « fiancé » que l'on jugeait trop âgé pour elle. La lettre contenait également des conseils ; Bert, en sa qualité d'oncle, s'était toujours fait un devoir de lui en donner, depuis que David avait atteint l'âge de quinze ans. Il n'avait jamais manqué de commencer par le même exorde, prononcé d'une voix sans trace d'autorité : « Je n'ai pas l'intention de me mêler de ce qui ne me regarde pas ; tu es assez grand maintenant pour savoir ce que tu as à faire, *mais...* » En l'occurrence, il s'inquiétait du projet d'expédition sur le *Darwin*, au mois de juillet. Il avait aussi l'impression que la joie qu'affichait David sonnait faux. Était-il aussi heureux qu'il le prétendait ? Et que se passait-il au sujet d'Annabelle ? « Dans ta dernière lettre, tu écrivais que vous deviez vous marier en juin. Mais la mère d'Annabelle prétend n'être au courant de rien. (Rassure-toi, ce n'est pas moi qui ai mis la conversation là-dessus.) Elle m'a en outre donné l'impression de ne pas vouloir parler de toi. Ne voudrais-tu pas me dire ce qui s'est vraiment passé entre vous ? Tu sais déjà ce que je pense, David ; il serait temps que tu regardes un peu autour de toi. Il y a d'autres jeunes filles... »

David posa la lettre à moitié lue sur la table, se demandant s'il avait réellement dit que le mariage aurait lieu au mois de juin ; il ne s'en souvenait pas.

Une heure plus tard, il était assis sur le canapé du salon, un peu éméché ; il en était à son troisième Martini. Il les avait pris en prélude au dîner, et maintenant, il s'apercevait qu'il n'avait pas faim. Il reposa son troisième verre, inachevé, et monta à l'étage. Une douche le revigora. Il se mit à siffler comme avec défi, et ses pensées revinrent à Neumeister : ce vieux Bill à qui la chance souriait toujours !... Il évoqua sa maison de Ballard. Là-bas, chaque station sous la douche l'avait mis de joyeuse humeur. Il avait coulé des jours heureux dans cette maison, songea-t-il avec nostalgie. Et puis aussi, c'est là que

Gérald Delaney avait rencontré son destin... sous la figure de William Neumeister.

Il fut Neumeister ce soir-là ; Bill l'aida à vivre. Il fit un repas léger ; ensuite il écouta des disques, allongé sur une carpette en peau de vache, des compresses glacées sur la lèvre et un morceau de viande crue contre son œil au beurre noir.

Après l'audition de *Verklärte Nacht*, il se leva et se dirigea vers le téléphone. Il allait appeler Annabelle. Il n'avait aucune idée de l'attitude à adopter envers les Barber, au cas où il tomberait sur l'un d'eux au bout du fil. Ce soir, sa confiance en soi était revenue.

« Voulez-vous me passer Annabelle, s'il vous plaît ? » demanda-t-il d'une voix posée.

C'était pourtant la sorcière qu'il avait au bout au fil.

« David ?... David Kelsey ?... s'enquit-elle, comme terrorisée.

— Non. C'est Bill.

— Qui ça ?

— Je vous demande de me passer Annabelle.

— Eh bien, écoutez-moi, monsieur Kelsey, j'ai justement une nouvelle qui peut vous intéresser : Annabelle est mariée.

— Ha, ha ! ricana-t-il. Cela ne m'empêche pas de vouloir lui parler.

— J'ai le plaisir de vous dire que vous ne pouvez pas. Elle est partie. Avec Grant.

— Mariée ?... »

Il respira nerveusement, et sa voix fut un peu rauque pendant un instant. David en ressentit de la gêne.

« Oui, ils sont mariés, monsieur Kelsey... et c'est même à vous qu'ils le doivent. Votre scène de l'autre soir a rendu Annabelle tellement malade qu'on est allé chercher le docteur, qu'il s'est inquiété et qu'il a dit que ce mariage ne devait pas être retardé. Et voilà ! Ils sont partis hier... Bien fait pour vous !...

Et puis, écoutez-moi : ils sont sous la protection de la police, monsieur Kelsey. Alors si vous vous avisez de tenter quoi que ce soit... gare !...

— Où est-elle ?

— Je ne vous le dirais pas, pour tout l'or du monde. »

Et il y eut un bruit sec de l'appareil qu'on raccroche.

David pensa que le choix de Grant avait dû les mener droit aux chutes du Niagara... Mais si toute cette histoire n'était qu'un mensonge ?... Non, il ne crut pas qu'une demeurée du genre de Mme Barber ait pu jouer si parfaitement la comédie... Il haussa les épaules et sourit. Puis, les mains dans les poches, il sifflota un air de son invention... Mais il ne se sentit tout de même pas dans son assiette. Il s'appuya au rebord de la fenêtre, après l'avoir ouverte pour respirer un peu d'air frais. Cela n'arrangea rien et ne l'empêcha pas de rendre son dîner.

Il prêta l'oreille, comme il avait coutume de le faire, dans la salle de bain, pour entendre la sonnerie du téléphone ; aucun son ne lui parvenait ; seule la rumeur de son sang bourdonnait dans ses oreilles. Il n'entendit même pas le bruit métallique du réservoir d'eau... Il se brossa les dents, en évitant de se regarder dans la glace.

L'escalier lui parut sombre, quand il redescendit, et il comprit soudain qu'il avait peur. Peur de ce qui pourrait surgir de l'ombre ou entrer par la porte. Le grand living-room, de couleur beige et brune, lui parut doublement silencieux ; la lampe à pied ne mettait que le téléphone en lumière, le reste de la pièce baignait dans l'ombre. David se servit alors un autre Martini qu'il but lentement, allant d'une pièce à l'autre... Il se demanda quelle tactique adopter en face des récents événements : attendre que Grant Barber se montre sous son vrai jour, dans toute sa grossièreté foncière — si ce n'était déjà fait ? Ou découvrir le lieu de leur retraite et leur rendre visite ? Il était partagé. Mais il y avait un point très important : la police — la sorcière l'avait prévenu — et l'idée de son intervention éventuelle n'était pas pour l'encourager. Ce serait gênant à tous égards de tomber entre les mains des agents. On peut toujours essayer de se faire comprendre, à partir de ce moment-là !... Se garder d'une vaine agitation, William Neumeister, et ne pas s'exposer inutilement !...

David ouvrit plusieurs fenêtres ; il avait une sensation de chaleur dans la poitrine et aux mains. Un peu de fièvre, peut-être ?... Annabelle s'était trompée, c'est tout. Et ce n'était pas la première fois, mais la deuxième... et dernière...

Alors, il pensa à sa vieille amie, Mme Beecham. Il se rappela l'intérêt qu'il avait éveillé en elle en lui apprenant qu'il aimait une jeune fille, et comme son regard s'était éclairé... Comme il était devenu triste ensuite, mais toujours chaud et amical. Quels conseils lui donnerait-elle aujourd'hui, en ces circonstances ? David songea qu'elle était toujours là, au dernier étage de cette maison où il avait fait sa connaissance. Tout en haut, près du ciel. Dans cette chambre qui donnait sur l'arrière de la maison. L'idée qu'elle ne bougeait pas de sa chambre et qu'elle ne pourrait descendre pour répondre au téléphone le retint de l'appeler sur-le-champ. Et puis, est-ce qu'il n'était pas minuit déjà ?

A six heures, le lendemain matin, David se réveilla, après avoir dormi sur le canapé d'en bas. Le visage que lui renvoya la glace avait heureusement presque repris son aspect normal, et sa récente et lamentable expérience lui apparut sous un jour moins sordide. Il siffla de nouveau sous la douche, se rasa, se vêtit et descendit, en pensant au copieux petit déjeuner qu'il se promettait de faire, sans se presser. En fait, il ne prit qu'un grand verre de lait parfumé au café et deux petits verres de gin. David était content.

Il avait la conviction que la journée, placée sous le signe de William Neumeister, serait excellente ; la qualité de son travail, en ce jour, compenserait sa mauvaise performance de la veille.

« ALLÔ ! David ? Ici, Wes. Nous sommes à Troy. Est-ce qu'il est trop tôt ? On te dérange ?

— Non, répondit David d'une voix morne.

— Parce qu'on peut rester à flâner un peu par ici... Alors, si je comprends bien, maintenant nous devons prendre la direction de Peterborough et suivre ton plan, c'est ça ?

— C'est ça.

— Quelque chose ne va pas ? Je t'ai sorti du lit ?

— Non, j'étais levé. Venez. Je vous attends.

— Ciao ! »

Wes avait raccroché. David regarda l'heure : 11 h 05. Un samedi matin. C'était quand même un peu ennuyeux !... Et puis ce « nous »... Il devait s'agir d'Effie. Mais si c'était Laura... il ne les laisserait pas entrer ; pour les entendre se quereller, non !... Il prétexterait quelque rendez-vous en dehors, pensa-t-il en marchant nerveusement, ici et là, le front soucieux, regardant partout pour s'assurer que rien ne clochait. Tout était en ordre. Dans la cuisine, il inspecta le réfrigérateur ; dans le compartiment supergel trônait un steak épais, entouré de papier huilé. Il y en avait pour six personnes. C'était encore heureux.

Il mit un disque sur le phono, le remplaça une minute après par un autre, un disque d'une chanteuse française, mais pas celui qu'il avait entendu chez Effie. Puis il en plaça plusieurs autres, de musique populaire française et italienne.

Il sursauta au bruit d'une portière qui se refermait, bientôt suivi de celui d'une deuxième. Il alla à la porte d'entrée et ouvrit. Effie et Wes se trouvaient devant lui. Elle avait dans les bras un panier recouvert d'une serviette blanche.

« Comment ça va, David ? Ce qu'elle est belle, la maison !...

— Ça va, David ? demanda Wes. Content de te voir. »

Il serra et secoua la main de David, puis s'en fut battre des pieds sur le tapis-brosse.

« Quelques provisions de bouche, annonça Effie. Un poulet cuit et du pâté... Oh ! un piano !... Vous jouez, David ? »

Ils firent le tour de la salle de séjour, qu'ils trouvèrent très sympathique, puis ils voulurent voir le haut de la maison...

Ils étaient maintenant dans la cuisine, Wes et lui. David s'employait à extraire des cubes de glace pour l'apéritif ; Effie n'était pas encore descendue.

« Tu as maigri, dit Wes. Beaucoup de travail ?

— Pas du tout. On a plutôt tendance à nous ménager. »

Sans rien dire d'autre, ils passèrent dans le living-room. David fit un effort :

« Vous allez rester ici, cette nuit, je pense, Effie et toi ?

— Il en était question, non ?... fit Wes en se frottant les mains. Je me pourlèche déjà à l'idée du steak que tu nous as promis... Sais-tu que je me suis fait du mauvais sang à ton sujet ?... Oui, après ton coup de téléphone de jeudi... Mais je suis bien content de te voir si bonne mine. »

David eut un petit hochement de tête ; il se sentait confus : *quand* avait-il appelé, jeudi ? Et avait-il téléphoné à l'usine ou chez Wes ?

« Alors, tu as toujours ta situation ? »

Wes souriait.

« Cela s'est vite dissipé, tout ça. Ce qu'elles veulent, c'est vous flanquer la pétoche. Et Laura est comme les autres. Tout est exactement comme avant. En ce qui concerne Laura, Effie n'a aucune importance, mais ça l'amuse de jouer la comédie. Alors, je me suis dit : « Qu'elle aille se faire voir !... » Et j'ai décidé de passer le week-end avec Effie... chez toi naturellement. Et si quelqu'un s'imagine que ce n'est pas en tout bien tout honneur, il peut rempocher sa sale mentalité et s'asseoir dessus. »

Il se mit à rire, mais David crut discerner un peu d'anxiété et de peur sur son visage tandis qu'il se retournait pour regarder Effie qui entrait dans la pièce.

« David, je suis encore émerveillée... C'est tellement beau, chez vous ! »

Elle s'assit au milieu du canapé, l'air d'être en visite. Wes se rendit à la cuisine pour lui préparer quelque chose à boire. David, lui, se récusa, disant qu'il prendrait un verre avec eux dans la soirée. En attendant, il lui fallait franchir le long après-midi qui s'étalait devant lui à l'infini.

Il mit les couverts ; il hésitait encore entre une omelette au jambon et un déjeuner à la chinoise, facile à préparer à l'aide de sachets et de boîtes de conserve. Effie arriva sur ces entrefaites et résolut la question en allant chercher le poulet.

« Il reste juste à s'occuper de la salade », dit-elle gaiement.

David remplit un autre verre et l'apporta à Wes, qui regardait des livres dans le living-room. Puis il revint à la cuisine.

« J'ai essayé d'avoir Annabelle au téléphone, l'autre jour, lui dit Effie à voix basse. J'ai appris qu'elle s'était remariée... Je suis désolée, David. »

David hocha la tête.

« Les nouvelles circulent vite, vous ne trouvez pas ?

— Je suis contente que vous le preniez si bien. J'avais craint... »

Elle sourit, et ses joues plates se fendillèrent

comme une terre trop sèche. Elle portait une petite jupe noire et un chemisier blanc incrusté de dentelle. Elle avait maigri, elle aussi, et sa taille était filiforme. En la regardant avec un peu d'attention, David comprit soudain pourquoi Wes avait renoncé à poursuivre sa conquête : elle n'avait vraiment rien d'attirant, se dit-il, hormis peut-être ses cheveux châtains si souples.

« Cela ne pourra pas durer. »

David avait parlé posément, mais il était agacé par le regard d'Effie qui ne le lâchait pas.

Elle goûta l'assaisonnement de la salade et lui en fit compliment, puis elle fit un grand éloge de l'appareil à café « *espresso* »... et David se prépara dès lors au nouvel assaut — de caractère personnel — qu'il s'attendait à subir.

« Je n'ai pas parlé directement à Annabelle jeudi, elle n'était pas chez elle. J'ai appelé après votre coup de fil à Wes... Croyez-vous qu'elle soit heureuse, David ?... Je veux dire... Elle l'aime, cet homme.

— Non. »

David se détourna de l'appareil à café pour achever de laver la salade qu'un filet d'eau continu avait arrosée, puis il sortit pour la secouer dans un panier ; quand elle fut entièrement égouttée, il rentra.

« Vous avez eu des nouvelles de la gendarmerie de Beck's Brook, ces jours-ci ? demanda-t-il.

— Non. Pourquoi ?

— William Neumeister est allé leur rendre une petite visite ; il leur a dit pourquoi on n'avait pas pu le joindre : il avait quitté la région...

— Vous êtes *vraiment* allé les voir, David ? »

Elle en avait le souffle coupé.

« J'ai écrit à Annabelle aussi... une lettre d'explication. J'ai repris toute l'histoire, point par point, de A à Z. »

Il se pencha au-dessus du saladier et y fit tomber les feuilles de laitue.

« Ils ont été gentils ou...

— Tout ce qu'il y a de gentils. »

Il la regarda. On aurait dit une statue de sel.

« Cela lui a fait très plaisir, à Annabelle, de recevoir cette lettre.

— Elle ne soupçonne donc rien ?

— Qu'y a-t-il à soupçonner ? »

Effie parut soudain sur le point de se mettre en colère.

« Je me demande comment vous pouvez rester si détaché. J'avoue que je ne vous comprends pas. »

David allait lui demander comment elle pouvait s'exciter de la sorte, mais Wes fit son entrée.

Effie se versa un autre verre et l'apporta à table. David servit de la bière, car Wes la préférait au vin, et il en but aussi. Le poulet était très bon, et le repas se passa dans la bonne humeur générale... jusqu'au moment où les deux autres le prirent, lui, David, comme sujet de conversation. Personnellement visé, il se sentit criblé de petits coups d'épingles, qui faisaient de plus en plus mal et dont il essaya de se défendre comme il put ; tantôt il hochait la tête et s'abstenait de répondre, tantôt il donnait des réponses négatives et d'un air peu engageant. Mais cela ne les empêchait pas de revenir à la charge.

« Alors, tu l'as vu, ce Grant ?... Mais à quelle occasion t'es-tu trouvé là-bas ?... Est-ce que tu as vraiment l'impression que c'est un type bien ?...

— Mais oui... Il a deux yeux et un nez...

— Au téléphone, vous disiez qu'il était très quelconque, un rustre même... Et vous avez l'intention de continuer à habiter cette maison, David ?

— Bien sûr... Pourquoi pas ?... Mais je ne vois pas très bien où vous voulez en venir avec toutes vos questions !...

— J'aurais pu te dire, moi, comment tout cela finirait... Quand une femme se met à tergiverser, cela ne veut dire qu'une chose : c'est fini... fini... fini !... »

David quitta la table. Il était en nage et se sentit presque pris de nausée. A partir de ce moment, il ne lui fut presque plus accordé de répit. Wes essaya de blaguer... Effie resta un moment à pianoter... Wes fit semblant de l'écouter et de se laisser distraire... Mais quand ce n'était pas Effie qui venait susurrer à l'oreille de David, c'était Wes...

« Tu devrais bien nous dire ce qu'il y a derrière tout ça, David. Nous sommes tes amis, Effie et moi... Sais-tu qui est ce Newmester ?... Crois-tu qu'il se cache intentionnellement ?... »

Pour Wes, l'heure de l'apéritif du soir sonna à dix-sept heures. David lui tint compagnie. Il avait mis sa chambre à la disposition de Wes, considérant que la seule chambre d'amis revenait de droit à Effie. Lui, il avait l'intention de passer la nuit dans ce qu'il appelait son petit salon, la pièce qui contenait la plupart de ses livres... A dix-huit heures, Effie monta se changer et David alluma du feu dans la cheminée ; il avait davantage besoin de s'occuper que de se chauffer.

« David..., dit Wes, je regrette toutes ces questions... Mais tu ne peux pas savoir quelle impression cela m'a fait de t'entendre jeudi... Aujourd'hui, tu n'es plus le même. »

Il parlait simplement, avec conviction. Mais ses traits commençaient à se brouiller, comme toujours quand il avait trop bu.

« Tiens !... Comment est-ce que j'étais ? demanda David.

— Dans tous tes états. Tu voulais me voir à tout prix ; le Martini y était peut-être pour quelque chose..., mais il m'a vraiment semblé que tu avais besoin de me voir. Alors, je n'ai pas hésité... et me voici !... Je t'ai même proposé de venir jeudi soir, tu te souviens ? »

Absolument pas. En revanche, David se rappelait parfaitement bien qu'il n'était pas gris ce soir-là. La journée de jeudi avait été bonne, également celle de vendredi, au laboratoire.

« Quelle heure était-il quand je t'ai appelé ?

— Vingt et une heures environ. Laura a répondu à ton coup de fil, tu lui as souhaité le bonsoir ; tu as été très poli avec elle, ça lui a fait plaisir.

— Qu'est-ce que j'ai dit d'autre ?

— Que tu étais au bout de ton rouleau, mon vieux. »

Wes parlait avec beaucoup de naturel, comme s'il était en train de raconter n'importe quelle histoire drôle.

« Tu donnais l'impression d'avoir reçu un choc assez rude... Tu as dit que tout était fini entre Annabelle et toi.

— Que tout était fini entre nous deux ? »

En répétant cette phrase, David s'était esclaffé. Et il conclut :

« Je ne devais pas avoir ma tête à moi.

— Je t'ai demandé pourquoi, et tu as répondu qu'elle s'était remariée. Avec un type inexistant, une fois de plus... Non, tu as employé les mots : un type de second ordre... Tu as même employé celui d' « arriéré »... et des tas d'autres, d'ailleurs ! ajouta Wes en riant. Tu ne paraissais pas avoir une très haute opinion de lui... Mais, tout compte fait, c'est peut-être son « type » à elle, Annabelle.

— Pas du tout. Seulement, elle est tombée dans le piège, comme la première fois, au moment d'épouser Gérald.

— Quelle sorte de piège ? Tu veux dire : pécuniairement parlant ?

— Peut-être, dans une certaine mesure.

— Mais tu étais là, toi.

— Eh bien, disons que j'étais peut-être, moi aussi, un élément de ce vaste piège ; j'étais probablement trop entier, ou bien je ne me suis pas comporté comme il aurait fallu... Oh ! mais j'ai du temps devant moi ; leur mariage ne va pas durer. C'est une plaisanterie. »

David se leva et vint se placer devant le feu.

« Eh bien... Je croyais que tu avais renoncé à elle, David. »

Ha ! ce petit bout de phrase : « renoncé à elle » !... comme s'il n'y avait qu'à vouloir !...

« Je préfère ne plus en parler, Wes. »

Il fixait les flammes avec intensité... Ces soirs-là, mercredi, jeudi et vendredi, il avait rejoué à son petit jeu ; il s'était complu à faire semblant d'être William Neumeister ; il avait pris deux Martini avant le dîner... et tout s'était passé comme pendant les week-ends dans sa maison de Ballard... Enfin, presque... Mais quel était le rouage qui avait flanché sur le coup de vingt et une heures jeudi soir ? Que s'était-il passé dans sa tête ? Il n'en gardait même pas le souvenir. Il y avait un trou.

Wes, cependant, ne cessait de l'observer.

Effie descendit en pantalon noir collant ; Wes lui servit un scotch avec un peu d'eau gazeuse. Il avait également sorti du réfrigérateur le pichet contenant le Martini, pour en servir un verre à David. Bientôt après, celui-ci annonça qu'il allait mettre en train le feu de charbon de bois, pour faire cuire le steak.

« Je vais vous aider, proposa Effie.

— Franchement, je préfère m'en occuper tout seul. »

Il se passa les doigts dans les cheveux. Il se sentait à bout. Il vida rapidement son verre de Martini, à la cuisine, et sortit muni d'allumettes, d'un vieux journal et du sac de charbon de bois. Il décida de ne pas se servir d'essence mais de préparer un bon feu des familles à l'aide de papier et de petits fagots. Il ajouterait du charbon de bois au fur et à mesure. Le procédé était lent parce que les petits bouts de bois des fagots gardaient toujours un peu d'humidité, même les plus secs. Cependant, le feu prit facilement et David en éprouva du bien-être... jusqu'au moment où Wes ouvrit la porte et faillit s'étaler.

« Je ne veux pas te déranger, vieux. J'apporte seulement de quoi te rafraîchir. »

Il tenait un nouveau pichet de Martini et un verre.

« Merci, Wes, mais je commence à avoir assez bu.

— Allons, allons... »

Wes remplit le verre. David le saisit de sa main noircie de charbon de bois... et eut comme une vision d'enfer.

Une fois Wes parti, il reprit le verre posé sur le bord de la rôtisseuse et en jeta le contenu au loin, en direction du bois. Il absorba cependant deux autres Martini dans l'heure qui suivit : cela, pour leur vertu anesthésiante. Puis il se mit sous la douche et passa une chemise et un pantalon propres. Les pommes de terre au four semblaient cuites. Effie s'était occupée de la salade en y ajoutant des tranches d'avocat. Pendant un moment, David se sentit content, de bonne humeur. L'insistance de Wes à remettre à plus tard la cuisson du steak ne le troubla même pas. Il augmenta la portion de fromage et sortit aussi des biscuits et des olives noires. Mais il n'y avait plus de glace !...

« Je vais vous dire, Effie, ce qui cloche, proclama soudain Wes. David ne s'attendait pas à nous voir !... Il ne se rappelle pas m'avoir téléphoné !... Qu'est-ce que vous en dites ?... »

Effie n'en dit rien ; elle resta hébétée. Il sembla à David que le choc de cette affreuse vérité creusait encore son visage de nouvelles rides.

« C'est peut-être quelqu'un d'autre qui t'a téléphoné, qui sait ? » laissa tomber David.

Tout à coup il n'eut plus honte. Il était arrivé assez souvent dans le passé que Wes perde la notion des choses.

Il versa dans son verre le reste de Martini dans lequel avait fondu la glace. Wes avait augmenté la puissance du tourne-disque, et maintenant il évoluait avec Effie, titubant, lui marchant sur les pieds. David rit. Effie le regarda, l'air peiné, comme s'il venait de l'insulter. Elle désirait peut-être qu'il l'enlève à Wes, comme l'exigeait sans doute la politesse, mais David n'aurait pu se résoudre à lui prendre la taille...

A peine venait-il de s'asseoir dans un fauteuil, qu'Effie se lança dans les aveux : elle tenait de la police de Beck's Brook que Newmester était venu les voir de son propre chef ; elle en avait été informée la semaine dernière.

« Pas possible ? dit Wes, et il éclata de rire. Vous auriez au moins pu le signaler, en passant... Et suis-je censé prendre ça pour argent comptant ? »

Par-dessus l'épaule de Wes, Effie adressa à David un clin d'œil de connivence, chargé de signifier qu'elle restait aux commandes et s'occupait des manœuvres. Il eût voulu rentrer dans sa coquille ; il regarda fixement par terre.

« C'est un peu fort de café, marmonnait Wes, amusé. En quel honneur le protège-t-on ainsi ?... Qui est-ce, en fin de compte ? »

Il y eut un silence, court, mais lourd de prolongements.

« Tu le savais, toi, David, que Newmester s'était pointé au poste de police ?

— Effie me l'a appris aujourd'hui.

— Enfin... Pourquoi y serait-il allé ?... Il a dit qu'il avait tué Delaney ?... Ou quoi ?... »

L'intérêt de Wes montait en flèche.

« Bien sûr que non..., se hâta de lancer Effie. On voulait lui poser quelques questions, c'est tout. Et Mme Delaney voulait aussi le voir, je crois.

— Ah ! oui... Annabelle ? »

David sentit le regard de Wes peser sur lui.

« Elle voulait lui parler ?

— Oui, dit Effie. Il paraît que Newmester est allé la voir à Hartford.

— Hartford..., répéta Wes. Alors, qu'est-ce qui s'est passé ?

— Rien. Je suppose qu'il a simplement expliqué comment... le drame était arrivé... Accidentellement.

— Accidentellement ?... répéta Wes. Je n'y comprends rien... mais alors, rien. »

Il se mit de nouveau à danser, redoublant de vigueur, serrant Effie de plus en plus près.

« Assez, Wes !... Lâchez-moi !...

— Je ne l'ai pas fait exprès. »

Wes voulut la retenir, mais Effie le repoussa avec violence avant de s'aventurer toute seule, d'une démarche peu assurée, en direction de la cheminée.

« C'est vous que j'aime ! déclara-t-elle à David. Oui, vous !... Pourquoi me priverais-je de le dire ? hurla-t-elle en se tournant vers Wes. De toute façon, vous le saviez déjà, alors... Et est-ce que vous avez essayé de m'aider, de faire quelque chose pour moi ? Non.

— Et qu'est-ce que vous vouliez que je fasse ? demanda Wes.

— David !... »

Elle l'appela, fléchit sur les genoux et tendit les bras en avant. David se leva et s'écarta, craignant de la voir se jeter sur lui ; il parla de la grillade dont il devait s'occuper. Effie saisit son bras.

« David !... Est-ce que vraiment je ne peux retenir votre attention... ne serait-ce qu'une toute petite minute ? »

David prit le poignet d'Effie et détacha, aussi doucement qu'il put, ses doigts agrippés à son bras.

« Il serait temps que j'aille m'occuper de ce steak, dit-il de nouveau.

— David... J'ai peut-être un peu trop bu..., mais *in vino veritas*, n'est-ce pas ?... Écoutez, David..., c'est peut-être la dernière fois que je... que je vous vois...

— Ça ne serait peut-être pas pour lui déplaire ! lança Wes en riant.

— Fermez-la, Wes !... »

Elle paraissait hors d'elle. David avait envie de rire, mais en même temps, l'incroyable manque de tenue de ses deux invités n'était pas sans le troubler.

« Je ne vois pas pourquoi..., disait Effie à Wes, je ne vois pas pourquoi les quelques mots que j'ai à dire à David — et qui sont d'ordre privé — seraient tournés en dérision par vous.

— Je ne tourne rien en dérision... Mais, si vous le voulez, je peux passer dans la pièce à côté. »

David se dirigeait déjà à pas lents vers la cuisine. Entendant arriver Effie derrière lui, il se retourna et fit un pas de côté pour la laisser passer. Elle se retint au battant de la porte.

« Je sais que ma conduite aujourd'hui, ici, est ignoble... Mais cela ne change rien à mes sentiments pour vous... Et moi, je *sais* où est la vérité. Vous êtes en train de gâcher votre vie à cause de cette fille. Croyez-moi, prenez-en une autre... Je ne veux pas dire « moi », finit-elle d'une voix chevrotante.

David allait s'éloigner, elle le retint. On pouvait voir une expression de dégoût et de colère sur le visage de Wes, tandis qu'il allumait une cigarette et jetait l'allumette dans le cendrier.

« Laissez-le donc faire ce qu'il veut de sa vie ! aboya-t-il. De toute manière, ce ne sont pas vos discours qui l'empêcheront. »

Là-dessus il se dirigea vers la cuisine, son verre vide à la main, se cognant contre David au passage, sans même s'excuser.

David se dégagea avec force des bras d'Effie, qui l'avait pris par le cou, et, dans le même mouvement, reçut sa tête sur sa poitrine. Il se rejeta en arrière et fit un tel effort pour délivrer ses poignets de son emprise que son bras se détendit violemment. Pris de panique, soudain, il se mit à respirer à grands coups. De la cuisine, Wes s'était remis à l'invectiver d'une voix aigre ; c'était cependant moins détestable que les gémissements et les pleurnicheries de cette fille, collée à lui comme une limace, tandis qu'il marchait à reculons jusqu'au milieu de la cuisine. Il se retint difficilement de la frapper.

« Je ne veux rien manger, déclara Wes.

— Alors, pourquoi ne partez-vous pas, tous les deux ? » lui demanda David.

Effie, maintenant, s'agrippait au bord de l'évier et sanglotait. Wes se retourna, l'air belliqueux. David s'avança vers lui.

« C'est bon, je pars, dit Wes en posant son verre avec fracas. Je prends congé du gracieux maître de céans.

— Avec Effie, ajouta David.

— Et si je me ravisais ?... Après tout, je me demande bien pourquoi nous céderions au bon plaisir de M. Kelsey.

— Appelez-moi Bill !...

— Quoi ?

— Attention, David ! » cria Effie.

Elle s'approcha en zigzaguant, ayant lâché l'évier, et réitéra sa mise en garde.

« Qui est Bill, Effie ?

— Personne », répondit-elle.

« Personne... » David ouvrit brutalement la porte de derrière et sortit en la claquant. Il soufflait un vent froid qui communiqua à son corps tout entier une fraîcheur bienfaisante. Il laissa derrière lui la braise rouge et dorée du feu et marcha jusqu'en bordure du bois. Il resta là, les yeux levés vers la lune... une lune presque pleine et posée tout de guingois. Il n'entendait rien, sauf le bruit de sa propre respiration. Il haletait. Ses yeux s'embuèrent de larmes... et cependant, il était complètement dégrisé maintenant... Cette grosse lune flottait entre les nuages bleutés, d'un mouvement continu et tranquille... Un soir, Annabelle avait dit : « Moi aussi, je vous aime, David... » Un soir de lune... La même lune... Qu'étaient-ils devenus, ces mots ? N'étaient-ils pas restés en suspens quelque part dans l'air ? Ne pourrait-on les retrouver, les rassembler, s'en emparer des deux mains ? Quelque part, où que ce soit, ils *continuaient* d'exister... comme tout ce qui avait *commencé* d'exister... Annabelle le savait bien, que ses mots demeureraient toujours. Elle aurait peut-être voulu pouvoir les effacer. Mais la vérité ne pouvait devenir mensonge. Le jour viendrait où elle accourrait à lui. On avait du temps devant soi. Beaucoup même. Mais le temps passait si lentement, c'était ça le plus dur !... Cependant, ce jour viendrait. Et elle serait avec lui dans sa maison, celle-ci ou une autre.

« Oui, William Neumeister, bien sûr », murmura-t-il.

Il entendit claquer une portière, tourner un moteur, démarrer une voiture, en marche arrière ; il écouta : la voiture fit demi-tour, puis s'éloigna dans le chemin. Dieu merci, il restait seul !... C'était comme si on enlevait un poids de sa poitrine. Il leva de nouveau les yeux vers la lune. Il était heureux, confiant. A deux reprises, il respira profondément, puis s'en retourna vers la maison.

Il entra dans la cuisine. Le désordre qui y régnait ne le choqua pas particulièrement : il aurait le temps de ranger... Il serait seul... Beaucoup de temps... Personne ne l'empêcherait de rester debout toute la nuit, si tel était son bon plaisir, à lire, à écouter de la musique, ou même à écrire à Annabelle. Il pourrait aussi rester étendu à rêver d'elle et du jour où il l'aurait enfin dans son lit. David s'empara d'une bouteille dans laquelle il y avait encore un fond de gin, en versa le contenu dans un verre, d'un geste dégagé, et le but. Il se souvenait d'avoir vidé une bouteille, un jour qu'on l'avait défié de le faire, et de s'en être tiré avec honneur. Où donc était-ce ?... En posant le verre, il aperçut son ancienne montre sur la table... David haussa les épaules.

Il se mit à siffler en traversant le living-room. Un énorme nuage avait pris possession de son cerveau, un nuage léger, gris-bleu comme les yeux d'Annabelle. C'était une sensation plaisante. Les ennuis, les désagréments n'y pénétraient pas. Installé au plus profond, trônait William Neumeister, un homme plein de ressources et que favorisait la chance.

David grimpa l'escalier. Il voulait se déshabiller, laver sous la douche le souvenir de cet après-midi, et remettre son blue-jean. Il s'arrêta au seuil de sa chambre. Annabelle... C'était Annabelle, dont les bras encerclaient son oreiller et dont les cheveux châtains se répandaient en auréole. Elle dormait profondément. Il courut à elle et la prit doucement par les épaules pour la retourner. Puis il retira ses mains avec dégoût et, dans le même mouvement, il abattit son bras en direction du visage qui se soulevait.

« David !... »

Empoignant Effie des deux mains, il l'arracha du lit et l'envoya rouler au loin. Quand il la vit se soulever, accrochée au bras du fauteuil, gémissante, il serra les dents, la reprit par les épaules et la repoussa encore plus fort.

« La ferme !... La ferme !... La ferme !... » hurla-t-il.

Puis il revint vers le lit ; il en lissa machinalement le dessus, du plat de la main, défroissant la couverture sur laquelle elle s'était étendue. Avec fureur, il saisit l'oreiller et le lança contre le mur.

Effie ne se relevait pas. David supposa qu'elle attendait d'être ramassé, cajolé peut-être. Il eut un sourire qui en disait long, passa dans la salle de bain et se lava les mains, puis il s'aspergea le visage et se frotta avec une serviette... Il en avait désormais fini avec cette maison, elle était souillée ; il n'en voulait plus, ni d'elle ni de son contenu..., à part les photos d'Annabelle, qu'il avait glissées dans son bureau, le matin même, en prévision de l'arrivée de Wes et d'Effie. Peut-être prendrait-il également certains documents. Et il ne reviendrait plus jamais. Jamais !

David alla chercher dans le petit salon son carnet de chèques et l'argent liquide qu'il cachait dans son bureau. Il prit aussi son portefeuille et quelques papiers, enroulés dans un élastique, les seuls qui aient de l'importance. Il ne donna pas suite à l'idée qui lui vint d'emporter quelques vêtements avec lui, tant il lui parut fastidieux d'avoir à les choisir et les plier dans une valise. Il descendit l'escalier en courant ; en bas, il hésita un instant, devant toutes ces lampes qui restaient allumées, puis il arracha son imperméable du placard de l'entrée.

Il bloqua les portes du garage pour les maintenir ouvertes et sortit sa voiture en marche arrière. Au moment de tourner pour prendre le petit chemin de terre, il aperçut deux phares allumés un peu plus loin sur la route. Il roula sur le chemin à vive allure ; il reconnut la voiture de Wes, arrêtée juste après le tournant.

« Un instant, David !... » lui cria Wes.

Mais David contourna la voiture arrêtée et fila en direction de l'autoroute.

Il conduisit en dépassant un peu la vitesse réglementaire et sans savoir au juste où menait cette route particulièrement sombre. D'ailleurs, cela lui importait fort peu. Une impression de futilité et de laideur ne quittait plus son cerveau enténébré. L'idée qu'il lui faudrait inévitablement retourner à sa maison, à un moment quelconque, lui paraissait insupportable. Il se consola à la pensée que, lorsqu'il reviendrait, les deux autres auraient déserté les lieux. En effet, il ne comptait pas rentrer cette nuit-là, ni probablement le lendemain. Il bouillait encore de colère et de honte au souvenir de Wes titubant dans sa cuisine, ce même Wes décrétant que David devrait consulter un psychiatre !... Il ne s'était donc jamais regardé, lui, tandis qu'il se soûlait à mort ?... Ce mariage Wes-Laura, qui survivait d'une manière si morne, le déprimait presque autant que la fameuse « situation » concernant Annabelle et lui. Certes, elle s'était remariée, c'était grave. Mais du moins son attitude, à lui, David — et il se le redisait à juste titre — avait-elle toujours eu le mérite d'être positive. Il était encore maintenant persuadé qu'un jour... Wes Carmichaël avait-il jamais donné l'impression de pouvoir être aussi déterminé ?

Soudain fatigué, il ralentit l'allure ; il descendit à 45 kilomètres à l'heure, les deux mains simplement posées sur le volant. Non, malgré sa conviction de ne plus avoir à craindre leur présence, il ne rentrerait pas le soir même, décida-t-il. Il descendrait à quelque motel et signerait le registre au nom de William Neumeister... pour le cas où il viendrait à l'esprit aviné de Wes d'envoyer la police locale à ses trousses. A vrai dire, il ne croyait pas trop à cette éventualité. Il le voyait plutôt prenant encore un verre et recommençant à déblatérer contre David et ses manières exécrables, avant d'empaqueter Effie dans la voiture et de l'emmener. Il se pourrait aussi que Wes l'appelle le lendemain pour lui faire des excuses. En ce qui concernait Effie, c'était plus problématique. David regretta de l'avoir frappée. Mais — à y bien réfléchir — l'avait-il seulement frappée ? Il l'avait écartée du lit, poussée... Oui, le souvenir de l'avoir vue étendue par terre lui revint et le laissa consterné. Toutes les excuses qu'il pourrait lui présenter ne sauraient racheter cette conduite. Cette fois, il avait dépassé la mesure. Il comprit alors que sa raison avait dû subir comme un moment d'éclipse totale pour qu'il pût imaginer un instant que c'était Annabelle qui était là, couchée sur le lit, et seulement parce qu'elles avaient toutes deux la même couleur de cheveux, ou presque. Il gardait aussi le souvenir d'avoir demandé à Wes de l'appeler Bill. Ça, c'était très inquiétant !... A supposer qu'il s'en souvienne, lui aussi ?... A moins qu'il ne fasse pas le rapprochement entre Bill et William Neumeister !... Bien sûr..., seulement, Effie avait crié avec angoisse : « Attention, David !... » Il appuya sur l'accélérateur, puisant une sorte de réconfort — le seul qu'il puisse actuellement se permettre — dans le fait d'augmenter la distance qui le séparait d'eux.

Sur un panneau indicateur, au bord de la route, il releva, parmi plusieurs noms de villes, celui de Froudsburg, avec la distance correspondante : 36 kilomètres. Il y arriverait bien tard, se dit-il, et il n'avait aucune raison particulière d'y aller..., sinon qu'il se sentait comme attiré... Est-ce que quelque chose l'attendait dans ces rues laides et sombres ?...

Peut-être aussi pourrait-il voir Mme Beecham ?... Il prit la route.

Parvenu en ville, il se rendit directement à son ancien domicile, ralentissant pour éviter la secousse désagréable du dos d'âne qu'il connaissait, juste après le tournant d' « Ash Lane », mais qu'il ne pouvait voir de nuit. Il eut soudain l'impression d'avoir remis une vieille paire de chaussures confortables. Il s'engagea dans la petite rue et arrêta la voiture contre la haie, comme il l'avait toujours fait auparavant. Il y avait bien une lumière, mais elle provenait de la chambre de M. Muldaven, à moins que cette chambre ne soit aujourd'hui occupée par quelqu'un d'autre. David se servit du heurtoir métallique à moitié cassé. L'entrée n'était pas éclairée. La porte de M. Muldaven ne s'ouvrit pas. Mais David entendit marcher dans la maison, et il eut la surprise de voir Sarah lui ouvrir la porte.

« Bonsoir, Sarah !

— Monsieur Kelsey !...

— Il y a encore quelqu'un debout ? Je regrette d'arriver à cette heure-ci. »

Il entra.

« Vous vouliez voir Mme Mac ? Elle est allée se coucher. »

Le visage de Sarah avait repris son air habituel d'apathie.

« A vrai dire, c'est plutôt Mme Beecham que j'avais l'intention de voir. »

Sa voix était calme, mais de retrouver brusquement les odeurs familières de cette maison — celles des tapis vétustes et des relents de cuisine, difficiles à identifier — cela le troublait curieusement et le déprimait tout à la fois.

« C'est assez important, Sarah. Pouvez-vous lui demander ? »

Elle demeurait indécise. La porte de M. Muldaven s'ouvrit, il apparut en chemise de nuit, pieds nus.

« Tiens, tiens... David Kelsey ! » s'exclama-t-il.

Il était un peu gêné à cause de sa tenue et n'osa pas venir dans le hall, mais il tendit la main à David qui s'approchait.

« Comment ça va, monsieur Muldaven ? » demanda David.

Il se sentit touché par l'attitude amicale du vieux bonhomme et par sa poignée de main chaleureuse.

« Tout va bien, j'espère ? ajouta-t-il.

— Pas trop mal. Je ne peux pas me plaindre. Mais vous nous manquez, David. »

Pendant un instant ce fut comme si tout ce qui venait de bouleverser sa vie n'avait jamais eu lieu, comme s'il n'avait jamais compté que des amis dans cette pension, pourtant peuplée de gens bavards et aigris.

« A moi aussi, vous me manquez, tous », dit-il simplement.

Sarah s'engageait dans l'escalier, elle se retourna.

« Vous tenez vraiment à ce que je lui demande, monsieur Kelsey ?

— S'il vous plaît. Dites-lui que David Kelsey voudrait la voir. »

Il était certain qu'elle le recevrait avec plaisir.

« Il faudra revenir, David, dit M. Muldaven, un dimanche, à diner.

— Je viendrai, promit-il.

— Bonsoir et bonne chance, mon petit David !

— Bonsoir, monsieur, et bonne chance à vous aussi ! »

M. Muldaven venait de l'appeler « mon petit David », employant cette expression pour la première fois, songea David ; il ne se rappelait pas non plus lui avoir jamais donné du « monsieur », du temps où il était pensionnaire. Son regard s'éleva dans la cage de l'escalier ; elle lui sembla comme sanctifiée par le temps, et aussi par le souvenir d'une vie meilleure, une vie qui se voulait consacrée à des fins plus élevées... la sienne autrefois. Et, à cette époque, bien meilleures aussi étaient ses relations avec Annabelle !... Il ne put éviter le choc pénible de cette vérité. Mais, en somme, s'il était là, ce soir, n'était-ce pas qu'il l'avait senti, qu'il en avait vaguement pris conscience, tout à l'heure, dans la voiture ? Il posa la main sur les papiers qui se trouvaient dans la poche de son imperméable et monta l'escalier, en faisant le moins de bruit possible. Sarah descendait justement du troisième étage.

« Elle dit que vous pouvez entrer, monsieur Kelsey.

— Merci. Tout le monde est déjà couché ? J'aurai besoin de deux signatures, dit-il un peu embarrassé ; la vôtre, si vous voulez bien, et celle de M. Muldaven.

— Des signatures ? »

On aurait pu croire qu'elle entendait ce mot pour la première fois.

« Je vous expliquerai cela dans quelques minutes », ajouta-t-il en la laissant passer.

La porte de Mme Beecham était restée légèrement entrouverte. Il frappa ; Mme Beecham l'invita à entrer d'une voix joyeuse et lui souhaita la bienvenue. David sourit sans retenue, de soulagement et de gratitude. Sa vieille amie, en bonnet blanc et chemise de nuit à longues manches, terminées par des volants qui lui enserraient les poignets, était assise dans le lit. Sur la table de chevet, une lampe, munie d'un abat-jour rose, diffusait une lumière douce.

« J'espère que vous me pardonnerez d'être venu si tard ?

— Mais voyons... bien sûr !... Quelle différence, que ce soit le jour ou la nuit, pour une vieille femme comme moi ? Passez-moi donc mes lunettes, si vous voulez bien, David. Elles sont là-bas, près de la boîte à couture... Tout à côté, plutôt à droite, je crois... Quand je me lève le matin, je n'en ai pas besoin pour m'habiller ; je sais où trouver mes affaires... Mais, maintenant, je veux pouvoir vous regarder. »

Il les lui apporta.

« Voyons un peu quelle mine vous avez. »

L'œil droit, bien éclairé par la lampe de chevet,

était parfaitement visible. Sa cataracte n'empêchait pas Mme Beecham d'examiner David, les yeux bien ouverts, curieux et pleins de sympathie... Il souleva un des poignets, prisonnier de son volant, et le secoua légèrement, dans un geste d'affection un peu honteuse.

« Plus maigre, hein ?... Voilà la mine que vous avez... Qu'est-ce qui ne va pas ? Il y a quelque chose, David ?

— Non, non, rien du tout... Je suis venu pour...

— Approchez le fauteuil, David... Asseyez-vous.

— Je suis venu dans l'intention de vous faire un petit cadeau. En quelque sorte, j'espère que cela en sera un. »

Il était gêné de montrer ses sentiments, et il était à la torture. Il était néanmoins décidé à aller jusqu'au bout.

« Il s'agit simplement de mon assurance-vie, continua-t-il en fixant obstinément le rouleau de papiers. Je voudrais que vous en soyez la bénéficiaire... Il y a juste une ligne à changer, c'est tout. Et demain, naturellement, j'en aviserai la compagnie.

— Comment ?... Moi ?... Bénéficiaire ?... Pourquoi moi, David ?

— Parce que je veux que ce soit vous.

— Une assurance-vie ?... Mais, David, vous me survivrez !...

— On ne peut jamais savoir », dit-il très vite.

Il biffa d'un trait le nom imprimé : Annabelle Stanton Kelsey. Il écrivit celui de Molly Beecham, juste au-dessus en caractères majuscules, et il ajouta l'adresse de la pension de famille. Mme Beecham protesta tout le temps que dura l'opération ; il n'y fit pas attention, Ensuite, il lui tendit le papier et la plume.

« Et maintenant, vous signez ici... S'il vous plaît... Ici, où c'est marqué : bénéficiaire... N'entamez pas de discussion... je vous en supplie ! »

Elle avait pris sa loupe, posée sur la table, et elle

examina de près les mots imprimés et biffés, magnifiés par le verre.

« Annabelle, lut-elle... N'est-ce pas *la* jeune fille, David ? » dit-elle en le regardant.

Où avait-elle entendu parler de... ? Où avait-elle entendu dire, avec certitude, que... ? Ou bien lui avait-il été donné de l'apprendre toute seule, grâce à cette sorte de divination que connaissent certaines vieilles personnes ? Oh ! d'ailleurs, d'où elle l'avait appris, cela n'avait maintenant plus d'importance. C'était la vérité... et elle le savait.

« Oui, dit-il, c'est elle. Mais elle n'en voudrait pas ; je n'en ai pas le moindre doute. C'est la raison, voyez-vous, pour laquelle il faut inscrire un autre nom.

— Que s'est-il passé ?

— Rien... J'ai eu l'idée que... Quoi qu'il en soit, il est certain qu'elle ne prendrait jamais l'argent. Alors, inutile que cette assurance soit établie à son nom.

— Mais, David..., et Effie ? »

Il y avait dans cette question un peu de tristesse, et aussi une note de reproche. David haussa les épaules.

« Je ne l'ai pas revue... jusqu'à hier... Elle est venue là-bas avec mon ami Wes... Ils doivent y être encore. »

Il se leva.

« J'ai eu besoin de m'évader un moment... Maintenant, je vais m'en retourner... Je ne sais pas ce qui m'a pris ce soir... Je dois rentrer, madame Beecham... S'il vous plaît, voulez-vous signer... là ?

— D'accord, David... si vous y tenez... »

Comme un caprice qu'on passe à un enfant, elle se mit à écrire, de son écriture large et informe, que David connaissait bien. Ne tenant pas en place, il alla vers la porte, en revint, s'approcha d'elle et reprit soigneusement le papier.

« Je vais demander des signatures de témoins en bas, si toutefois c'est nécessaire... ce dont je ne suis pas certain. »

Il avait la gorge sèche, soudain, avec l'impression de manquer d'air.

« Pardonnez-moi, madame Beecham.

— Vous pardonner, David ? Et pourquoi ?... Mais vous, tâchez donc de prendre du repos, ce soir. Il ne faut pas refaire tout ce long trajet jusqu'à Troy. Je crois qu'il y a justement une chambre libre au deuxième étage ; pas votre ancienne chambre, dit-elle en souriant ; celle-là vient d'être prise... Mais Sarah couche dans la maison ces temps-ci, et elle est certainement encore debout ; elle pourra vous renseigner.

— Non, je dois partir, madame Beecham. Merci... Merci, dit-il en ouvrant la porte. Bonsoir !

— Dieu vous bénisse, David !... Et revenez me voir. »

Arrivé en bas, il hésita, puis frappa résolument à la porte de M. Muldaven. Plus aucune lumière ne filtrait maintenant. Il tint sa plume toute prête. M. Muldaven parut surpris et voulut poser quelques questions ; mais David se déroba et se borna à le remercier en s'excusant de l'avoir réveillé. Ensuite, il vint vers Sarah, qui sortait justement d'une chambre du fond, celle que Wes avait occupée durant son séjour. Elle portait une petite robe du soir ornée de volants. Elle parut un peu gênée de cette rencontre.

« J'allais sortir. J'ai rendez-vous au bal », dit-elle.

Ils restèrent un moment sous l'éclairage particulièrement laid de l'entrée ; Sarah apposa sa signature sur le papier, qu'elle appuyait sur la table en rotin, celle où l'on avait posé toutes les lettres d'Annabelle..., toutes les lettres... Combien ? Cinq ou six, pas davantage. David ferma les yeux.

Il conduisit Sarah en voiture jusqu'à la grand-rue, devant un immeuble de bureaux, au deuxième étage duquel se trouvait une salle de bal, dont il avait toujours ignoré l'existence.

Ensuite, il se retrouva seul et libre, mais extrêmement fatigué. Il conduisit pendant une demi-heure environ, puis s'arrêta à un motel de second ordre. Il s'inscrivit sous le nom de W. Neumeister, résidant à New York City. Il donna les cinq dollars d'avance à l'homme aux cheveux gris et à l'air endormi, assis derrière le bureau.

« Voulez-vous qu'on vous réveille demain matin ?

— Non, merci, je me réveillerai tout seul. »

Il prit une douche et se coucha, nu, entre les draps propres, très fatigué, mais détendu. Il n'eut même pas conscience de sa faim et s'endormit immédiatement.

Il était exactement 8 heures à sa montre quand il se réveilla le lendemain matin. Le soleil entrait à flots entre les lattes des jalousies vénitiennes. Il resta quelque temps à réfléchir, se demandant s'il ne devrait pas appeler chez lui, avant de rentrer... présenter des excuses... ou s'assurer que les deux autres n'y étaient plus. Etait-ce à lui ou à eux de faire des excuses ? Il n'arrivait pas à trancher. Cela n'avait d'ailleurs aucune importance. Il était sûr, en tout cas, qu'il ne voulait pas se trouver soudain face à face avec eux. Il se leva et s'habilla, projetant de rouler jusqu'à quelque endroit un peu retiré et de se promener dans des bois... à condition d'en trouver sur son chemin. Puis il rentrerait chez lui, vers le milieu de l'après-midi. Il avait besoin de se raser, mais cela pouvait attendre son retour à la maison.

Au moment précis où David ouvrait la porte, on frappa ; l'homme, aux cheveux gris, surpris, fit un pas en arrière.

« J'allais justement vous réveiller, dit-il. Il y a un...

— Pas besoin, répondit David.

— J'ai reçu un coup de téléphone de la police, reprit l'homme, tout excité. Ils m'ont communiqué un numéro de plaque minéralogique, et c'est le vôtre.

— Quoi ?

— Ils recherchent quelqu'un du nom de Kelsey. Ce n'est pas vous hein ?

— Non ! »

David tourna les yeux vers la grand-route, qui passait devant le bureau ; il n'y avait pas de voiture de police.

« C'est peut-être une erreur... peut-être, dit l'homme. Ils m'ont appelé il y a dix minutes exactement. J'ai jeté un coup d'œil sur les fiches ; vous n'avez pas inscrit le numéro de votre voiture hier soir, et je me suis dit : « Ben, il n'y a personne ici du nom de « Kelsey... » et puis, en venant par ici pour aller réveiller le numéro 8, j'ai vu votre plaque... Alors, vous ne connaissez même pas un David Kelsey ?

— Non, je ne connais pas. »

David se dirigea vers sa voiture et ouvrit la portière.

« Elle est bien à vous, cette voiture ?

— Oui ! »

Le vieux regardait fixement la plaque ; ses yeux se portèrent ensuite sur le carton qu'il tenait à la main, et il vérifia de nouveau le numéro. David pensa que ce vieux bonhomme serait encore capable de signaler à la police ce qu'il y avait d'anormal dans cette histoire. Les agents relèveraient alors le nom de « Neumeister ». Il s'entendit dire d'une voix qui lui parut curieusement lointaine :

« Allons jusqu'à votre bureau ; vous inscrirez mon numéro de voiture sur ma fiche. De toute façon, il y a erreur quelque part, c'est certain.

— D'accord. Allez-y. »

L'homme eut un geste en direction du bureau et repartit. David monta dans sa voiture, l'arrêta devant le bureau, face à la route, et descendit en laissant tourner le moteur. Il attendit patiemment pendant que le vieux triait le paquet de fiches et en retirait une d'une main tremblante.

« On vous a dit pourquoi il était recherché ? demanda David en prenant la carte.

— Pour meurtre. C'est ce qu'ils ont dit. Meurtre. »

Leurs regards se rencontrèrent un instant, puis David se précipita dehors et sauta dans sa voiture.

« Eh ! minute... vous, là... arrêtez !... »

David lança sa voiture et monta jusqu'à 120, 130 kilomètres à l'heure ; il ne ralentit légèrement qu'au prix d'un énorme effort. Il froissa la fiche du motel dans sa poche de veste. Puis il pensa que cette nouvelle pouvait ne pas être vraie. Par exemple, la police avait pu faire croire au vieux qu'il s'agissait d'un meurtre afin d'augmenter son zèle dans la recherche du numéro. Il se rendit compte, cependant, qu'au fond de lui-même, il avait tout le temps craint d'avoir tué Effie. Le souvenir de sa chute, puis de son corps inanimé gisant par terre, lui avait rappelé le corps inerte de Gérald Delaney contre les marches de la maison de Ballard. Un instant il eut l'idée de rentrer chez lui pour faire front à ce qu'il y découvrirait, mais il fut en même temps pris de panique et il roula de nouveau, le pied au plancher... Non, si Effie était morte, alors, c'était la fin de tout ; il ne restait rien, plus rien. Sa respiration s'accélérait ; ses lèvres étaient sèches. Il guetta de chaque côté pour découvrir une route secondaire déserte. Il avait l'impression que la lenteur de la voiture, le manque de route secondaire, tout concourait à l'empêcher de disparaître. Enfin, il aperçut un chemin de terre, étroit, fendu de deux ornières. Il roula dessus pendant deux cents mètres environ, avant d'atteindre un bosquet d'arbres où il dissimula sa voiture pour qu'on ne la voie pas de la route. Il découvrit alors qu'il y avait une ferme non loin de là. Il descendit néanmoins de voiture et, son imperméable sur le bras, regagna la grand-route.

Il fit signe à la première voiture qui passa, mais elle ne s'arrêta pas, ni la suivante, ni même la troisième. Enfin, un vieux camion, cabossé et lent, s'arrêta devant lui, et David grimpa sur le siège. Il était trempé de sueur.

« Merci beaucoup. »

L'homme hocha la tête, puis embraya bruyamment.

« Vous allez où ? demanda-t-il.

— Oh !... à la ville la plus proche.

— Ryder ? »

David ignorait si ce nom était celui d'une ville ; il répondit néanmoins que ce serait très bien.

« Faudra que vous descendiez environ trois kilomètres avant.

— Ça ne fait rien. »

Une voiture de police les dépassa, une voiture de patrouille des routes. Cependant, à en juger par la vitesse du camion, la voiture de police ne dépassait pas les 50 kilomètres à l'heure réglementaires.

La conversation roula sur les pommes. Le camionneur était fermier. Il entretint David de ses vergers et lui expliqua la raison pour laquelle les pommes récoltées deux ans plus tôt avaient été de meilleure qualité. C'était un homme d'une quarantaine d'années, à la face rougeaude, aux jambes fortes. Il était nanti d'une femme et de trois gosses. La vie qu'il menait sembla à David incroyablement unie, paisible, et il ne put s'empêcher de le soupçonner, comme si cet homme allait soudain se tourner et pointer un index accusateur : « C'est vous qui êtes David Kelsey, n'est-ce pas ? »

Le camion s'arrêta à un croisement, et David continua la route à pied. Il défit son col et retira sa cravate. Ryder était une petite bourgade ; tous les magasins étaient fermés, et David se sentit très en vue. Au café-tabac, on lui dit que le prochain autocar passerait dans vingt-cinq minutes en direction de Shenectady. L'arrêt était justement devant la porte. David remercia et commanda une tasse de café. Il y avait une pile de journaux près de la porte, et David en prit un. Un journal de Troy. On lui en livrait un exemplaire à domicile chaque dimanche. Ayant retiré les bandes illustrées en couleur, il parcourut la première page du journal, puis la deuxième, la troisième, la quatrième. Nulle part il n'était question de meurtre. Mais il se pouvait aussi que le journal eût été tiré la veille au soir, voire même dans l'après-midi. David finit sa tasse de café et descendit du tabouret pour regarder les quelques petites vitrines, les bâtons de rouge, les cartes de vœux pour anniversaires, toutes aussi affreuses les unes que les autres. Il se demanda ce qu'il devait faire. Il était conscient de ses pensées.

Et si Wes était à peine entré dans sa chambre, et si, affolé à la vue d'Effie étendue, évanouie (car elle s'était peut-être simplement évanouie), il avait bondi sur le téléphone et appelé la police ?... C'était probablement ce qui s'était passé. David maudit sa bêtise qui lui avait fait abandonner sa voiture. Celle-ci ne manquerait pas d'être bientôt repérée ; la police en conclurait que David était fou ou qu'il se savait coupable de meurtre. De toute manière, sa photo paraîtrait dans les journaux ; et, parmi les policiers de Beck's Brook, il s'en trouverait bien un pour la voir et déclarer : « Tiens, mais c'est William Neumeister, celui qui s'est battu avec Delaney ! »

David irait-il chercher sa voiture ou non ? Ferait-il de l'auto-stop ou prendrait-il un taxi ? Elle n'était qu'à vingt-cinq kilomètres de là. Mais l'autocar pour Shenectady venait d'arriver. Il était si simple d'y monter et de continuer son chemin, pensa-t-il ; car, de Shenectady, il aurait plus de facilités pour rejoindre Troy en prenant un autre autocar.

Il arriva à Shenectady un peu après midi et s'enquit immédiatement des horaires d'autocars pour Troy. Le prochain partirait à 14 h 20, lui apprit l'employé ; s'il voulait partir plus tôt, il pourrait prendre le train. David se dirigea vers la gare.

En sortant du bureau des autocars, il vit un jeune vendeur de journaux avec une édition spéciale. Le regard de David tomba sur la première page du journal. On la voyait par terre, la tête contre le pied du fauteuil qu'il connaissait bien, dans une position fausse, lui donnant un air emprunté. David tendit la main vers le journal.

« Dix *cents*, monsieur. »

Les oreilles de David s'étaient mises à bourdonner.

« Dix *cents*, monsieur. »

David sortit de la menue monnaie de sa poche et la versa dans la main du vendeur. Ensuite, il alla s'asseoir sur un banc. Il avait l'impression qu'il allait s'évanouir ; il s'appliqua à fixer un homme devant lui, un peu plus loin. Enfin, il regarda le gros titre, en manchette : « Une beuverie de week-end dégénère en crime... » « Le corps d'Elfrida, 26 ans, domiciliée à Froudsburg, dans l'Etat de New York, est une accusation muette... »

David parcourut rapidement les deux colonnes. Son cou s'était cassé. Wesley Carmichaël, 32 ans, chimiste, employé aux établissements Cheswick, de Froudsburg, ami de Kelsey et de la jeune morte, avait déclaré qu'il y avait eu une discussion et qu'il avait éprouvé le besoin d'aller faire un tour au volant de sa voiture. Il était ensuite revenu sur les lieux et avait aperçu la voiture de Kelsey qui s'éloignait. Quelques instants plus tard, il découvrait le corps de Mlle Brennan dans la chambre du haut.

David regarda encore la photo d'Effie : un gros plan des épaules, avec le visage à moitié détourné ; il s'efforça de réaliser qu'au moment où on avait pris cette photo, Effie n'était plus vivante, qu'elle ne l'était déjà plus quand il avait quitté la maison... ni même la chambre.

Il se leva et s'éloigna. Il traversa la rue et continua tout droit... Effie avait péri de sa main... Comme Gérald... Mais quelle différence !... Il avait eu toute sa raison, quand il s'était moqué de Gérald, quand il l'avait bousculé... et Gérald *s'était tué*... Mais cette fois-ci..., il n'avait même pas souvenir d'avoir frappé Effie, encore moins de l'avoir étouffée ou de s'être livré sur elle à un acte quelconque aboutissant à.. à ça. Avoir causé la mort d'une femme, quelle horreur !... Responsabilité combien plus terrible à supporter que celle de la mort d'un homme... David se laissa choir sur un banc, dans un jardin, et passa par un état qui était à mi-chemin entre le sommeil et l'évanouissement ; sa faculté de réflexion s'arrêta net, comme par un effet mécanique. Il resta assis dans une immobilité totale, tandis que son cerveau s'emplissait d'horreur, une horreur sans forme précise : l'horreur en soi.

Il se leva et se remit à marcher... Se souvenant qu'il était recherché, il jeta un regard autour de lui, dans le jardin, ainsi que sur le trottoir qui le bordait. S'il avait vu un policier, David l'aurait accosté et se serait fait reconnaître ; après quoi, il serait sans doute tombé inanimé. C'était la fin. Il s'y était d'ailleurs attendu depuis l'instant où le vieux du motel lui avait demandé s'il ne s'appelait pas Kelsey. Encore une bourde impardonnable à mettre sur le compte de David Kelsey. Et cette fois, elle serait publiée dans tous les journaux. Cette fois, Annabelle saurait tout.

David se mit à courir, assez vite d'abord, puis plus lentement. Il courut sur une distance de trois ou quatre pâtés de maisons, puis reprit sa marche. Il demanda enfin, timidement, à un passant, où se trouvait la gare. Et il s'éloigna dans la direction indiquée.

N'étant capable de rien prévoir et n'ayant aucun projet, il prit un train pour New York. Il resta assis à une place de coin et ferma les yeux pour ne pas voir le dossier vert, en plastique, du siège qui était devant lui. Il essaya de réfléchir. Il ne réussit qu'à dormir. Il rêva qu'il était aspiré dans les profondeurs d'un trou noirâtre, qui était une partie de mine. Il ne subissait aucune pression et sa chute ne devait rien à la loi de gravitation, mais il ne pouvait non plus atteindre les parois du gouffre ni s'agripper à quoi que ce fût. Il était emporté ; il tourbillonnait, et sa chute s'accompagnait d'une nausée contre laquelle il luttait comme il avait lutté, dans le jardin, contre l'évanouissement. Il se réveilla sans savoir s'il avait dormi deux minutes ou une heure. A sa montre il était 16 h 10, mais cela ne signifiait rien pour lui. Il imagina le visage d'Annabelle, quand elle apprendrait la mort d'Effie Brennan, tuée par David Kelsey. Il se recroquevilla sur son siège, frottant l'une contre l'autre les paumes de ses mains. William Neumeister, lui, n'aurait jamais commis un acte aussi stupide. William Neumeister ne se serait pas laissé démonter par les manifestations d'amour d'Effie Brennan, ces manifestations écœurantes. Il aurait gardé tout son flegme. David se revit au deuxième étage de Mme Mac Cartney, balayant sa chambre avec soin ; ou allongé sur son lit avec un livre ; ou contemplant la vue hivernale des arbres noirs et lisses, ces arbres qu'il pouvait voir de ses fenêtres. Mais celui-là, c'était aussi William Neumeister. Il se redressa sur son siège, tira la cravate de sa poche, la mit, fit le nœud et jeta un coup d'œil dans la glace pour juger de l'effet. Il descendrait dans un hôtel pour la nuit. Il s'inscrirait sous le nom de Neumeister. Le Barclay ferait très bien l'affaire... Ainsi, il allait miser une dernière fois sur la chance de William Neumeister... Il sourit un peu amèrement... Il aurait bien aimé avoir une cigarette ; il était justement dans un compartiment de fumeurs... Soudain, il s'empara de nouveau du journal pour revoir hâtivement le récit du meurtre, étalé sur deux colonnes : il s'agissait de repérer les « N » majuscules, la première lettre de Neumeister. Eh bien, non, William Neumeister n'était pas cité.

Il se fit raser dans la grande gare centrale, puis se rendit à pied au Barclay, en suivant l'avenue Lexington. Il remplit sa fiche. A la question qui lui fut posée concernant ses bagages, il répondit qu'ils étaient restés à la consigne de la gare et qu'il s'en occuperait le lendemain. Naturellement, son carnet de chèques ne lui était plus d'aucune utilité ; son portefeuille contenait 19 dollars.

Sa chambre était agréable, elle lui plut énormément. Le son grave de la lourde porte se refermant derrière lui le rassura. Il était au huitième étage. Sa fenêtre donnait sur l'avenue Lexington. Il commanda deux Martini.

Il but le premier verre en se promenant à pas lents dans sa chambre. Il but le deuxième à la santé d'Annabelle et de William Neumeister. Heureux William Neumeister !... Ce n'était pas sa faute si les choses avaient mal tourné, mais bien celle de David Kelsey : un incapable, qui avait toujours tout fait à l'envers et ne pouvait compter à son actif que quelques succès scolaires... ce Kelsey, qu'aucune fille n'avait jamais regardé deux fois, sauf les Effie Brennan... David sentit venir une impulsion violente, celle d'envoyer son poing à travers la vitre de sa fenêtre ; il se détourna brusquement et posa son verre vide. « Je vais prendre une douche, Annabelle. Ensuite nous irons dîner. Où veux-tu aller ? » Sous la douche, il se mit à chanter, euphorique, comme s'il avait beaucoup bu, ce qui n'était pas le cas. « William Neumeister, dit-il, s'adressant cérémonieusement à lui-même... Une lettre pour vous, monsieur Neumeister ! » Et il imagina l'enveloppe : « Monsieur William Neumeister » était écrit de la main d'Annabelle... Monsieur Neumeister... un nom plaisant, et qui vraiment sonnait bien, pensa-t-il, même quand il l'entendait prononcer « Newmester », comme cela arrivait souvent. Il n'appréciait guère qu'on lui dise : « Cela s'épelle comment ? N-I-U ? » quand on avait à l'écrire. Au fait, cela s'était-il produit si souvent ? A part les policiers de Beck's Brook, il ne se rappelait pas qui... Le souvenir de la maîtrise de Neumeister dans l'histoire Delaney lui revint et lui remonta le moral. Il s'habilla. Il s'interrogea pour savoir s'il prendrait un autre Martini. Il attendrait de se trouver au restaurant. « Demain, Annabelle, dit-il en se peignant, demain je m'offre deux chemises... peut-être aussi un complet. Je peux quand même difficilement me promener dans les rues de New York en vieux pantalon et veste dépareillée... Qu'en dis-tu ? Veux-tu qu'on nous interdise l'entrée d'*El Morocco* ?... » Il pensa qu'il lui faudrait établir un chèque pour une somme importante, à l'ordre de l'hôtel, et le signer du nom de Neumeister ; sinon, comment ferait-il, à supposer qu'il reste ici quelque temps ? Il aurait ainsi un peu d'argent devant lui. Il donnerait ses instructions à la banque : prière d'honorer tout chèque portant la signature de William Neumeister, en retirant l'argent du compte de David Kelsey. Après tout, Kelsey n'était qu'un type fini. Dans le fond, il ne serait pas fâché de le pressurer, ce Kelsey, et même de le laisser raide... Ou bien se risquerait-il à signer un chèque important à l'ordre de Neumeister, endossé par Kelsey ? Si les gens de l'hôtel y trouvaient à redire, il expliquerait que la signature était celle d'un autre Kelsey ; ce nom était suffisamment répandu... David alluma une cigarette et poursuivit sa promenade autour de sa chambre. Il se dit que cette histoire de meurtre sombrerait peut-être dans l'oubli au bout de quelques jours, et il tira de cette idée un immense réconfort. Il était en train d'acquérir peu à peu une vue plus objective de cette affaire ; c'est par douzaines que l'on pouvait dénombrer, chaque semaine, meurtres, décès, accidents mortels... Il avait exagéré l'importance de ce qui était arrivé. Ou plutôt, David Kelsey... Car William Neumeister, lui, savait évaluer toutes choses avec justesse... David décida donc qu'il pouvait parfaitement établir le chèque à l'ordre de W. Neumeister et le signer du nom de D. Kelsey. Si, du fait que le chèque était tiré sur une banque d'une autre ville, on ne lui remettait pas l'argent à l'hôtel avant quelques jours, l'inconvénient serait minime.

« Demain matin, se dit-il d'un ton animé, oui, demain matin... » Et il alla dîner dans un petit restaurant situé dans une rue qui donnait avenue Lexington, petit mais suffisamment prometteur, et où sa veste de tweed ne parut pas trop visiblement déplacée. Il commanda deux Martini. Quand le garçon les eut placés devant lui, David, poussant de côté sel et poivre, mit un des verres devant le couvert vide, en face de lui. « William Neumeister boit à ta santé ! dit-il en levant son verre. Ma chère Annabelle, je suis heureux que tu aimes cet endroit. »

Le lendemain matin, il était fait mention de William Neumeister dans le *Tribune*, ce dont David prit connaissance avec un sentiment de profond regret, mêlé de tristesse. Il lut le journal en prenant son petit déjeuner dans son lit. La révélation était imputable à Wes Carmichaël. Celui-ci avait rapporté les paroles de David Kelsey, le jour où Elfrida Brennan avait trouvé la mort : « Appelle-moi Bill... » Or, le propriétaire de la maison où Delaney s'était tué au mois de janvier, s'appelait justement William[1]. Et, d'après le journal, la police l'avait en vain recherché pendant plusieurs semaines, après la mort de Delaney. Wes Carmichaël (ce crétin borné !... Même Effie avait été plus intelligente que lui !...) affirmait qu'il avait surpris Kelsey entrant un jour chez Neumeister, à Ballard, et que, par la suite, ce même Kelsey avait prétendu ne pas connaître ledit Neumeister !... Eh bien... Voilà...

Le plus surprenant, pour David, était le retard apporté à tirer des conclusions qui auraient dû sauter aux yeux de tout le monde, et de Wes en particulier. Il était bien évident pour David que, dorénavant, ce n'était plus qu'une question de temps, de très peu de temps, quelques heures, moins encore, peut-être... Quant à Annabelle, elle n'allait pas manquer de faire le rapprochement !... Et, naturellement, William Neu-

1. « Bill » est le diminutif de « William ».

meister était maintenant recherché par la police !...

David se leva. Il savait depuis quelque temps que ses jours étaient comptés ; mais à ce point comptés, il l'avait ignoré. Il sortit une feuille de papier du tiroir de la table et rédigea une lettre pour avertir sa compagnie d'assurances du changement de nom de la bénéficiaire de la police. C'était son devoir le plus urgent, à vrai dire, la seule tâche de sa journée. Il ne restait plus qu'à acheter une longue enveloppe pour y placer la police d'assurance. En attendant, il la mit, ainsi que sa lettre, dans la poche de sa veste ; il ne risquerait pas ainsi, une fois dehors, d'oublier ce qu'il avait à faire.

« Du cran, maintenant, Neumeister !... lança-t-il dans le miroir. Ça ira mieux quand tu te seras fait raser et couper les cheveux. »

Il se retourna pour sourire à une Annabelle imaginaire, qu'il savait imaginaire, et dont la présence ne lui avait jamais paru si proche, là, dans cet espace vide entre lui et le coin de la chambre où se trouvait le fauteuil. Il la voyait même mieux qu'il ne l'avait jamais vue ; elle portait une robe bleue, dont les détails lui échappaient ; mais puisque c'était bien elle qui était dans la robe, le reste importait peu... Il l'embrassa avant de passer dans la salle de bain.

Et si les policiers étaient en train de faire leur entrée dans le hall de l'hôtel, en ce moment même ? se dit-il alors que l'ascenseur le conduisait au rez-de-chaussée... Sait-on jamais ?...

Mais il n'en était rien. Il laissa sa clef au bureau. Il n'était pas à court d'argent au point de ne pouvoir s'acheter deux chemises, mais d'avoir à en dépenser l'ennuyait beaucoup. Il trouva préférable de signer encore un chèque au nom de Neumeister, c'était quand même moins gros de conséquences que de signer « David Kelsey ». Une vision très courte s'imposa à lui : il se vit accosté par des policiers et bien en peine de les convaincre qu'il était, lui, W. Neumeister, et que D. Kelsey n'était qu'un ami.

Oh ! ça, oui, un triste sire, ce Kelsey, et toujours dans le pétrin !... Mais Neumeister avait-il jamais eu maille à partir avec les autorités ? Non. Et il regrettait énormément, mais il n'était pas en son pouvoir de leur dire *où* était D. Kelsey : celui-ci n'avait pas donné de ses nouvelles depuis des mois...

David serait allé volontiers faire ses achats, chez Brooks, mais la façade cossue du magasin laissait prévoir qu'il lui faudrait produire une pièce d'identité quelconque, un permis de conduire par exemple, à l'appui de son chèque. Dans les magasins de moindre importance, on n'était pas aussi regardant, se dit-il, et il entra dans une boutique sans prétention où il acheta deux chemises blanches, dont l'une qu'il n'était pas nécessaire de repasser, à ce qu'on lui dit. David demanda au vendeur s'il acceptait un chèque.

« Volontiers... si vous voulez bien me montrer une pièce d'identité. »

David fit semblant de chercher dans son portefeuille un permis de conduire... que Neumeister ne possédait pas ; et, soudain, il avisa le petit carton carré de la bibliothèque de Beck's Brook. Il avait oublié de s'en débarrasser. Une chance !... La chance de Neumeister !...

« J'ai l'impression d'avoir laissé mon permis de couduire chez moi. Ceci ne peut pas vous suffire ? »

Le vendeur examina la carte contresignée du bibliothécaire, et il sourit en faisant un signe de tête affirmatif.

« Oui, je suppose... Auriez-vous besoin d'autre chose, monsieur ?

— D'un complet, pendant que j'y suis. »

Ses achats se montèrent à 138 dollars 14, et David écrivit un chèque, bien entendu sans valeur, puisque son compte de Beck's Brook au nom de Neumeister avait été annulé. David pensa que Kelsey pourrait éventuellement s'acquitter de sa dette, et il conserva le bordereau d'achat. Il alla se faire raser dans une boutique du côté de la 50e Rue. Le coiffeur se pencha pour le regarder de profil, et sourit. David trouva son attitude curieusement effrontée, mais, du moins, ce coiffeur s'abstint-il de faire la conversation... Une fois qu'il eut fini de raser son client, le garçon ramassa un *digest* qu'il était en train de lire lors de l'arrivée de David, et lui montra une photo qui y figurait. David eut l'impression d'avoir toujours su ce que représentait cette photo, mais il resta tout de même deux ou trois secondes avant d'identifier l'esquisse qu'Effie avait faite de lui.

« Vous ressemblez à ce type-là, dit le garçon en souriant. Vous ne trouvez pas ? »

David sourit un peu à son tour et sortit de l'argent pour payer.

« Je vois ce que vous voulez dire, dit-il posément. Seulement je m'appelle Neumeister.

— Ah ! » fit le coiffeur, sans plus.

David acheta une enveloppe chez un papetier, écrivit l'adresse de la compagnie d'assurances et fit partir sa police avant de reprendre la direction de l'hôtel. Cela lui avait fait du bien de se faire raser. Nul doute que de mettre une chemise propre lui remonterait le moral encore plus. Il imagina Annabelle l'attendant dans sa chambre, puis examinant les chemises pour lui dire laquelle il devrait mettre. Ensuite, ils discuteraient ensemble de ce qu'ils feraient le reste de la matinée, de l'endroit où ils iraient déjeuner. Peut-être au musée d'Art moderne, après avoir visité l'exposition une heure ou deux, pensa David. Il lui parlerait de son complet neuf, qui ne lui plairait peut-être pas, après tout, et qui devait être prêt dans l'après-midi : il y avait une retouche à faire dans le dos de la veste. Le portrait de David Kelsey éveilla un peu sa curiosité ; il acheta deux *digests* à un vendeur de journaux, non loin de l'hôtel, et les monta dans sa chambre. Il ouvrit d'abord la boîte contenant les chemises ; il imagina leur conversation, à lui et à Annabelle, mais, cette fois, il ne lui parla pas vraiment. Elle souriait, désignant la chemise au col boutonné, celle qu'on n'avait pas à repasser. Il la mit, puis, plaçant les deux oreillers l'un à côté de l'autre, il s'allongea pour lire ses deux *digests.*

LE CROQUIS TROUVÉ DANS L'APPARTEMENT DE LA MORTE
PEUT ÊTRE UN FACTEUR PRIMORDIAL
DANS LA RECHERCHE DE DAVID KELSEY.

Et toute l'histoire navrante de l'amour sans espoir d'Effie Brennan pour le jeune homme indifférent qui allait devenir son meurtrier s'étalait longuement. David y jeta rapidement un coup d'œil, cherchant à déceler le nom de William Neumeister. Il n'était toujours pas mentionné. Mais la police de Beck's Brook verrait bien que le portrait était celui de William Neumeister. Comment cette idée ne lui était-elle pas venue plus tôt, tout à l'heure, dès qu'il avait vu le croquis chez le coiffeur ? Ainsi la prédiction d'Effie, que ce fusain causerait sa perte, était en passe de s'accomplir ! Elle serait bien vengée, Effie ! Il reprit sa lecture ; il s'obligea à lire le texte mot à mot.

La voiture de David Kelsey, une Dodge décapotable bleu clair, avait été découverte la veille sur une route secondaire, croisant l'autoroute, au sud de Ryder, dans l'Etat de New York. Darius Mac Cloud, soixante-huit ans, propriétaire du motel dénommé *Soleil Levant,* situé sur l'autoroute n° 9, avait déclaré que Kelsey avait passé la nuit de samedi à dimanche dans son établissement après s'être inscrit sous un nom d'emprunt, dont il n'arrivait pas à se souvenir. Kelsey s'était enfui après que Mac Cloud eut identifié le numéro minéralogique comme étant celui de sa voiture. Mme Mac Cartney, propriétaire d'une pension de famille à Froudsburg, où avait vécu David Kelsey, avait déclaré de son côté, au cours d'une interview, être « profondément choquée, au point qu'elle en croyait difficilement ses oreilles ». David avait été un « pensionnaire modèle ». Samedi dernier, à minuit, il s'était présenté à son ancien domicile ; il avait modifié la police de son assurance-vie pour faire de Mme Molly Beecham, quatre-vingt-huit ans — autre pensionnaire, qui résidait depuis onze ans chez Mme Mac Cartney — son unique bénéficiaire. M. Kelsey avait une réputation d'homme de science brillant mais excentrique ; il était « une sorte d'ermite » qui, pendant deux ans, avait passé tous ses week-ends dans une solitude complète, en faisant croire qu'il visitait une mère souffrante, dans une maison de santé... La brutalité de cette prose, qui exposait les faits dans une lumière crue, donnait à David l'impression de lire la description d'un cas clinique dans un ouvrage sur les névroses, et sans rapport avec lui. Les mots simples du professeur Osbourne l'affectèrent davantage : « Je n'ignorais pas que David avait les nerfs tendus au maximum. Il était pris par des problèmes d'ordre privé : il a fait allusion un jour à une jeune femme qu'il voulait épouser. Au cours des dernières semaines, je lui ai plus d'une fois proposé de prendre du repos, il n'en voulut rien faire. Il est bien regrettable qu'un jeune homme, aussi doué que lui, ait ainsi abîmé sa vie. »

Abîmé... Ce mot contenait une promesse. Il ferma les yeux pour mieux se concentrer. Abîmé, cela ne signifiait pas anéanti, tué ou fini à jamais ; une chose abîmée pouvait se réparer... Mais David se rappela aussitôt l'esquisse et les policiers de Beck's Brook...

Il se tourna vers Annabelle, sur le lit, la serra dans ses bras et se mit à pleurer... Cela ne dura que quelques instants ; bientôt il sautait à bas du lit et allait se passer de l'eau sur le visage et se peigner. « William Neumeister, se dit-il tout guilleret, redresse la tête ! Tu n'es peut-être pas un homme de science brillant... Il n'empêche qu'Annabelle t'aime. Bien plus qu'elle n'a jamais aimé David Kelsey. Elle partage ta chambre d'hôtel, et vous n'êtes même pas mariés... » Il parlait tout bas, comme s'il craignait qu'Annabelle ne l'entende de la pièce voisine. Puis il rentra dans la chambre et proposa une visite au musée d'Art moderne, suivie d'un déjeuner au restaurant du musée. Et Annabelle accepta cette idée avec enthousiasme.

« Oh ! mets donc ton tweed... », lui enjoignit-il, la voyant près de la penderie, la main sur un portemanteau. La main se déplaça et retira une robe de tweed brun, un peu analogue à une vieille veste de David. Elle mit aussi une ceinture. La robe tombait en larges plis autour d'elle. La plupart des femmes, songea-t-il en la regardant refaire son maquillage, éviteraient par vanité de mettre une robe comme celle-là, à moins d'être squelettiques... Elle était déjà prête.

Ils allèrent à pied jusqu'à la 5e Avenue, puis vers le nord. Il faisait une belle journée ensoleillée. Ils s'arrêtèrent pour regarder des baromètres, puis des souliers de femme. Ils admirèrent la vitrine d'une agence de voyages, décorée de lances et de boucliers africains. Au guichet du musée, il paya pour deux billets d'entrée.

« Deux, monsieur ? demanda l'employé qui lui prit les billets à la porte, en cherchant visiblement l'autre personne.

— Oui », dit-il.

Et il entra. En bas, il y avait des photographies, et justement, ce jour-là, David les préférait à la peinture. Certaines d'entre elles avaient été prises à travers un microscope et montraient les traînées des particules d'atomes. David trouvait que c'étaient les plus belles, car elles unissaient les vertus de l'art et de la science. Il les expliqua à Annabelle : les motifs concentriques, les lignes magnétiques... Une femme s'écarta pour lui faire de la place, et David lui sourit. Un homme grand aux cheveux gris lui sourit également. Se tenant par la main, David et Annabelle contemplèrent des photos de gens qui évoluaient dans la cuvette poussiéreuse de la ville d'Oklahoma, puis ils regardèrent les chefs-d'œuvre de Steichein.

Le restaurant du musée paraissait bondé et, à tout prendre, pas assez bien pour qu'il y emmène Annabelle, un tel jour. David continua à marcher dans la 53e Rue, en direction de l'est. Il entra au restaurant Michel. Là aussi, il dut attendre qu'une table fût disponible. Il s'installa au bar et prit un Martini. Il eut même le temps d'en commander un autre, sans en avoir très envie d'ailleurs ; mais il imagina qu'Annabelle avait refusé d'en boire un, et il l'apporta à sa table. En fait, c'était Annabelle qui le buvait, et il fut ainsi certain qu'il ne serait pas le seul à ressentir les effets de l'alcool. Le repas fut succulent, et, n'ayant pas commandé de vin, il eut droit à une fine pour terminer. « Puisque nous sommes en voyage de noces, lui dit-il en réponse à ses protestations. Bah ! autant faire semblant, tu ne trouves pas ? » Car, naturellement, il savait que ce n'était pas le cas : ils étaient mariés depuis un certain temps déjà...

Quand il en fut au café, dans un moment de lucidité, il put voir la courbe du haut de la chaise devant lui... et tout ce vide... Mais à quoi bon ? Un tout petit effort de sa part, et elle revint s'asseoir en face de lui, souriante dans sa robe de tweed brun, avec ses doux cheveux longs. Elle s'était même très légèrement parfumée, mais son parfum était plus frais que celui qu'elle portait la nuit ; la différence était à peine perceptible...

Ils descendirent l'avenue Madison vers la boutique où l'attendait son complet. Il essaya la veste en regardant dans le miroir.

« Vous êtes en forme aujourd'hui », lui dit inopinément le vendeur.

Cela prit David par surprise, mais il sourit.

« C'est ma lune de miel, répondit-il.

— Ah !... espérons que cela *lui* plaira autant que vous semblez le croire. »

Le ton était à l'aigre subitement. Le pauvre garçon

lui enviait naturellement son bonheur, pensa David.

Il acheta des cigarettes et, dans un magasin de vins et liqueurs, une bouteille de champagne. Dès qu'il fut sorti, David se rendit compte qu'il aurait tout aussi bien pu en commander une à l'hôtel. Oui, mais ensuite ils font toujours tant d'histoires avec leur seau à glace... Et puis ce serait plus sympathique d'avoir la bouteille sur la commode, comme chez soi. Il acheta aussi un journal du soir, vaguement intéressé par les suites de cette affaire Kelsey. Il aurait porté le même intérêt aux variations de la cote d'une valeur en Bourse, s'il en avait possédé une. Davantage peut-être. Tout était relatif. Si un homme avait un peu d'argent, ce qui comptait pour lui, c'était cet argent, et il attachait peu d'importance à sa vie et à lui-même. Il s'était totalement détaché de lui-même, se disait-il, et, ce faisant, il avait rencontré *la* vie... qui sait, la vie éternelle peut-être ? Certainement le bonheur. Il pouvait regarder n'importe qui dans les yeux. Il n'avait plus ses accès de mauvaise humeur, ses sueurs froides : il ne connaissait plus l'impatience que pouvaient provoquer mille riens, contre lesquels on est impuissant, comme la lenteur de certains ascenseurs. Il était William Neumeister. La police le recherchait ? Et alors ? Il pouvait encore compter sur sa chance, elle ne l'avait pas abandonné ; il s'en fallait même de beaucoup.

Dans sa chambre, il posa le carton, contenant le complet, sur le lit. Il l'ouvrit, suspendit veste et pantalon à un cintre qu'il accrocha à la porte de la penderie. « Nous allons nous amuser, ce soir, promit-il. J'aurais dû prendre des billets pour un spectacle. » Il fut un instant déprimé ; pourquoi n'y avait-il pas pensé ? Mais Annabelle ne semblait pas y attacher d'importance. Il y avait tant de bons films à voir à New York !... Et on n'avait pas besoin de billets pris à l'avance pour voir un film. David s'assit sur le lit et regarda la première page du journal encore plié. Les titres portaient sur quelque conférence européenne éventuelle. Il décrocha le téléphone.

« Renseignements, s'il vous plaît, mademoiselle... Voulez-vous avoir l'amabilité de me donner le numéro de *Roméo Salta,* 56e Rue ouest ?

Il retint une table pour deux, au nom de Neumeister, pour dix-neuf heures trente. David se rappelait avoir lu quelque chose concernant ce restaurant, un jour, quelque part, et s'être promis d'y aller lors de son prochain séjour à New York. Il se souvenait aussi que c'était un des restaurants auxquels il avait projeté d'emmener Annabelle à Noël. Mais il n'avait pas réussi à la voir.

Lentement, s'adossant aux oreillers, il reprit le journal. Rien en première page. Il tourna et tomba sur son portrait, par Effie, avec, en caractères gras :

L'EXISTENCE « DOUBLE » DE DAVID KELSEY
MONTRE CETTE AFFAIRE SOUS UN JOUR NOUVEAU.

« Le brigadier Everett Terry, de la police de Beck's Brook, N. Y., a reconnu en David Kelsey l'homme de science de vingt-huit ans, recherché pour le meurtre d'Elfrida Brennan, l'homme qui, pendant deux ans, fut connu à Ballard sous le nom de William Neumeister.

« Le 18 janvier, Neumeister vint à Beck's Brook avec le corps de Gérald Delaney, qu'il avait transporté lui-même en voiture, se rendit au poste de police et raconta l'histoire suivante : ... »

David n'en supporta pas la lecture. Son attention fut cependant attirée plus bas par le nom d'Annabelle :

« Mme Annabelle Barber, vingt-six ans, de Hartford, Connecticut, antérieurement épouse Delaney, a déclaré qu'elle connaissait Kelsey depuis deux ans et demi, que celui-ci avait à maintes reprises proclamé son amour pour elle et son intention de l'épouser — en dépit du mariage qu'elle contracta en 1957 avec Gérald Delaney. Interviewée dans son appartement de Hartford, 48, rue Talbert, Mme Barber a fait la déclaration suivante : « Je comprends maintenant la « raison pour laquelle mon mari a été tué. C'est à « David qu'il parla ce dimanche-là, à Ballard, et non « à un M. Neumeister. Le meurtre était délibéré. A « présent, je sais que c'est un fou. Il m'a toujours « inquiétée. S'il ne m'avait pas persécutée avec ses « lettres et ses visites, mon mari n'aurait pas essayé « de le voir ce jour-là. » Elle était en larmes à la fin de sa déclaration. »

David laissa tomber le journal et se leva. Il marcha vers la fenêtre, frottant ses mains moites l'une contre l'autre. Il regarda la géométrie lumineuse des fenêtres dans l'immeuble d'en face. Ainsi, il était fou... Il rit un peu, nerveusement... Mais est-ce qu'il pouvait les croire ?... Et puis, quelle importance ?... Les mots d'Annabelle faisaient un tintamarre effréné dans sa tête, et il entendait la voix d'Annabelle, toute de larmes et de colère : « David l'a tué exprès ! »

Alors quelque chose en lui disparut à jamais... Quand il se détourna de la fenêtre, il était quelqu'un d'autre ; ni David Kelsey ni William Neumeister, mais quelqu'un d'autre. C'était, pour lui, aussi étrange et inexplicable que l'expérience d'un sentiment religieux ; il sentit que, de toute sa vie, il n'avait jamais été plus proche d'une expérience religieuse.

Quinze minutes plus tard, il avait pris une douche et revêtu son complet neuf ainsi que sa deuxième chemise neuve. Il n'avait aucune idée de ce qu'il allait faire, et pourtant il pressentait un enchaînement inévitable. Il n'hésita pas.

Toujours pas de policiers en bas ; David eut du mal à le comprendre. Comment se faisait-il que personne n'ait encore cogné contre sa porte ? Que personne ne l'ait arrêté, quand il était rentré à l'hôtel, une heure plus tôt ? La chance de Neumeister le soutenait encore... Elle l'abandonnerait peut-être plus tard, mais, en attendant, elle durait et elle pourrait durer des heures, des journées entières... plus longtemps que la chance de qui que ce soit...

Il avait laissé sa clef sur la porte. Il ne reviendrait pas. Il marcha en direction de l'ouest. C'était une belle soirée de printemps. Peut-être sa dernière, se dit-il. Les huit dollars qui restaient dans son portefeuille ne suffiraient sans doute pas à payer son dîner et ses cocktails ; il n'imaginait pas ce qu'il pourrait faire quand on viendrait lui présenter la note, mais cela lui parut peu important.

« Il ne faut pas avoir peur, Annabelle, murmura-t-il, serrant un peu contre lui son bras droit dans lequel elle avait passé le sien. Elle avait peur cependant. Il sentit son mouvement de recul. Elle aussi, elle avait peur de lui. Elle avait ignoré que William Neumeister — David Kelsey — était celui qui avait poussé son mari contre les marches, jeté son mari dans la voiture. « Cela ira mieux au restaurant », promit-il.

Il monta la 5ᵉ Avenue à pied et dépassa la 56ᵉ Rue. Il trouva rassurant que personne ne le remarque. Il était bien déterminé à faire en sorte que la soirée se passe bien, sans accrocs. Cette détermination lui rendit toute sa confiance. Il sentit que, quoi qu'il arrive, il aurait le mot juste et serait à hauteur de la situation. Avec une parole ou deux, il saurait imposer sa volonté. Il était entièrement libre, se disait-il. Un grain de poussière dans l'espace. Il tenait Annabelle par la main ; elle allongea les doigts et les entrecroisa avec les siens. Peu lui importait qu'ils ignorent où ils dormiraient cette nuit. Ils trouveraient bien un endroit. Ou bien ils marcheraient toute la nuit. Il faisait si beau...

« Neumeister, dit-il au maître d'hôtel. J'ai retenu une table pour deux.

— Parfaitement, monsieur. Par ici, s'il vous plaît ! »

David le suivit. Il se sentit gagné par l'euphorie, tandis qu'il avançait sous les rangées de bouteilles de vin italien, suspendues au plafond, parmi des effluves agréables.

« Deux Martini, s'il vous plaît », commanda-t-il.

Il alluma une cigarette. « Si tu n'en veux pas, je le boirai pour toi, dit-il en s'adressant à Annabelle. Veux-tu prendre autre chose ? » Il commanda un daïquiri au garçon qui apportait les Martini.

— Un daïquiri, monsieur ?

— Mais oui, un daïquiri », répéta-t-il.

Davit prit le Martini que le garçon avait placé dans l'assiette à côté de la sienne et le posa dans son assiette à lui. Mais lorsque le garçon revint avec le daïquiri, il lui demanda de le placer sur l'autre assiette. Le garçon s'exécuta avec un geste nettement appuyé. David but le premier Martini en pensant à Wes et à Effie, ainsi qu'au triste séjour de David Kelsey chez Dickson-Rand ; mais il y pensa avec détachement, restant très objectif... Quelle malchance s'était donc attachée à toute cette série d'événements, depuis le jour où il avait appris le mariage d'Annabelle et de Gérald Delaney ?... En l'espace de cinq secondes, il assista à un déferlement d'images, d'où jaillit soudain Annabelle ; elle tourbillonnait dans une sorte de danse endiablée, se rapprochait de lui et repartait aussitôt sans qu'il pût l'atteindre. Il hocha la tête, découragé, et leva le deuxième verre de Martini pour s'adresser à Annabelle, malgré lui en quelque sorte, car il lui était clair que la place était vide.

« Tu es particulièrement jolie, ce soir. Tu es bien sûre que tu veux aller au cinéma ? On pourrait peut-être danser quelque part ?... » Elle ne savait pas. Elle prendrait une décision après le dîner.

L'ample jupe rouge de sa robe, rouge comme du sang, remplissait l'espace vide entre eux, sur la banquette, et venait frôler le tissu bleu foncé du pantalon de David.

Il appela le garçon, jeta un coup d'œil sur le menu et commanda des moules, du veau *piccante*, de la salade russe et une bouteille de « Valpolicella ».

« Dois-je enlever le daïquiri, monsieur ? »

Le garçon tendait déjà le bras.

« Absolument pas. Laissez. »

David prit un air farouche. Il était en colère soudain.

« Le dîner est pour deux personnes, précisa-t-il.

— Deux, monsieur ?

— Apportez tout en double ! »

Il alluma une autre cigarette. La question d'argent n'avait pas d'importance. Est-ce que l'argent était jamais entré en jeu quand il s'agissait d'Annabelle ?

Il se fit apporter un autre verre pour le vin et les remplit tous les deux dès qu'on apporta la viande. Il commanda deux portions de *piselli*. Plus les garçons semblaient interloqués, et plus l'air de David se faisait dégagé alors qu'il continuait à bavarder gentiment. Quand le garçon apporta les moules, il avait bu son daïquiri ; il prit soin de manger du pain avec un peu de beurre pour combattre l'effet de l'alcool. De l'autre côté de la table, un homme brun et fort, à moustache, et une dame brune le regardaient en souriant ; puis l'homme à la moustache leva son verre à l'adresse de David, qui lui rendit sa politesse ; ils burent de concert.

« C'est la moindre des choses que tu montes à bord du *Darwin*, dit David, parlant d'un ton mesuré ; que tu saches au moins où sera située ma couchette, et tout... Non, je n'y suis pas encore monté, moi ; mais j'ai vu des photos, de l'extérieur et de l'intérieur... Il est encore en cale sèche, à Brooklyn. »

Il mangea de bon appétit et but le reste du vin, pas une demi-bouteille, une bouteille entière. Annabelle lui fit observer qu'à ce compte-là il ne tarderait pas à grossir ; David lui rétorqua que cela empêcherait peut-être les gens de lui dire tout le temps qu'il était maigre. Il prit un café *expresso* et fut déçu qu'Annabelle n'en demande pas un, elle aussi. Il lui en donna de sa tasse.

Dans le restaurant, les rires se mêlaient au tintement des verres et au bruit de l'argenterie.

« Je soulèverai la question au moment de Noël... » Ils parlaient d'un voyage en Europe... David proposa une liqueur qu'Annabelle déclina, ajoutant qu'il devrait également s'en passer. « Tu as peut-être raison », répondit-il. Justement, il éprouvait quelque difficulté à faire coïncider les multiples images du garçon.

« La note, s'il vous plaît ! »

Avec un certain aplomb, il prit son portefeuille, qu'il savait ne contenir que huit dollars. La femme assise près de David lui adressa un sourire ; David garda son expression amène.

La note s'éleva à seize dollars trente-sept. David plaça ses huit dollars sur la table, empocha ses cigarettes et se mit debout. Le garçon ramassa la note ainsi que l'argent..., regarda David et, de nouveau, la note et l'argent. David fit un geste en direction du vestiaire.

« J'ai de l'argent dans mon imperméable », dit-il.

Il donna trente-cinq *cents* de pourboire à la demoiselle. Le garçon attendait, souriant agréablement.

« C'est pour vous, lui dit David en désignant l'argent que tenait le garçon.

— Il manque encore huit dollars, monsieur. »

David comprit qu'il le croyait un peu éméché. Il se redressa.

« Il y a quelque chose qui ne va pas ? s'inquiéta le maître d'hôtel.

— Il faut que je vous fasse un chèque », dit David.

Il se mit à extraire difficilement son carnet de chèques d'un paquet de papiers qu'il avait dans la poche de son imperméable.

« Voulez-vous me prêter de quoi écrire ?

— C'est sur une banque de New York ? demanda le maître d'hôtel en lui offrant son stylo.

— Non. Elle est à Troy. »

Le maître d'hôtel hocha tristement la tête. David se sentit vraiment gêné. Il se félicita en même temps d'avoir tant bu ; cela lui donnait une contenance. Il resta indécis pendant... cinq minutes, lui sembla-t-il, après que le maître d'hôtel lui eut demandé s'il avait une pièce d'identité sur lui : entre David Kelsey et William Neumeister, le choix lui sembla difficile. Il avait une légère préférence pour la signature de David Kelsey qui, elle au moins, était valable — quelle que soit la bassesse de l'individu — car il lui répugnait de voler le restaurant. D'un autre côté, il avait l'intention d'informer sa banque d'avoir à honorer les chèques portant la signature de William Neumeister ; et comme, ce soir il *était* Neumeister...

« Annabelle...

— Vous ne vous sentez pas bien, monsieur ? »

Il se pencha soudain sur le petit comptoir qui le séparait du vestiaire et se mit à signer « Wm Neumeister ». Juste au-dessus, il écrivit « David Kelsey » entre parenthèses. Il détacha le chèque et le tendit en inclinant légèrement le buste. Le chèque se montait à vingt dollars. Le garçon alla le montrer au maître d'hôtel, qui le regarda avec attention. David était déjà sur le point de demander qu'on veuille bien lui rendre ses huit dollars, quand le maître d'hôtel leva sur lui des yeux surpris.

« David Kelsey ?... » demanda-t-il, en fronçant les sourcils.

Ce nom affreux....

David fit demi-tour et fonça vers la porte. Il atterrit à quatre pattes sur le trottoir, ayant buté contre une marche. Des cris s'élevèrent derrière lui. David traversa la rue en courant. Un coup de sifflet retentit alors, du même genre que ceux des policiers. Devant lui, une voiture de pompiers remontait la 6e Avenue et la remplissait des hurlements de sa sirène. En se faufilant derrière elle, il traversa l'avenue et continua sa course dans la 56e Rue, en direction de l'ouest. Les lumières y étaient moins vives que dans l'avenue. Alors, il ralentit l'allure et continua en marchant d'un bon pas. « Que le diable m'emporte, Annabelle ! marmonna-t-il entre ses dents, j'aurais voulu pouvoir t'éviter cela. — Aucune importance, David. Le chèque est bon ? — Bien sûr, bien sûr. »

En arrivant à Broadway, il obliqua vers le sud, mais il changea d'avis et fit demi-tour. En tout cas, il ne voyait personne à ses trousses. Devant lui s'étendait Central Park. Il avait toujours rêvé de se promener dans Central Park avec Annabelle, regarder les phoques, les singes, les lamas...

A la vue d'un agent de police, sa réaction fut de prendre la fuite ; il fit quelques pas en courant avant de pouvoir maîtriser son impulsion ; il pensa que l'agent ne l'avait sans doute même pas vu. Il se retourna. L'agent était arrêté sur le trottoir et le suivait des yeux. David poursuivit son chemin mais ne put s'empêcher de regarder derrière lui, quelques mètres plus loin. Alors il vit l'agent qui courait pour le rattraper. David sauta par-dessus le mur de pierre en bordure du parc. Plié en deux, affolé, il se précipita au milieu des buissons, en direction d'une zone plus sombre, loin de l'allée qui recevait la lumière de la rue et où se promenait un couple, à pas lents. Courant toujours, il se cogna contre un arbre et se fit mal à l'épaule et à la tête, du côté droit...

Il lui sembla soudain avoir déjà vécu cette scène. Où et quand était-il allé se jeter en courant contre un arbre ? Il revint lentement sur ses pas et posa la main sur l'écorce rugueuse du tronc, à jamais immobile. L'arbre avait un secret à lui révéler : quelque précepte d'une sagesse infinie, qui devait se rapporter au problème de l'identification personnelle, en l'occurrence la sienne. Il ne trouvait pas les mots pour traduire cette impression que l'arbre savait, lui, qui était David « vraiment », et qu'il ne s'était pas cogné à lui par hasard. Cette rencontre avait été de tout temps prévue. L'arbre avait un autre message encore à lui communiquer : qu'il soit calme, détendu, et qu'il ne quitte pas Annabelle. « Mais tu ne peux pas savoir à quel point c'est difficile d'être détendu, dit David. Cela t'est facile, à toi, de... »

Il aperçut un agent dans la lumière de l'allée ; il le vit arrêter un passant et lui parler. Etait-ce le même que celui qui avait couru derrière lui ? David n'aurait pu le dire, il s'y perdait ; il hocha la tête, perplexe. « Tu es beaucoup plus sage que nous autres », dit-il à l'arbre en le caressant de la main.

Il retourna tranquillement au petit mur et, prenant appui sur les deux mains, il sauta de l'autre côté. Annabelle l'attendait.

« Où avais-tu donc disparu ? demanda-t-elle. — Pardonne-moi, j'ai agi comme un imbécile. » Il fallait qu'il aille aux toilettes. Il y en avait toujours dans le métro. Marmonnant des excuses à Annabelle, il marcha en direction d'une bouche de métro proche, mais il vit qu'une chaîne, tirée en haut des marches, en interdisait l'entrée. Il en chercha une autre. Il devait bien s'en trouver ; c'était Columbus Circle, ici... Il vit enfin ce qu'il voulait, assez loin, au-delà d'un large carrefour, et marcha rapidement dans cette direction. « Attends-moi ici, ma chérie ! » dit-il en descendant l'escalier.

Il lui fallut acheter un jeton pour se rendre aux toilettes. Il ne prit pas la peine de compter la monnaie qu'on lui rendit ; il préféra ne pas savoir combien peu il lui restait. Les toilettes étaient encore au diable... Jamais l'existence ne lui avait paru aussi fastidieuse, et il admira la ténacité que montraient tant de gens à s'y accrocher.

Aussitôt soulagé, une idée de génie lui vint à l'esprit. Il avait des amis en ville : Ed Greenhouse, par exemple, maintenant marié, employé chez Sperry, dans le comté de Queens.

David gardait le souvenir précis d'une carte de Noël, dont l'enveloppe portait l'adresse de l'expéditeur — Ed habitait dans Manhattan... Il y avait aussi Reeves Talmadge, Ernest Cioffi, deux garçons avec qui il était allé en classe. Leurs noms lui revinrent facilement ainsi que les visages comme ceux de bons vieux amis qu'il aimait.

« Je vais passer un coup de fil à Ed Greenhouse », dit-il à Annabelle, quand il l'eut rejointe. Ils marchèrent en direction d'un restaurant à l'enseigne de néon rose. Et là, juste à côté de la cabine téléphonique, se trouvaient des toilettes pour hommes, qui ne lui auraient rien coûté. Il consulta l'annuaire et put enfin découvrir le nom et l'adresse de Greenhouse, Edgar : 410 Riverside Drive. Et où était-ce au juste ? Il entendit un orchestre — ou était-ce un juke-box ? — jouer : « Ce n'était qu'une lune en papier — au-dessus d'un ciel en carton... » Une femme chantait. David ferma les yeux un instant, resta à rêvasser, imagina sa rencontre avec Ed, les poignées de main et les phrases de bienvenue ; il faisait connaissance de sa femme... Qu'y avait-il donc de si gênant à emprunter dix dollars ou cinquante... ou même cent ? Ed rentrerait dans son argent. David ouvrit les yeux et sortit la petite monnaie de sa poche : une pièce de 10 *cents*, deux pièces de 5 et trois de 1 *cent*. Il avait déjà la pièce de 10 *cents* en main quand il se rendit compte que, s'il l'utilisait, il serait à court de 2 *cents* pour le métro. « Tu n'aurais pas 2 *cents*, chérie, non ? » Annabelle avait laissé son porte-monnaie dans la chambre d'hôtel ; ils ne pouvaient plus y retourner ; ils ne pourraient jamais savourer le champagne qui était resté sur la commode. « Nous allons chez Ed », dit-il posément. Il demanda à un employé du métro quelle était la station la plus proche du 410 Riverside Drive ; il fallait qu'il descende à la 110ᵉ Rue. Il acheta un jeton, serra Annabelle pour la faire passer avec lui dans le tourniquet, et ils prirent le métro en direction du haut de la ville.

IL se trouva devant un immeuble, énorme et sombre, aux doubles portes décorées de motifs de pierre grise où s'était incrustée toute la crasse de la ville. À droite et à gauche, dans le hall, se trouvaient de longues listes de noms, et David mit un certain temps à découvrir celui de « Greenhouse, E., appartement 9K. » Il appuya sur la sonnette correspondante et attendit, la main sur le bouton de la porte. Il dut sonner encore et attendre ; toujours pas de réponse. Il finit par entrer à la suite d'un couple qui avait une clef. Il les laissa monter devant lui, dans l'ascenseur manœuvré par un petit vieillard dont l'uniforme ne payait pas de mine. Le couple s'arrêta au huitième étage.

« Neuvième, s'il vous plaît », dit David.

Il chercha l'appartement K, en se penchant sur les plaques, tant l'éclairage du palier était faible. Il appuya sur la sonnette et entendit les deux notes d'un petit carillon.

« Qui est-ce ? demanda une voix d'homme.

— Ed ?... demanda David. Un vieux copain. David. »

La porte s'entrouvrit et Ed Greenhouse — plus dodu et plus tassé qu'il ne se le rappelait — resta à le regarder, sans expression.

« C'est moi, Ed, dit David en poussant la porte. Comment ça va, vieux ? ajouta-t-il en lui tapant sur l'épaule.

— David Kelsey ?... »

Ed paraissait stupéfait. Il le fixait de ses yeux noirs et rapprochés, serrés contre son nez busqué, et David se souvint qu'il lui trouvait jadis une ressemblance avec un hibou de dessin animé.

« J'ai donc tellement changé en six ans ? Ou plutôt cinq, non ? »

Par-dessus son épaule, David jeta un coup d'œil en direction de la blonde, debout au milieu du salon.

« Ta femme ? demanda David. Comment allez-vous ? » dit-il en s'inclinant. Il était entré ; Ed restait planté devant la porte à moitié ouverte.

« J'espère que vous ne m'en voudrez pas de cette visite inopinée ? commença-t-il. J'aurais appelé, seulement... »

Il perdit soudain contenance. Il se sentit incapable de parler argent. Il faut dire qu'Ed ne lui était pas d'un grand secours, à rester figé ainsi devant lui. David ne se rappelait pas qu'il fût aussi guindé, loin de là. Déconcerté, il jeta rapidement un regard autour de lui, à la recherche d'Annabelle ; elle avait dû se dissimuler quelque part, pensa-t-il, pour passer inaperçue.

« Tu as très bien fait, David, dit Ed en s'éloignant enfin de la porte... Mon chou, je te présente... je te présente David Kelsey... un ancien camarade d'école.

— Comment allez-vous ? redit David.

— Comment allez-vous ? fit la femme, qui semblait avoir le souffle coupé et qui gardait l'œil fixé sur lui.

— J'arrive peut-être très mal à propos...

— Assieds-toi, David... Est-ce que je peux t'offrir quelque chose ? Du café ? De la bière ? »

Ed le devança au salon et se retourna ; il avait maintenant les mains sur les hanches, des mains grassouillettes et velues que David se rappelait fort bien. Il avait aussi un début de calvitie. Et, pour le moment, il semblait un peu pâle. David sourit.

« Non, merci. Je ne reste pas longtemps. »

Il s'assit sur le canapé. Ed, lui, ne s'assit pas ; sa femme non plus. Ed lui lançait continuellement des regards qui se voulaient significatifs, et David eut même l'impression de le voir hocher la tête.

« Vous êtes sûrs que je ne vous ai pas dérangés ? demanda-t-il, sur le point de se lever. Je n'aurais pas dû me permettre d'arriver, comme ça, chez vous, à l'improviste...

— Mais non, mais non..., je suis ravi de te voir, David... Elisabeth, moi, je boirais volontiers une bière, et je crois qu'il n'y en a plus. Cela t'ennuierait de descendre en chercher ? »

David se leva d'un bond.

« Oh ! non... j'y vais.

— Jamais de la vie, il n'en est pas question !

— Non, bien sûr, j'y vais, dit la jeune femme en se dirigeant vers la porte.

— Prenez votre manteau, dit David ; il fait plutôt frais. »

Elle secoua la tête, le regarda par-dessus son épaule et sortit en laissant la porte entrebâillée.

« Eh bien... » dit Ed sur un ton engageant.

Il mit à la bouche une pipe de très jolie forme. Il essaya de l'allumer, secoua l'allumette pour l'éteindre, se servit du bout de cette même allumette pour triturer le tabac, la jeta dans le cendrier, en prit une autre et l'alluma. Ce manège dura bien au-delà d'une minute ; pendant ce temps, David attendit patiemment qu'Ed parle le premier.

« Tu m'as l'air très en forme, David.

— Et toi donc... Le mariage te réussit. Tu as forci. »

Ed opina de la tête. Et pourtant David était conscient d'une sorte de retrait et de froideur chez Ed, comme s'il lui gardait rancune d'être venu le déranger à l'improviste, et comme s'il était sur le point de le lui dire. David se passa la langue sur les lèvres et regarda le tapis vert pâle. Il lui était brusquement devenu impossible de poser des questions à Ed sur son travail, comme il en avait eu l'intention. Il ne lui restait donc plus qu'à plonger, pensa-t-il. Ou alors partir tout de suite.

« Tu dois te demander pourquoi je suis venu... En fait, je n'avais ni prévu ni préparé mon voyage, et je suis un peu à court d'argent... d'argent de poche. Comme mon compte en banque est en province, il ne m'est pas facile de tirer un chèque. Mais rien ne s'oppose à ce que j'en fasse un à ton ordre, pour la somme que tu voudras bien me prêter... 50, si tu peux..., moins, si cela te dérange...

— Mais comment donc ! dit Ed avec une gentillesse qui étonna David. Je ne crois pas en avoir 50, pour être tout à fait franc, mais je peux t'en donner 20. »

Il sortit son portefeuille de sa poche revolver. David était déjà debout et cherchait son carnet de chèques dans son imperméable.

« C'est inespéré, dit-il, soudain heureux et souriant. Quand on est en ville avec une fille, tu comprends...

— Ah ? Quelle fille ?

— Celle que je dois épouser. Pour ne rien te cacher, nous sommes déjà mariés, sauf sur le papier..., mais qu'importent les papiers ? »

Il prit un stylo sur le bureau et remplit le chèque. L'idée ne lui serait pas venue de signer du nom de Neumeister, mais il avait bien envie de parler à Ed de Bill, le chanceux.

« Tu te souviens du week-end que nous avons passé à Los Angeles ? La fois où nous avons eu toutes les peines du monde à rentrer chez ta mère, la veille du Jour de l'An ? »

Ed sourit et fit oui de la tête.

« Je me souviens.

— Eh bien, mon voyage ici, en ce moment, c'est un peu pareil... J'ai bu du vin, ce soir, à dîner..., mais ce n'est pas ça l'essentiel..., je veux dire... c'est l'état d'esprit qui compte... et mon moral à moi est excellent.

— Bravo ! »

Souriant toujours aimablement, Ed alla sur la pointe des pieds dans un couloir qui débouchait dans le salon. David put le voir en partie — un bras, la tête

— tandis qu'il fermait très doucement une porte ; puis il revint sur la pointe des pieds.

« Il y a quelqu'un à côté ? J'ai peut-être parlé trop fort ?

— Non, non, il n'y a personne. Tu ne veux pas de café ? Tu es sûr ? On en a en poudre. »

David refusa ; il aurait bien voulu qu'Ed reste assis, mais il lui était assez difficile de le lui demander. Il regarda autour de lui et vit les insipides reproductions d'impressionnistes, aux murs, et des meubles modernes mêlés à d'autres de l'époque victorienne ; il vit le bureau dans un désordre indescriptible, chaque petit casier archiplein, et le dessus de l'écritoire comme un champ de bataille. Près du fauteuil, par terre, il y avait deux crécelles roses.

« C'est drôle, remarqua David, mais la forme des crécelles n'a pas varié au cours des siècles.

— En effet », dit Ed ; et il rit.

Mais David crut discerner comme une fausse note dans ce rire ; cela l'inquiéta.

« Où est-elle en ce moment, la fille ? demanda Ed.

— Qui ?

— La fille avec qui tu es ?

— Ah !... Elle ?... Elle est... »

David eut un geste dégagé, qu'il coupa court. Il regardait Ed et il sentit croître son malaise. Il se demanda s'il ne devait pas lui dire qu'elle attendait en bas.

« Elle est à l'hôtel.

— Ah ! lequel ? »

Ed venait enfin de s'asseoir sur un pouf, devant le fauteuil.

« J'ai... j'ai oublié le nom... mais je peux retrouver le chemin. »

David éclata de rire. Ses jambes, allongées devant lui, n'avaient pas l'air d'être les siennes ; les cuisses étaient maigres. Il abattit la paume de sa main sur ses genoux.

« Alors, Ed...

— Ça ne serait pas le Barclay, par hasard ?
— Si, répondit David en souriant. Bien sûr que si.
— Tu y retournes ce soir ?
— Oui. Mais comment l'as-tu su ?
— Oh ! une idée comme ça, dit Ed en tirant sur sa pipe. Comment s'appelle-t-elle ? »
David avait entendu le bruit de l'ascenseur par la porte entrouverte. Ed se leva, alla vers la porte, jeta un coup d'œil dans le couloir et s'effaça.
« Il est ici », dit-il.
David avait sauté sur ses pieds. Deux agents entrèrent... trois même.
« Reste là, Elisabeth ! dit Ed dans le couloir.
— Monsieur Kelsey ? » demanda l'agent arrivé le premier, un type énorme, aux petits yeux gris, brillants sous sa visière.
David se catapulta de l'autre côté de la pièce, lança son avant-bras dans une vitre de la fenêtre, agrandit l'ouverture d'un coup de pied et, dans le même mouvement, s'élança sur l'appui de la fenêtre en saisissant une barre repliée de la marquise. Une main attrapa sa cheville, mais il se libéra d'un autre coup de pied.
« Kelsey..., dit le policier comme en l'exhortant, Kelsey !... »
David inséra ses doigts dans l'interstice qui courait entre les grandes plaques de ciment de la façade et s'écarta de la fenêtre. Ses pieds étaient posés sur un rebord d'environ vingt centimètres de large, qui courait jusqu'à l'angle de l'immeuble et s'arrêtait net. Mais du moins n'y avait-il plus de fenêtres entre lui et l'angle.
« Revenez, Kelsey. Vous allez tomber ! »
La main du policier, ou sa matraque, effleura le revers de son pantalon. Il poursuivit son chemin et le ciment lui râpa le nez. Puis il s'arrêta. L'agent ne pouvait plus l'atteindre. David le regarda. C'était un homme grand et fort, et, visiblement, sa peur n'était pas moins grande. Il se maintenait en équilibre en

s'appuyant de la hanche contre la barre d'appui, agrippé à la barre de fer de la marquise dont s'était servi David. Puis il rangea sa matraque dans sa poche et se redressa. David s'écarta encore, lentement ; mais ce n'était pas nécessaire, car l'agent n'avait aucune intention de lâcher la barre.

Tout à coup un murmure de voix s'éleva de l'intérieur de la pièce. Les gens se mirent tous à crier des conseils, comme s'ils venaient juste de retrouver l'usage de la parole. Deux autres têtes se penchèrent à l'extérieur.

« Vaut mieux revenir, dit l'agent d'une voix qui tremblait de peur. D'ici, je peux vous abattre. »

David eut un petit rire. C'était si bête et de si peu d'importance ! Souriant encore, il imagina la balle venant se loger dans son côté droit, le privant en un instant de toute sa force ; il se vit tombant à la renverse et tourbillonnant pour une dernière étreinte avec le ciment, là, tout en bas ; mais la rencontre elle-même, il ne put pas l'imaginer. Il ferma les yeux pour les protéger du filet de sang, tantôt chaud, tantôt tiède, qui coulait dedans. Le sang rendait ses doigts glissants ; ils devaient être écorchés, pensa-t-il ; mais est-ce qu'ils n'allaient pas rester collés au ciment, en séchant ?

« David !... »

C'était Ed, maintenant, qui se penchait par la fenêtre ; le policier avait disparu.

« David..., il faut revenir et faire face à tes responsabilités... Reviens, David ! »

Mais c'était Ed qui l'avait trahi. David ne put trouver assez d'énergie ni même un intérêt suffisant pour lui cracher son dégoût. Il se sentit poussé à regarder en bas, la rue, le trottoir directement en dessous de lui. Il se demanda si le policier n'était pas tombé dans le vide, silencieusement, dans l'accomplissement de son devoir. Ce qu'il vit — non pas le vide, mais une convergence de lignes qui aboutissaient toutes à une sorte de tourbillon imaginaire, à la verticale en dessous de lui — correspondait tellement à ce qu'il attendait que sa peur disparut.

Il aperçut la silhouette raccourcie d'une femme, et cette femme le montra du doigt ; un homme la rejoignit et regarda en l'air ; deux autres personnes, venant chacune de son côté, suivirent la direction du regard de l'homme et de la femme et s'immobilisèrent, elles aussi. Les quatre visages blancs, éclairés mystérieusement et de plusieurs côtés à la fois par les lumières de la rue, ressemblaient à un motif d'ornementation florale.

« Feriez mieux de revenir, Kelsey, vous allez tomber. »

David serra les dents et ne dit rien. Il resta le nez au mur, rentrant un peu les pieds pour se maintenir sur le rebord sans que ses talons surplombent le vide. Son cœur battait à grands coups, de colère, et il ne pouvait rien pour le calmer... Il commença à se sentir fatigué... Si seulement sa colère avait eu un objet, se disait-il, mais elle n'était pas dirigée contre la police, ni contre Ed ou sa femme, ni contre qui que ce soit.

Il se vit en toute objectivité et se trouva tout bête, dans cette position, devenu le point de mire de tout le monde, interpellé, adjuré de rentrer en passant par la fenêtre... Et dans quel but ?... Une lampe de policier était dirigée sur lui.

« Salauds ! hurla-t-il, sans trop savoir pourquoi, aux deux policiers qui gesticulaient et se penchaient par la fenêtre.

— J'ai un revolver braqué sur vous, Kelsey. Rentrez ou je tire !

— Allez au diable ! dit-il nerveusement.

— Vous êtes un tueur. Je m'en fous, moi, de vous sauver la vie ! »

Et le policier brandit son gros revolver.

« Si vous touchez seulement à un cheveu de cette jeune femme, là, dans l'appartement... murmura-t-il.

— Quelle jeune femme ? Elisabeth ? »

Un coup de vent força David à s'agripper davantage. Il ferma les yeux. Du sang chaud dégouttait entre ses sourcils ; il coula le long de son nez. David se demanda s'il tenterait d'atteindre le coin de l'immeuble et, de là, une autre fenêtre... Mais pour quoi faire en fin de compte ? Peu lui importait de tomber ou demeurer sur la corniche plus ou moins longtemps, ou pour toujours. A cette pensée, il éprouva un sentiment de liberté et de puissance retrouvées. Il se mit à sauter très légèrement sur la pointe des pieds. Par-delà l'épaule massive du policier, il aperçut deux ou trois personnes penchées aux fenêtres du même étage. Juste au-dessus de lui, une autre fenêtre s'ouvrit et une femme poussa un léger cri ; il ne la regarda même pas ; d'ailleurs, le poids de sa tête aurait pu lui faire perdre l'équilibre, et il ne voulait pas tomber, pas encore.

« Qu'est-ce qui se passe ? demanda une voix d'homme venant du dessus.

— Faut l'attraper, ce gars-là ! » dit un agent, apparemment aussi exalté que s'il partait en croisade.

Puis il tourna la tête pour dire quelque chose aux autres personnes, dans la pièce, et David ne distingua plus rien qu'un affreux rugissement de colère.

David ferma les yeux, appuya le front et le nez contre la fraîcheur de la pierre et raidit encore davantage ses doigts. Il allait devoir prendre une décision... Mais, après tout, était-ce indispensable ? Ne pourrait-il rester là, le temps qu'il avait à vivre ?... C'était tout à fait dans la ligne de vie de David Kelsey d'aller voir un vieil ami de collège pour lui emprunter un peu d'argent, immédiatement remboursable, et de se voir trahi par lui. Des souvenirs qu'il gardait d'Ed Greenhouse lui revinrent, mais avec une étrange qualité d'intimité personnelle, comme si Ed avait été dans sa vie plus qu'une simple connaissance..., ce qui n'était pas le cas. Il revit Ed, affligé d'un terrible saignement de nez, en classe, le sang maculant sa feuille d'examen, et quittant la salle après avoir trempé les mouchoirs de deux ou trois camarades dont celui de David. Il le revit, accompagné d'une jeune fille incroyablement jolie, au bal..., à la grande surprise de tous, à cause de la jeune fille... Etait-ce elle qu'il avait épousée ?

Il sentit que sa présence chez Ed Greenhouse, ce soir n'était pas due au hasard ; son destin était venu l'y attendre.

« Qui est-ce ?

— Pourquoi ils n'essaient pas de le prendre au lasso ?

— Qu'est-ce qu'il veut faire ?

— C'est un aspirant au suicide ?

— Non ! » grogna le policier, qui ne perdait pas David de vue, comme s'il avait été quelque cobaye de laboratoire.

David ferma les yeux de toutes ses forces pour les refouler, tous, hors de son univers. Ce n'était pas la première fois qu'on le harcelait, il avait l'habitude ; cela s'était déjà produit chez Mme Mac Cartney, chez Annabelle aussi, à plus petite échelle. Il les chassa tous, et le visage d'Annabelle lui apparut alors plus clairement que jamais. Et tout à la fois, il reprit conscience qu'elle existait. Ce fut comme à certains de ses réveils, quand, après les premiers instants mornes et vides, ses pensées s'étaient tournées vers Annabelle et qu'il s'était souvenu de nouveau de son existence : elle vivait, elle respirait. Il était comme une voile flasque et tombante, qui se gonflait soudain et retrouvait sa raison d'être. De l'eau ou un liquide quelconque lui éclaboussa la tête. Une femme ou un enfant se mit à rire, au-dessus de lui.

« Pas de ça ! dit une voix bourrue. On le veut vivant. »

« Ils ne m'auront pas vivant », pensa David ; et, à cet instant, comme si un hurlement de rire ou de défi sortait de sa propre gorge, une sirène lança son avertissement. David se rapprocha de l'angle de l'immeuble, plus pour changer la position de ses doigts endoloris que pour changer de place. Alors il concentra sa pensée sur le visage d'Annabelle avec la foi aveugle que les mourants mettent parfois dans une croix. Il se rendit compte — avec indifférence d'ailleurs — qu'on s'agitait en bas, avec des échelles et des filets ; il n'était pas exclu qu'ils parviennent jusqu'à lui, malgré les neuf étages. L'idée d'envoyer promener une échelle d'un coup de pied lui procura une certaine satisfaction... Mais ne serait-elle pas solidement fixée à sa base ? Il faudrait qu'il se tourne pour leur faire face. Il ne s'appesantit pas sur cette manœuvre périlleuse, sachant que plus il y penserait, plus la réalisation serait difficile.

Il approcha sa main droite de la gauche, appuya ses doigts dans l'interstice de la façade et tourna son corps autant qu'il put avant de décoller sa main gauche du mur et de la faire voltiger rapidement autour de son corps. Ses doigts tâtonnaient un peu pour retrouver l'interstice... mais sa main droite le maintint plaqué au mur. A tout prendre, pensa-t-il, il s'en était sorti avec autant de grâce qu'un danseur de ballet exécutant une pirouette.

« Ne sautez pas, Kelsey..., on va venir jusqu'à vous ! »

On aurait cru un cirque vu du haut d'un trapèze volant. Un grand cercle de lumière entourait deux voitures de pompiers, rouges et brillantes, placées l'une contre l'autre, à angle droit. Le faisceau d'un gros projecteur se balança et vint se braquer sur lui. Des agents sifflaient et faisaient de grands gestes pour faire circuler les voitures... mais elles ne bougeaient pas, tout était bloqué au croisement de Riverside et d'une rue transversale. David se mit à rire, non à la pensée qu'il était la cause de ce spectacle — ce qu'il était obligé d'admettre, malgré lui — mais parce qu'il voyait des personnes adultes qui, toutes activités cessantes, étaient venues se faire prendre dans cet embouteillage et gardaient le regard fixe, comme des singes, la tête bloquée dans une position tout à fait anormale, simplement parce qu'un homme risquait de tomber ou allait peut-être sauter et se tuer.

« N'ayez crainte, je ne vais pas sauter », dit David.

Il s'adressait d'une voix calme à l'agent à l'épaisse carrure, qui se penchait dangereusement par la fenêtre, une hanche en équilibre sur la barre d'appui... ne cherchant peut-être d'ailleurs, qu'à impressionner ceux qui regardaient de son côté.

Un second agent, apparemment plein de bonnes intentions, avança la tête et prit la place du premier. Il tendit à David ce que celui-ci crut d'abord être un mètre en bois, mais qui était en réalité un balai dont il tenait fermement les crins.

« Accrochez-vous à ça, Kelsey..., revenez à l'intérieur. Je ne vous laisserai pas tomber. »

David eut envie de rire de nouveau, mais cela lui fut impossible : un balai !... Cet article de ménage !... Ce parfait symbole du foyer, des vertus domestiques !... Il retrouva son courage et jeta un coup d'œil au-dessous de lui, puis au-dessus. Des visages apeurés le regardaient fixement, toute une rangée de visages, tournés dans tous les sens, à l'envers ou de côté... Il se sentit envahi d'une vague de tristesse.

Un coup de sifflet retentit soudain pour attirer l'attention : un élément de l'échelle retomba dans un fracas de ferraille épouvantable. Et David éclata de rire en voyant trois pompiers, revêtus de combinaisons de caoutchouc, se précipiter pour ramasser cet objet apparemment sacré, qui n'aurait jamais dû entrer en contact avec le sol.

« Vous voulez un peu de café, mon vieux ? » demanda une voix d'homme.

David regarda sur sa gauche et vit l'agent aux bonnes intentions, qui lui tendait une tasse de café à bout de bras.

« Je voudrais ma femme, dit David.

— Ah ! oui ? Comment s'appelle-t-elle ? »

Il préféra ne pas répondre.

Calmement, il laissa errer son regard le long de la

ligne vert sombre des arbres qui bordaient l'autre côté de Riverside Drive. Il songea aux bois sans limites qui entouraient sa villa de Ballard et à ceux qui bordaient sa maison de Troy, qu'Annabelle n'avait jamais connue. Ou bien l'avait-elle vue ? Est-ce qu'elle n'y était pas venue ?

« Quel est son nom, David ? On ira la chercher », dit le même garçon, un peu obtus mais efficient.

David s'éclaircit la gorge mais ne répondit pas. Il envisagea de nouveau de tourner le coin de l'immeuble et de se frayer un chemin par une autre fenêtre, mais ils seraient tous trop heureux de l'aider à rentrer, et ensuite il lui faudrait se battre pour sortir de l'appartement. Le souvenir lui revint des trois ou quatre hommes qui l'avaient attaqué chez Annabelle. La force humaine avait des limites. Il soupira et se sentit soudain très fatigué. Il se balança légèrement vers l'extérieur ; une grande vague de surprise et d'horreur monta jusqu'à lui et lui fit serrer les doigts encore plus fort. De nouveau il était à sa place , il se tenait droit ; il n'était pas tombé ; il sourit.

Il put entendre aussi des fous rires nerveux, puis un début d'applaudissements rythmés, comme lorsque le rideau se lève en retard au théâtre. Des pompiers les firent cesser. L'échelle montait.

« Voilà, David. Maintenant ça va y être », dit une voix tranquille, venant de la fenêtre, peut-être celle d'Ed.

Mais David s'abstint de regarder.

« C'est bon, David... Détends-toi... »

Il eut l'impression que William Neumeister était là, à le suivre des yeux, avec une confiance absolue. William Neumeister, les bras croisés, le visage empreint d'un grand calme.

« On va la chercher, ta femme, David. C'est comment, son nom ? Annabelle ? »

David leva les yeux vers une étoile et ne daigna pas répondre.

« Elle est en bas, elle t'attend dans la rue. Il faut que tu descendes par l'échelle. »

Le ton était faux, aussi faux que possible. Rien n'était vrai, rien d'autre que la fatigue de la vie et de ses perpétuelles déceptions. Les pompiers se lançaient des ordres et des conseils les uns aux autres. Un petit homme grimpait à l'échelle, alors même qu'elle continuait à monter en se balançant. L'attention de David se réveilla. Il se sentait capable d'expédier le pompier dans le vide, d'un coup de pied ; mais il ne le fallait pas, et il ne s'y résoudrait que si l'homme prétendait user de violence. Après tout, David ne l'intéressait en aucune façon; il faisait son devoir, c'est tout.

« Elle est là, en bas, David, dit la même voix, de la fenêtre. Tu la vois ? Elle te fait signe. »

David n'en crut rien, mais il regarda. Aucune femme ne lui faisait signe.

« Tiens bon, mon garçon ! » dit le pompier sur l'échelle, avec un peu d'angoisse rentrée.

Ce fut la proximité de cette voix qui surprit brutalement David. Il ne lui restait que quelques secondes. Il cligna des yeux, puis son regard fit le tour des quelques possibilités qui s'offraient à lui : l'angle de l'immeuble... La fenêtre où une demi-douzaine de mains avides s'apprêtaient à le cueillir et dont il ne pourrait même pas supporter le contact... Une couverture que pendait au-dessus de lui, presque à portée de main, pas tout à fait, comme une plaisanterie peut-être ou une raillerie insultante... Ou bien encore il pouvait sauter ! Si souvent déjà il s'était trouvé ainsi devant un maigre choix de possibilités, dont aucune ne présentait un intérêt essentiel !... Il s'interrogea nerveusement et commença à bouger un peu sur place. Du sang avait collé les cils de son œil gauche.

« Ça y est, mon garçon... Tiens bon...

— Ollé ! cria une voix dans la rue.

— Ils vont l'avoir », dit une voix grave au-dessus de lui.

En bas, il y avait une fille vêtue d'un manteau blanc, ou d'un imperméable clair, sans chapeau. Elle se tenait immobile, le visage levé, les mains devant elle, crispées l'une sur l'autre. Elle avait les cheveux de la couleur des cheveux d'Annabelle, lui sembla-t-il ; mais à cause de l'ombre, il ne pouvait être sûr de rien.

« Dis-lui bonjour, David ! »

C'était encore la voix de l'agent, qui n'avait d'ailleurs pas cessé de parler.

« Dis-lui que tu vas descendre... Encore quelques instants, maintenant, et... »

L'échelle racla les briques, juste au-dessous du rebord sur lequel se tenait David.

La jeune femme ne fit aucun signe, et David fut d'autant plus convaincu que c'était bien Annabelle qui l'attendait ; Annabelle, en effet, ne lui aurait probablement pas adressé un signe de la main, même s'il le lui avait demandé...

Il n'y avait pas d'autre solution, pensa-t-il ; la seule perspective du contact avec le pompier lui répugnait.

Sans plus y réfléchir, il fit un pas en avant, dans cet espace tout imprégné de fraîcheur, le premier pas de cette descente rapide vers Annabelle, l'esprit totalement occupé par un seul souvenir : la courbe de son épaule, nue, comme il ne lui avait jamais été donné de la voir.

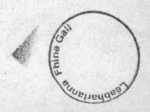

ŒUVRES DE PATRICIA HIGHSMITH

Chez Calmann-Lévy :

L'Inconnu du Nord-Express.
Mr. Ripley (Plein Soleil).
Eaux profondes.
Le Meurtrier.
Jeu pour les vivants.
Le Cri du hibou.
Ce mal étrange (Dites-lui que je l'aime).
Ceux qui prennent le large.
L'Empreinte du faux.
Ripley et les ombres.
La Rançon du chien.
Ripley s'amuse (L'Ami américain).
L'Amateur d'escargots.
Le Rat de Venise.
Le Journal d'Edith.
L'Épouvantail.

IMPRIMÉ EN FRANCE PAR BUSSIÈRE
18200 Saint-Amand-Montrond
LIBRAIRIE GÉNÉRALE FRANÇAISE - 6, rue Pierre-Sarrazin - 75006 Paris.
ISBN : 2 - 253 - 05547 - 6

30/4412/0